# MORCEAUX CHOISIS
## D'AUTEURS CANADIENS

# DU MÊME AUTEUR

---

**Mgr Camille ROY**
Professeur de Littérature Canadienne
à l'Université Laval

# MORCEAUX CHOISIS

## D'AUTEURS CANADIENS

7ème **ÉDITION**

PAR BEAU CHEMIN

MONTRÉAL
Librairie **BEAUCHEMIN** Limitée
430, rue Saint-Gabriel.
**1954**

# NOTE DE L'AUTEUR

————— —

La lecture et l'étude des textes sont indispensables à une connaissance intelligente de l'histoire littéraire. Nous offrons aujourd'hui au public ce recueil de *Morceaux choisis d'auteurs canadiens*. Prosateurs et poètes, les principaux du moins, y sont représentés en des pages qui nous ont paru le mieux caractériser leurs mérites. Ce sont des raisons d'ordre littéraire, historique et pédagogique qui ont motivé notre choix.

Nous ne prétendons pas, certes, que notre littérature s'est haussée à la dignité des classiques. Nous pensons seulement qu'elle est pour nous digne d'intérêt. C'est, d'ailleurs, pour aider les jeunes étudiants à se rendre mieux compte de la valeur des morceaux choisis, que nous avons fait suivre un grand nombre d'entre eux d'observations courtes qui peuvent guider l'attention du lecteur ou servir d'indications pour l'étude.

Un bref jugement d'ensemble, placé sous le nom de chaque auteur, peut aussi provoquer, après lecture des morceaux, soit une critique, soit une justification.

Après ce bref jugement et l'énumération des œuvres de l'auteur, nous renvoyons pour renseignements supplémentaires à notre *Histoire de la Littérature canadienne,* édition de 1946.

C. R.

# MORCEAUX CHOISIS
## D'AUTEURS CANADIENS

---

## SOUS LE RÉGIME FRANÇAIS

---

### JACQUES CARTIER
#### (1491-1557)

Jacques Cartier a laissé des récits de ses découvertes et explorations au Canada. Nous empruntons au récit du premier voyage, celui de 1534, le morceau suivant, que nous intitulons *La Croix de Gaspé*.

### 1 — La croix de Gaspé

Le XXIIIIème jour du dit mois, nous fîmes faire une croix de trente pieds de haut, qui fut faite devant plusieurs d'eux sur la pointe de l'entrée du dit hable, sous le croisillon de laquelle mîmes un écusson en bosse à trois fleurs de lys, et dessus un écriteau en bois, engravé en grosse lettre de forme, où il y avait, VIVE LE ROY DE FRANCE. Et icelle croix plantâmes sur la dite pointe devant eux, lesquels la regardaient faire et planter. Et après qu'elle fut élevée en l'air, nous mîmes tous à genoux, les mains jointes, en adorant icelle devant eux, et leur fîmes signe, regardant et leur montrant le ciel, que par icelle était notre rédemption, de quoi ils firent plusieurs admirations, en tournant et regardant icelle croix.

Nous étant retournés en nos navires, vint le capitaine, vêtu d'une vieille peau d'ours noir, dedans une barque avec trois de ses fils et son frère, lesquels ne approchèrent si près du bord comme

avaient de coutume, et nous fit une grande harangue, nous montrant
la dite croix et faisant le signe de la croix avec deux doigts; et
puis nous montrait la terre tout à l'entour de nous comme s'il eut
voulu dire que toute la terre était à lui et que nous ne devions
pas planter la dite croix sans son congé.    Et après qu'il eut fini
sa dite harangue nous lui montrâmes une hache, feignant de lui
bailler pour sa peau.    A quoi il entendit, et peu à peu, s'approcha
du bord de notre navire, pensant avoir la dite hache.    Et l'un de
nos gens, étant dans notre bateau, mit la main sur sa dite barque,
et incontinent il en entra deux ou trois dans leur barque, et les
fit-on entrer dans notre navire, de quoi furent bien étonnés. Et
eux étant entrés, furent assurés par le capitaine qu'ils n'auront nul
mal en leur montrant grand signe d'amour; et les fit-on boire et
manger et faire grande chère.    Et puis leur montrâmes par signe
que la dite croix avait été plantée pour faire marque et balise,
pour entrer dans le hable; et que nous y retournerions bientôt et
leur apporterions des ferremens et autres choses; et que nous
voulions amener deux de ses fils avec nous et puis les rap-
porterions au dit hable.    Et accoutrâmes ses dits deux fils de
deux chemises, et en livrées, et de bonnets rouges, et à chacun sa
chaînette de laton au cou.    De quoi se contentèrent fort, et bail-
lèrent leurs vieux haillons à ceux qui retournaient.    Et puis
donnâmes aux trois que renvoyâmes, à chacun son hachot et deux
couteaux, de quoi menèrent grande joie.    Et eux étant retournés
à la terre, dirent les nouvelles aux autres.    Environ midi d'iceluy
jour, retournèrent six barques à bord, où il y avait à chacune cinq
ou six hommes, lesquels venaient pour dire adieu aux deux que
avions retins; et leur apportèrent du poisson.    Et nous firent signe
qu'ils ne abattraient la dite croix, en nous faisant plusieurs
harangues que n'entendions.

# CHAMPLAIN
## (1567-1635)

Samuel de Champlain a laissé des récits de ses *Voyages*. Nous empruntons au texte de 1632 des *Voyages de Nouvelle France occidentale, dicte Canada, faits par le Sr de Champlain*, les morceaux suivants.

## 2 — Importance qu'il y a de reconquérir la N.-France

Il se peut dire aussi que le pays de la nouvelle France est un nouveau monde et non un royaume, beau en toute perfection et qui a des situations très commodes, tant sur les rivages du grand fleuve Saint Laurent (l'ornement du pays) qu'ès autres rivières, lacs, étangs et ruisseaux, ayant une infinité de belles îles accompagnées de prairies et bocages fort plaisants et agréables, où durant le printemps et l'été se voit un grand nombre d'oiseaux qui y viennent en leur temps et saison: les terres très fertiles pour toutes sortes de grains, les pâturages en abondance, la communication des grandes rivières et lacs qui font comme des mers traversant les contrées et qui rendent une grande facilité à toutes les découvertes dans le profond des terres, d'où on pourrait aller aux mers de l'Occident, de l'Orient, du Septentrion, et s'étendre jusqu'au Midi.

Le pays est rempli de grandes et hautes forêts, peuplé de toutes les mêmes sortes de bois que nous avons en France; l'air salubre, et les eaux excellentes sur les mêmes parallèles d'icelle: et l'utilité qui se trouvera dans le pays, selon que le Sieur de Champlain espère le représenter, est assez suffisant pour mettre l'affaire en considération, puis que ce pays peut produire au service du roi les mêmes avantages que nous avons en France, ainsi qu'il paraîtra par le discours suivant.

*(Les Voyages de Champlain, I, 1.)*

## 3 — Les rois doivent être plus soucieux d'augmenter la connaissance du vrai Dieu que de multiplier leurs états

Les palmes et les lauriers les plus illustres que les rois et les princes peuvent acquérir en ce monde est que méprisant les biens temporels, porter leur désir à acquérir les spirituels: ce qu'ils ne peuvent faire plus utilement qu'en attirant par leur travail et piété un nombre infini d'âmes sauvages (qui vivent sans foi, sans loi, ni connaissance du vrai Dieu) à la profession de la religion catholique, apostolique et romaine. Car la prise des forteresses, ni le gain des batailles, ni la conquête des pays, ne sont rien en comparaison ni au prix de celles qui se préparent des couronnes au ciel, si ce n'est contre les infidèles, où la guerre est non seulement nécessaire, mais juste et sainte, en ce qu'il y va du salut de la chrétienté, de la gloire de Dieu, et de la défense de la foi, et ces travaux sont de soi louables et très recommandables, outre le commandement de Dieu, qui dit, *Que la conversion d'un infidèle vaut mieux que la conquête d'un Royaume.* Et si tout cela ne nous peut émouvoir à rechercher les biens du ciel aussi passionnément du moins que ceux de la terre, d'autant que la convoitise des hommes pour les biens du monde est telle, que la plupart ne se soucient de la conversion des infidèles pourvu que la fortune corresponde à leurs désirs et que tout leur vienne à souhait. Aussi est-ce cette convoitise qui a ruiné et ruine entièrement le progrès et l'avancement de cette sainte entreprise, qui ne s'est encore bien avancée, et est en danger de succomber, si sa Majesté n'y apporte un ordre très saint, charitable et juste comme elle est, et qu'elle même ne prenne plaisir d'entendre ce qui se peut faire pour l'accroissement de la gloire de Dieu, et le bien de son Etat, repoussant l'ennui qui se met par ceux qui devraient maintenir cette affaire, lesquels en cherchent plutôt la ruine que l'effet.

*(Les Voyages de Champlain,* I, 2.)

―――――――――

## 4 — Arrivée à Québec en 1608

De l'Ile d'Orléans jusqu'à Québec il y a une lieue, et y arrivai le 3 juillet, où étant, je cherchai lieu propre pour notre habitation : mais je n'en pus trouver de plus commode, ni mieux situé que la pointe de Québec, ainsi appelé des sauvages, laquelle était remplie de noyers et de vignes. Aussitôt j'employai une partie de nos ouvriers à les abattre, pour y faire notre habitation, l'autre à y scier des ais, l'autre à fouiller la cave, et faire des fossés, et l'autre à aller quérir nos commodités à Tadoussac avec la barque. La première chose que nous fîmes fut le magasin pour mettre nos vivres à couvert, qui fut promptement fait par la diligence d'un chacun et le soin que j'en eu. Proche de ce lieu est une rivière agréable, où anciennement hiverna Jacques Cartier.

Pendant que les charpentiers, scieurs d'ais, et autres ouvriers travaillent à notre logement, je fis mettre tout le reste à défricher autour de l'habitation, afin de faire des jardinages pour y semer des grains et graines, pour voir comme tout succéderait, d'autant que la terre paraissait fort bonne.

Cependant quantité de sauvages étaient cabanés proche de nous, qui faisaient pêche d'anguilles, qui commencent à venir comme au 15 septembre et finissent au 15 octobre. En ce temps tous les sauvages se nourrissent de cette manne, et en font sécher pour l'hiver jusque au mois de février, que les neiges sont grandes comme de deux pieds et demi et trois pieds pour le plus, qui est le temps que quand leurs anguilles et autres choses qu'ils font sécher, sont accommodées, ils vont chasser aux castors, où ils sont jusqu'au commencement de janvier. Ils ne firent pas grande chasse de castor, pour être les eaux trop grandes et les rivières débordées, ainsi qu'ils nous dirent. Quand leurs anguilles leur faillent, ils ont recours à chasser aux élans et autres bêtes sauvages, qu'ils peuvent trouver en attendant le printemps, où j'eus moyen de les entretenir de plusieurs choses.

(*Les Voyages de Champlain*, III, 5.)

# MARIE DE L'INCARNATION

## (1599-1672)

Marie de l'Incarnation, fondatrice du monastère des Ursulines de Québec, a laissé des écrits spirituels, des *relations* de ses états d'âme, l'une en 1633, à Tours, l'autre en 1653 et 1654, à Québec, et une abondante *correspondance*. — Nous extrayons de ses *Relations* les morceaux qu'on va lire, empruntés au livre *Le Témoignage de Marie de l'Incarnation*, publié par Dom Jamet, bénédictin, qui réédite actuellement les écrits de la Vénérable. Le *Témoignage* composé d'extraits des *Relations* offre une sorte de panorama spirituel de toute la vie de Marie de l'Incarnation.

## 5 — Comment Dieu dans un ravissement me fit connaître sa volonté de se servir de moi pour la mission du Canada, et des moyens qu'il employa pour en venir à l'effet

Etant donc les dispositions susdites, un jour que j'étais en oraison devant le très saint Sacrement, appuyée en la chaise que j'avais dans le chœur, mon esprit fut en un moment ravi en Dieu, et ce grand pays qui m'avait été montré en la façon que j'ai décrite ci-devant me fut de nouveau représenté avec toutes les mêmes circonstances.

Lors, cette adorable Majesté me dit ces paroles: "C'est le Canada que je t'ai fait voir; il faut que tu y ailles faire une maison à Jésus et à Marie". Ces paroles qui portaient vie et esprit en mon âme, la rendirent en cet instant dans un anéantissement indicible au commandement de cette infinie et adorable Majesté, laquelle lui donna force pour répondre en disant: "O mon grand Dieu! Vous pouvez tout, et moi je ne puis rien; s'il vous plaît de m'aider, me voilà prête. Je vous promets de vous obéir. Faites en moi et par moi votre très adorable volonté". Il n'y eut point là de raisonnement ni de réflexion: la réponse suivit le commandement, ma volonté ayant été à ce moment unie à celle de Dieu; d'où s'ensuivit une extase amoureuse dans laquelle cette infinie Bonté me fit des caresses que langue humaine ne pourrait jamais exprimer, et à laquelle succédèrent de grands effets intérieurs de vertu. Je ne voyais plus d'autres pays pour moi que le Canada, et mes plus grandes courses étaient dans le pays des Hurons pour y accompagner les ouvriers de l'Evangile, y étant unie d'esprit au Père Eternel, sous les auspices du sacré Cœur de Jésus, pour lui gagner des âmes. Je faisais bien des stations par tout le monde, mais les parties du Canada étaient ma demeure et mon pays, mon esprit étant tellement hors de moi et abstrait du lieu où était mon corps, qui pâtissait cependant beaucoup par cette abstraction, que même en prenant ma réfection, c'étaient les mêmes fonctions et courses dans le pays des Sauvages pour y travailler à leur conversion et y aider les ouvriers de l'Evangile. Et les jours et les nuits se passaient de la sorte.

(*Le Témoignage de Marie de l'Incarnation*, I, 2, 9.)

---

## 6 — Comment je reçus mon obédience pour le Canada. De notre partement de Tours.

Le jour de notre départ qui fut le 22e février de l'an 1639, Monseigneur de Tours nous envoya son carosse, pour que nous fussions en son palais recevoir sa bénédiction. Il était indisposé. Il nous fit communier avec lui et voulut que nous prissions notre réfection à sa table. Après quoi, il nous fit une belle exhortation sur les paroles que Notre-Seigneur dit à ses Apôtres, lorsqu'il les envoya en mission, et nous indiqua nos devoirs, nous faisant donner notre obédience. Nous le suppliâmes, ma compagne et moi, de nous commander ce voyage, à ce que, par ce commandement que nous recevrions de lui, qui nous tenait la place de Dieu, nous eussions une ample bénédiction. Il nous le commanda avec beaucoup de douceur et d'amour; puis, il nous dit de chanter le psaume *In exitu Israel de Ægypto* et le Cantique *Magnificat*. Notre Révérende Mère Prieure et la meilleure chantre de notre monastère étaient avec nous, mon dit Seigneur l'ayant ainsi désiré. Nous retournâmes dire adieu à nos Mères, qui, dans cette occasion, nous témoignèrent la tendresse de leurs cœurs. Elles ne se pouvaient séparer de notre sœur de Saint-Joseph, qui, dans cette rencontre, ne versa pas une larme. Monseigneur l'Archevêque obligea notre Révérende Mère de nous conduire jusqu'à Amboise. Nous nous mîmes donc en chemin avec notre chère fondatrice et Monsieur de Bernières, qui avait avec lui son homme de chambre avec son laquais. Madame n'avait que sa demoiselle, étant venue à petit bruit. Durant notre voyage, Monsieur de Bernières réglait notre temps et nos observances dans le carosse et nous les gardions aussi exactement que dans le monastère. Il faisait oraison et gardait le silence aussi bien que nous. Durant le temps de parler, il nous entretenait de son oraison ou d'autres matières spirituelles. A tous les gîtes, c'était lui qui allait pourvoir à tous nos besoins avec une charité singulière, et ses deux serviteurs nous servaient comme s'ils eussent été à nous parce qu'ils participaient à l'esprit d'humilité et de charité de leur maître.

*(Le Témoignage de Marie de l'Incarnation,* I, 2, 11.)

---

## 7 — De notre arrivée à Québec

Après tant d'accidents et de tempêtes, le 1er jour d'août 1639, nous arrivâmes à Québec. Monsieur de Montmagny, Gouverneur de la Nouvelle-France, ayant auparavant envoyé sa chaloupe bien munie de rafraîchissements au-devant de nous, nous reçut et tous les Révérends Pères avec des démonstrations d'une très grande charité. Tous les habitants étaient si consolés de nous voir que, pour nous témoigner leur joie, ils firent ce jour-là cesser tous leurs ouvrages.

La première chose que nous fîmes fut de baiser cette terre en laquelle nous étions venues pour y consommer nos vies pour le service de Dieu et de nos pauvres Sauvages. L'on nous conduisit à l'église, où le Te Deum fut solennellement chanté, ensuite de quoi, Monsieur le Gouverneur nous mena tous au Fort pour y prendre notre réfection, et après, tous les Révérends Pères et lui nous firent l'honneur de nous conduire aux lieux destinés pour notre demeure.

Le lendemain, les Révérends Pères Vimont et Le Jeune et les autres Révérends Pères de la Mission, nous amenèren' à Sillery, le village des Sauvages, nos très chers frères. Là, nous reçumes des consolations très grandes, les entendant chanter les louanges de Dieu en leur langue. Oh! combien nous étions ravies de nous sentir parmi nos chers néophytes qui, de leur côté, l'étaient aussi de nous voir. Le premier chrétien nous donna sa fille, et en peu de jours, l'on nous en donna plusieurs autres avec toutes les filles françaises qui étaient capables d'instruction. La maison que l'on nous avait donnée au bord de l'eau pour notre demeure, en attendant que l'on nous eût choisi un lieu propre pour bâtir notre monastère, était fort étroite: il n'y avait que deux petites chambres, dans lesquelles nous nous estimions mieux logées, y ayant avec nous les trésors que nous y étions venues chercher, qui étaient nos chères Sauvagesses, que si nous eussions possédé un royaume.

Cette petite maison fut bientôt réduite en un hôpital, par l'accident de la petite vérole qui se mit parmi les Sauvages. Comme nous n'avions point encore de meubles, tous les lits étaient sur le plancher, en une si bonne quantité qu'il nous fallait passer par-dessus les lits des malades. Trois ou quatre de nos filles sauvages moururent. La divine Majesté donnait une si grande ferveur et courage à mes sœurs que pas une n'avait de degoût des maux et de la saleté des Sauvages. Madame notre fondatrice y voulut tenir le premier rang, et quoiqu'elle fut d'une constitution fort délicate, elle s'employait dans les offices les plus humbles. Oh! que c'est une chose précieuse que ces prémices de l'esprit, quand il est mû pour l'aide du salut des âmes!

(*Le Témoignage de Marie de l'Incarnation*, II, 1.)

# CHARLEVOIX

## (1682-1761)

Historien soucieux d'exactitude: narrateur précis, élégant, spirituel. Fort bon écrivain de tenue classique.

Œuvres: *Histoire et Description générale de la Nouvelle-France* et le *Journal historique d'un Voyage fait par ordre du Roi dans l'Amérique septentrionale* (1744).

## 8 — Mort et caractère de Champlain

Il mourut à Québec vers la fin de cette même année, généralement regretté, et avec raison. M. de Champlain fut sans contredit un homme de mérite, et peut être à bon titre appelé le Père de la Nouvelle-France. Il avait un grand sens, beaucoup de pénétration, des vues fort droites, et personne ne sut jamais mieux prendre son parti dans les affaires les plus épineuses. Ce qu'on admira le plus en lui, ce fut sa constance à suivre ses entreprises, sa fermeté dans les plus grands dangers, un courage à l'épreuve des contretemps les plus imprévus, un zèle ardent et désintéressé pour la Patrie, un cœur tendre et compatissant pour les malheureux, et plus attentif aux intérêts de ses amis qu'aux siens propres, et un grand fond d'honneur et de probité. On voit en lisant ses Mémoires, qu'il n'ignorait rien de ce que doit savoir un homme de sa profession: on y trouve un historien fidèle et sincère, un voyageur qui observe tout avec attention, un écrivain judicieux, un bon géomètre, et un habile homme de mer.

Mais ce qui met le comble à tant de bonnes qualités, c'est que dans sa conduite, comme dans ses écrits, il parut toujours un homme véritablement chrétien, zélé pour le service de Dieu, plein de candeur et de religion. Il avait accoutumé de dire, ce qu'on lit dans ses Mémoires: "Que le salut d'une seule âme valait mieux que la conquête d'un empire, et que les rois ne doivent songer à étendre leur domination dans les pays, où règne l'idolâtrie, que

pour les soumettre à Jésus-Christ". Il parlait ainsi surtout pour
fermer la bouche à ceux qui, prévenus mal-à-propos contre le
Canada, demandaient de quelle utilité serait à la France d'y faire
un établissement? On sait que nos rois ont toujours parlé comme
lui sur cet article, et que la conversion des sauvages a été le principal motif qui les a plus d'une fois empêchés d'abandonner une
colonie dont notre impatience, notre inconstance et l'aveugle
cupidité de quelques particuliers ont si longtemps retardé le
progrès. Il ne manqua à M. de Champlain, pour lui donner des
fondements plus solides, que d'être plus écouté de ceux qui le
mettaient en œuvre et d'être secouru à propos. La manière dont
il voulait s'y prendre n'a été que trop justifiée par le peu de succès
qu'ont eu des maximes et une conduite contraires.

Lescarbot lui a reproché d'avoir été trop crédule; c'est le
défaut des âmes droites... Dans l'impossibilité d'être sans défauts,
il est beau de n'avoir que ceux qui seraient des vertus si tous les
hommes étaient ce qu'ils doivent être.

(*Histore générale de la Nouvelle-France*, V.)

## 9 — Caractère de Frontenac

Louis de Buade, Comte de Frontenac, son successeur, était
Lieutenant-Général des armées du roi, et petit-fils d'un chevalier
des Ordres, qui pendant la guerre de la Ligue s'était distingué par
son attachement pour son Souverain légitime, et avait mérité la
confiance du grand Henri. Celui-ci avait le cœur encore plus
grand que la naissance; l'esprit vif, pénétrant, ferme, fécond, et
fort cultivé; mais il était susceptible des plus injustes préventions,
et capable de les porter fort loin. Il voulait dominer seul, et il
n'est rien qu'il ne fit pour écarter ceux qu'il craignait de trouver
en son chemin. Sa valeur et sa capacité étaient égales; personne
ne sut mieux prendre sur les peuples qu'il gouverna, ou avec qui
il eut à traiter, cet ascendant si nécessaire pour les retenir dans le
devoir et le respect. Il gagna, quand il le voulut, l'amitié des
Français et de leurs alliés, et jamais général n'a traité ses ennemis
avec plus de hauteur et de noblesse. Ses vues pour l'agrandissement

de la Colonie étaient grandes et justes, et il ne tint pas à lui qu'on n'ouvrit les yeux sur les avantages qu'en pouvait retirer le Royaume; mais ses préjugés empêchèrent quelquefois l'exécution de projets qui dépendaient de lui. On avait de la peine à concilier la régularité, et même la piété, dont il faisait profession, avec cette aigreur et cet acharnement qu'il témoignait contre ceux qui lui faisaient ombrage ou qu'il n'aimait point; et il donna lieu de juger dans une des plus importantes occasions de sa vie que son ambition et le désir de conserver son autorité avaient plus de pouvoir sur lui que le zèle du bien public. C'est qu'il n'est point de vertu qui ne se démente quand on a laissé prendre le dessus à une passion dominante. Le Comte de Frontenac eût pu être un grand prince si le ciel l'avait placé sur le trône; mais il avait des défauts dangereux dans un sujet, qui ne s'est pas bien persuadé que sa gloire consiste à tout sacrifier pour le service de son Souverain et pour l'utilité publique.

*(Histoire générale de la Nouvelle-France, X.)*

## 10 — De l'Ile aux Coudres à Québec

Le lendemain avec un peu de vent et de marée nous allâmes mouiller au-dessus de l'Ile aux Coudres, qui est à quinze lieues de Québec et de Tadoussac. On la laisse à gauche, et ce passage est dangereux, quand on n'a pas le vent à souhait. Il est rapide, étroit et d'un bon quart de lieue. Du temps de Champlain il était beaucoup plus aisé; mais en 1663 un tremblement de terre déracina une montagne, la lança sur l'Ile aux Coudres, qu'elle agrandit de moitié, et à la place où était cette montagne, il parut un gouffre, dont il ne fait pas bon de s'approcher. On pourrait passer au sud de l'Ile aux Coudres, et ce passage serait facile et sans danger; il porte le nom de M. d'Iberville, qui l'a tenté à succès, mais la coutume est de passer par le Nord, et la coutume est une loi souveraine pour le commun des hommes.

Au-dessus du gouffre, dont je viens de parler, est la *Baie de Saint-Paul*, où commencent les habitations du côté du Nord, et

où il y a des pinières, qu'on estime beaucoup; on y trouve surtout
des pins rouges d'une grande beauté, et qui ne cassent jamais.
Messieurs du Séminaire de Québec sont Seigneurs de cette baie.
Six lieues plus haut est un promontoire extrêmement élevé, où se
termine une chaîne de montagnes, qui s'étend plus de quatre cents
lieues à l'Ouest.   On l'appelle le *Cap-Tourmente,* apparemment
parce que celui qui l'a ainsi baptisé y a essuyé quelques coups de
vent.   Le mouillage y est bon, et on y est environné d'îles de toutes
les grandeurs, qui forment un très bon abri.   La plus considérable
est l'*Ile d'Orléans,* dont les campagnes, toutes cultivées, paraissent
comme un amphithéâtre, et terminent gracieusement la vue.   Cette
île a environ quatorze lieues de circuit, et en 1676 elle fut érigée
en Comté, sous le nom de Saint-Laurent, en faveur de François
Berthelot, Secrétaire général de l'Artillerie, qui l'avait acquise de
François de Laval, premier évêque de Québec.   Elle avait déjà
quatre villages, et on y compte aujourd'hui six paroisses assez
peuplées...

Le dimanche vingt-deux nous étions mouillés par le travers
de l'Ile d'Orléans, où nous allâmes nous promener en attendant le
retour de la marée.   Je trouvai ce pays beau, les terres bonnes, et
les habitants assez à leur aise.   Ils ont la réputation d'être un peu
sorciers, et on s'adresse, dit-on, à eux pour savoir l'avenir, ou ce
qui se passe dans les lieux éloignés.   Par exemple, si les navires de
France tardent un peu trop, on les consulte pour en avoir des
nouvelles, et on assure qu'ils ont quelquefois répondu assez juste.
C'est-à-dire, qu'ayant deviné une ou deux fois, et ayant fait
accroire, pour se divertir, qu'ils parlaient de science certaine, on
s'est imaginé qu'ils avaient consulté le diable.

Lorsque Jacques Cartier découvrit cette île, il la trouva toute
remplie de vignes, et la nomma l'*Ile de Bacchus.*   Ce navigateur
était breton; après lui sont venus des Normands, qui ont arraché
les vignes, et à Bacchus ont substitué Pomone et Céres.   En effet
elle produit de bon froment et d'excellents fruits.   On commence
aussi à y cultiver le tabac, et il n'est pas mauvais.   Enfin le lundi
vingt-trois, le *Chameau* mouilla devant Québec, où je m'étais
rendu deux heures auparavant en canot d'écorce.

*(Journal historique d'un voyage dans l'Amérique*
*septentrionale, Lettre II.)*

## 11 — Les habitants de Québec en 1720

J'ai déjà dit qu'on ne compte guère à Québec, que sept mille âmes; mais on y trouve un petit monde choisi, où il ne manque rien de ce qui peut former une société agréable. Un Gouverneur Général avec un Etat Major, de la Noblesse, des Officiers, des troupes. Un Intendant, avec un Conseil Supérieur, et les Juridictions subalternes; un Commissaire de Marine, un Grand Prévôt, un Grand Voyer, et un Grand-Maître des Eaux et Forêts, dont la juridiction est assurément la plus étendue de l'univers; des marchands aisés ou qui vivent comme s'ils l'étaient; un Evêque et un Séminaire nombreux; des Récollets et des Jésuites; trois Communautés de Filles, bien composées; des Cercles aussi brillants qu'il y en ait ailleurs, chez la Gouvernante, et chez l'Intendante. Voilà, ce me semble, pour toutes sortes de personnes de quoi passer le temps fort agréablement.

Ainsi fait-on, et chacun y contribue de son mieux. On joue, on fait des parties de promenades; l'été, en calèche, ou en canot; l'hiver, en traîne sur la neige, ou en patins sur la glace. On chasse beaucoup; quantité de gentilshommes n'ont guère que cette ressource pour vivre à leur aise. Les nouvelles courantes se réduisent à bien peu de choses parce que le pays n'en fournit presque point, et que celles de l'Europe arrivent tout-à-la-fois, mais elles occupent une bonne partie de l'année: on politique sur le passé, on conjecture sur l'avenir; les Sciences et les Beaux Arts ont leur tour, et la conversation ne tombe point. Les Canadiens, c'est-à-dire les créoles du Canada, respirent en naissant un air de liberté, qui les rend fort agréables dans le commerce de la vie, et nulle part ailleurs on ne parle plus purement notre langue. On ne remarque même ici aucun accent.

On ne voit point en ce pays de personnes riches, et c'est bien dommage, car on y aime à se faire honneur de son bien, et personne presque ne s'amuse à thésauriser. On fait bonne chère, si avec cela on peut avoir de quoi se bien mettre; sinon on se retranche sur la table, pour être bien vêtu. Aussi faut-il avouer que les ajustements font bien à nos créoles. Tout est ici de belle taille,

et le plus beau sang du monde dans les deux sexes. L'esprit
enjoué, les manières douces et polies sont communs à tous; et la
rusticité, soit dans le langage, soit dans les façons, n'est pas même
connue dans les campagnes les plus écartées.

Il n'en est pas de même, dit-on, des Anglais nos voisins, et
qui ne connaîtrait les deux colonies que par la manière de vivre,
d'agir et de parler des colons, ne balancerait pas à juger que la
nôtre est la plus florissante. Il règne dans la Nouvelle Angleterre,
et dans les autres Provinces du Continent de l'Amérique soumises
à l'Empire Britannique, une opulence, dont il semble qu'on ne sait
point profiter; et dans la Nouvelle France une pauvreté cachée
par un air d'aisance, qui ne paraît point étudié. Le commerce et
la culture des plantations fortifient la première, l'industrie des
habitants soutient la seconde, et le goût de la nation y répand un
agrément infini. Le colon anglais amasse du bien, et ne fait
aucune dépense superflue; le français jouit de ce qu'il a, et souvent
fait parade de ce qu'il n'a point. Celui-là travaille pour ses
héritiers; celui-ci laisse les siens dans la nécessité, où il s'est
trouvé lui-même, de se tirer d'affaire comme il pourra. Les Anglais
américains ne veulent point de guerre, parce qu'ils ont beaucoup
à perdre; ils ne ménagent point les sauvages parce qu'ils ne croient
pas en avoir besoin. La Jeunesse Française, par des raisons contraires, déteste la paix, et vit bien avec les Naturels du pays, dont
elle s'attire aisément l'estime pendant la guerre, et l'amitié en tout
temps. Je pourrais pousser plus loin ce parallèle; mais il faut
finir: le Vaisseau du Roi va mettre à la voile; les navires marchands
se disposent à le suivre, et peut-être que dans trois jours il n'y
aura pas un seul bâtiment dans notre rade.

(*Journal historique d'un voyage dans l'Amérique
septentrionale*, Lettre III.)

# SOUS LE RÉGIME ANGLAIS

## PÉRIODE DES ORIGINES CANADIENNES (1760-1860)

### CHAPITRE UNIQUE

## Journalisme — Sociologie — Éloquence politique Histoire

## ÉTIENNE PARENT

### (1802-1874)

Rédacteur du *Canadien*, conférencier, mêlé à tous les mouvements politiques et sociaux de son époque. Son œuvre, mal connue, reflète les idées, signale les droits, les besoins, les insuffisances de ses compatriotes. Elle témoigne. Forme variable: un peu embarrassée au début, plus alerte ensuite, et qui se relève, s'agrémente d'images, de souvenirs classiques.

(Voir *Histoire de la Littérature canadienne*, p. 45-51.)

## 12 — La société doit exister au profit de tous

Eh! voilà comme j'entends la société, une réunion d'hommes formée dans des vues d'assistance mutuelle et fraternelle; les forts appuyant les faibles, les riches secourant les pauvres. Sans cela la société n'est qu'une déception, un guet-apens où l'on n'attire les hommes que pour les exploiter comme de vils troupeaux de bêtes. Il y a mille huit cent quarante-sept ans accomplis que les hommes ont appris à s'appeler frères; il est temps sûrement que ce mot devienne une vérité; il est temps que la charité se fasse sentir ailleurs qu'au seuil de nos demeures, où elle se borne à jeter quelques bribes dans la besace du mendiant; il est temps qu'elle prenne son essor et se manifeste dans la législation humaine en actes, en décrets dignes d'elle, dignes aussi de la noble origine et des hautes destinées de l'homme; qu'au lieu de rabaisser le pauvre encore davantage par l'aumône, on cherche à le relever de sa condition humiliante et à en faire un homme.

Jusqu'à présent, on ne saurait se le cacher, le but et l'effet de toutes nos coutumes et législations ont été de favoriser la concentration des richesses dans un petit nombre de mains. On n'a vu dans la société que la propriété, on n'a pensé à l'homme que pour savoir le meilleur parti qu'on pouvait tirer de lui; mais c'est prendre la société à rebours, la fin pour le moyen... La fin de la société, c'est l'homme, c'est le bonheur, c'est l'avancement moral et intellectuel de l'espèce humaine entière. La propriété, ce n'est, ce ne doit être qu'un des moyens employés pour parvenir à cette grande fin. Que veulent dire alors toutes ces lois et coutumes si soigneusement calculées pour conserver intégralement dans certaines classes toutes les richesses d'un pays, laissant les masses dans l'impuissance permanente d'améliorer leur sort? Les anciens Grecs et Romains, comme les peuples de l'Asie de nos jours encore, étaient au moins francs et conséquents; ils n'admettaient pas la fraternité humaine, et ils traitaient le peuple en esclave. Nous, chrétiens et libéraux, nous avons l'hypocrisie de donner au peuple le nom de frère, et nous lui faisons souvent un sort pire que celui de l'esclave. La belle égalité, la belle fraternité que nous faisons à l'homme du peuple! Voyez cet enfant, cet héritier du riche, à qui on prodigue tous les moyens d'instruction et d'avancement; avec des talents médiocres, nuls même, il est sûr de parvenir à une position sociale des plus brillantes. Abaissez maintenant vos yeux sur cette humble chaumière; voyez ce pauvre enfant, dans les yeux duquel pétille l'intelligence, dans l'âme duquel Dieu s'est plu à faire refléter son image divine; d'après la manière dont nos sociétés en général ont jusqu'à présent traité, chez la grande masse des hommes, l'intelligence, le plus beau don du Créateur à l'humanité, que va devenir cet enfant du pauvre? Eh bien! à moins de quelque coup imprévu de la fortune, il ne fera qu'un porte-faix parce qu'il ne pourra aller à une bonne école, même élémentaire. Heureux encore pour lui et pour la société, si cette intelligence comprimée, sans essor, sans direction salutaire, ne fait de lui un grand scélérat, et ne coûte à la société et aux riches, par ses crimes, mille et mille fois plus que la bonne éducation qu'on lui aurait procurée.

Mais que voulez-vous donc? me demandera-t-on. Voulez-vous nous prêcher la loi agraire, la communauté des biens, l'abolition des lois de propriété? prétendez-vous qu'il faille priver un père du plaisir de laisser à ses enfants le fruit de ses longs et pénibles travaux? Non; quand je le voudrais, je sais que je prêcherais dans le désert... Encore une fois, ce n'est rien de tel que je viens proposer à nos sociétés modernes, pétries, par le haut au moins, d'égoïsme et de matérialisme. Je viens leur demander seulement, au nom de leur intérêt autant qu'à celui de leur devoir, d'établir un contrepoids salutaire, une valve de sûreté à leurs lois actuelles de propriété ou de succession. Je viens leur proposer l'adoption d'un remède doux à un mal social tel que Lycurgue, pour le prévenir à Sparte, n'hésita pas à frapper l'industrie de mort, et que les plébéiens de Rome mirent maintes fois la république en danger dans leurs vains efforts pour l'extirper. Nos lois de succession ont eu partout pour conséquence inévitable la concentration des richesses dans certaines classes de la société, et partant de créer deux peuples ennemis dans la même nation : l'un énervé par le luxe et la mollesse, l'autre abruti par l'ignorance et l'immoralité, réalisation sociale de la statue de Nabuchodonosor, dont la tête était d'or et les pieds d'argile. L'histoire, en vous apprenant quel fut le sort de ces nations, vous prédit le vôtre : chute certaine, chute terrible, chute méritée.

Nous, Canadiens, que des lois vicieuses n'ont pas encore eu le temps de gangrener; nous chez qui la concentration des richesses ne pèse pas encore d'un tel poids dans la balance sociale, qu'elle puisse opposer à la réforme une résistance insurmontable, profitons du temps pour prévenir le mal, ou le guérir avant qu'il ne soit devenu incurable. Voyez vos frères de votre ancienne mère-patrie : dans moins de quarante ans, ils ont fait deux révolutions, dont l'une a épouvanté le monde. Et qu'y ont-ils gagné, si ce n'est de substituer deux cent mille maîtres aux quelques milliers qu'ils avaient auparavant? Ils avaient la noblesse, ils ont la bourgeoisie. Véritablement, ça ne valait pas deux révolutions à main armée. Et en fissent-ils deux autres encore, s'ils ne donnaient un correctif aux lois actuelles de propriété et de succession, comme l'eau dans le tonneau des Danaïdes, leur sang aurait coulé en vain.

Je veux protéger la propriété, je veux stimuler autant que possible le travail et l'acquisition des richesses; mais comme la propriété ou la richesse n'est pas la fin, mais un moyen, j'entends subordonner le moyen à la fin.

(*Conférences*. **Considérations sur notre système**
d'éducation populaire [1848].)

OBSERVATIONS. — 1° Etienne Parent s'attaque à l'un des problèmes fondamentaux de la sociologie. Lequel? En quoi consiste sa doctrine? Appréciez le fond et les moyens de défense. — 2° L'égoïsme humain s'oppose à l'instinct social. Sous quelle forme spéciale et séculaire, que rappelle cette page, se présente un tel antagonisme? — 3° Quel est, d'après Etienne Parent, le rôle de la propriété dans l'économie sociale? — 4° Appréciez ce morceau au point de vue littéraire. Montrez comment l'auteur fait appel tour à tour à la sensibilité, à la raison, à ses souvenirs classiques, à la rhétorique.

---

## 13 — Nécessité des études économiques pour les Canadiens français

Le temps n'est plus où, pour soutenir la lutte avec honneur ou avantage, il suffisait à nos hommes publics d'avoir du courage, du dévouement, de l'éloquence, et une grande connaissance du droit naturel, politique et constitutionnel. Le temps n'est plus en outre où, par notre masse seule, nous pouvions tenir en échec les éléments sociaux et politiques qui nous étaient opposés, dans une lutte qui avait pour objet les principes mêmes du gouvernement. Notre machine gouvernementale est maintenant régulièrement organisée, c'est-à-dire que les principes qui doivent en régler le fonctionnement sont arrêtés et reconnus, ce qui ne veut pas dire cependant que tout est pour le mieux dans l'arrangement politique actuel.

Mais la lutte n'est pas finie, et ne finira même jamais sous notre système de gouvernement; elle a seulement changé de terrain. Des hautes théories gouvernementales, elle est descendue aux questions d'intérêt matériel, qui pour la masse des peuples sont souvent d'une importance plus grande que les premières. Nous nous sommes battus pendant un demi-siècle sur la forme que devait avoir l'habitation commune; et maintenant que ce point est réglé, chacun va travailler de son côté à y occuper la meilleure place qu'il pourra.  Les mille et un intérêts divers qui remplissent la société vont se mettre à l'œuvre pour rendre chacun sa position de plus en plus meilleure, ou de moins en moins mauvaise.

Et dans cette nouvelle lutte, il faudra non moins de talents et de lumière que dans l'autre ; seulement il en faudra d'un ordre un peu différent, sous certains rapports, de ceux que réclamait la lutte qui a précédé, et qu'il faut s'empresser d'acquérir, car sur la nouvelle arène comme sur l'ancienne, encore plus peut-être, la victoire devra rester aux plus habiles ; encore autant et plus que naguère, il faudra que nous ayons deux fois raison, et que nous soyons deux fois capables de le démontrer.  Ainsi l'a voulu la Providence, qui nous a jetés dans ce coin du globe, pour y vivre au milieu de populations étrangères, dont nous ne pouvons attendre beaucoup de sympathie. Ne murmurons pas cependant ; car qui peut sonder les secrets de la Providence ? qui nous dira qu'elle n'a pas de grands desseins sur nous, et que les épreuves auxquelles elle soumet notre adolescence ne préparent pas notre virilité à quelque glorieuse destinée sur ce continent ?  Au reste, quel que soit le sort que nous réserve l'avenir, sachons nous en rendre dignes s'il doit être bon, et s'il doit être mauvais, faisons en sorte de ne pas l'avoir mérité ; tel est le devoir de chaque génération, de chaque individu.  Et ce devoir, nous le remplirons en entretenant dans nos cœurs le feu sacré d'une noble émulation, qui nous fera nous maintenir en tout dans tous les temps au niveau des populations qui nous environnent...

En parlant, il y a quelques moments, de la lutte politique vive et constante qui s'est prolongée jusqu'en 1840, et dont sont résultés les arrangements gouvernementaux actuels, je crois en avoir assez dit pour faire sentir qu'il n'était guère possible que nos hommes publics, avant l'époque présente, pussent se livrer à des études longues et suivies sur l'économie politique.  Vos devanciers depuis 91, dirais-je à ceux de la nouvelle génération, ont eu à combattre pour la liberté politique, pour les conséquences pratiques du gouvernement représentatif dont, jusqu'à tout récemment, nous n'avions que le nom.  Ils ont créé, développé, organisé la puissance populaire, et lui ont acquis le degré d'influence et d'action dont elle jouit aujourd'hui dans le gouvernement ; action et influence qui sont telles, comparées à ce qu'elles étaient sous l'ancien ordre de choses, qu'elles constituent une véritable révolution dans notre état politique. Cela, vous le savez, est le fruit de rudes et incessants travaux qui ont dû consumer toutes les forces morales et intellectuelles de vos aînés. Comment alors aurait-on pu se livrer à l'étude d'une science qui demande beaucoup de temps, et encore plus de calme dans l'esprit pour être étudiée à fond? Et eût-on pu ravir aux occupations ordinaires de la vie, le temps de l'étudier, on eût manqué de cette tranquillité dans l'état, nécessaire à l'application des vérités qu'elle enseigne. D'ailleurs, le champ de l'économiste était beaucoup plus resserré alors que la mère-patrie se réservait le règlement de notre commerce: nouveau motif, nouvelle excuse pour les anciens, de ne s'être pas occupés particulièrement d'études économiques.

Ainsi, messieurs de la jeune génération, point de reproches; soyez indulgents, soyez justes. Au prix des longs et rudes travaux de vos aînés, vous voilà entrés dans la terre promise; ils ont fait leur tâche, à vous maintenant de faire la vôtre. Ils ont sacrifié leur temps, leur énergie, leur intelligence à cette grande conquête, à vous maintenant de la faire profiter. Ils ont dû être tribuns, soyez hommes d'Etat, économistes éclairés.

(Importance de l'étude de l'économie politique [1846].)

OBSERVATIONS. — 1° Montrer comment la dernière phrase ou le trait final du morceau le résume tout entier. — 2° On pourra aussi démontrer d'après ce texte, pourquoi l'évolution de notre histoire, de 1760 à 1845, exigea de nos pères des qualités successives et différentes. — 3° Quelles qualités de vocabulaire et de style remarque-t-on dans cette page? Et si la raison surtout anime la pensée et la phrase, y trouve-t-on quelques traces d'imagination et de sentiment?

---

## 14 — L'impossible souveraineté du peuple

Le peuple, dans l'acception restreinte du mot, est et sera toujours, dans la grande famille politique, ce que les enfants mineurs sont dans la famille domestique, un enfant qu'il faut

aimer, protéger, mais gouverner, et cela dans son intérêt autant
que dans celui de la société.   Nous connaissons tous le sort des
familles où les enfants gouvernent: il en sera de même des sociétés
politiques où les masses gouverneront.   La souveraineté des masses,
c'est la souveraineté des instincts aveugles, instincts bons et généreux
quelquefois, mais toujours irraisonnés, et n'ayant d'autre loi que
celle de la force brutale, et cette souveraineté ne peut régner ailleurs
que dans le chaos, comme elle régnait sur l'abîme, avant que l'esprit
de Dieu y eut pénétré, et en eut fait sortir notre monde.

C'est un fort mauvais service à rendre au peuple que de lui
crier sans cesse qu'il est le maître, qu'en dehors de lui nulle autorité
n'existe.   Il était un bien meilleur ami du peuple, que ceux qui
l'avaient ameuté, ce sage Romain qui pacifia les plébéiens de Rome
en leur récitant la fable du corps humain révolté contre la tête.   En
effet, pour aller chercher d'autorité dans les masses, il faut supposer
qu'elle a fait grand.   On a, dans le passé, foulé aux pieds la
sur tous les grands points de la science politique.   Le fussent-elles,
elles n'en auraient pas le loisir.   Doux et agréable délassement, en
effet, que vous réservez là au peuple après son dur travail de la
journée.   Ah! laissez-lui donc toute son intelligence et toute son
attention pour bien conduire ses petites affaires, pour perfectionner
les procédés de son art ou de son métier; ce sera beaucoup mieux
pour lui et pour la société.

Mais la science du gouvernement est au-dessus des intelligences
vulgaires; et ne voyez-vous pas qu'en les revêtant de l'autorité
sociale, vous ne pouvez attendre que l'anarchie et la confusion;
que vous préparez à la société politique le même sort que les apôtres
du libre examen ont fait à la société religieuse au sein du protes-
tantisme?   Vous levez les épaules de pitié à la vue d'une doctrine
qui consiste à mettre entre les mains du travailleur, pour y trouver
une croyance relilgieuse, un livre sur les textes duquel les plus
savants docteurs se disputent depuis dix-huit cents ans.   Croyez-
vous donc qu'il soit beaucoup moins étrange de soumettre au
jugement de ce même travailleur cette machine si compliquée qu'on
appelle la société politique?   Ah! respectons l'œuvre de la nature:
ne faisons pas grand ce qu'elle a fait petit, ni ne faisons petit ce
qu'elles sont capables de se former des opinions saines et éclairées

première de ces maximes; n'allons pas fouler aux pieds la seconde, nous hommes du présent et de l'avenir. Apprenons au contraire au peuple à remonter à la source de toute autorité, à Dieu même, à la suprême intelligence, qui ne peut être représentée sur notre terre que par les intelligences humaines supérieures. Qu'on laisse au peuple le droit de désigner, parmi les hautes intelligences, celles qui seront plus spécialement chargées du gouvernement de la société, ce n'est pas moi qui m'y opposerai. Et si c'est là ce qu'on appelle souveraineté du peuple, j'objecterai au mot, et j'accepterai la chose. Mais alors, l'éléphant qui choisit son cornac sera donc aussi une espèce de souveraineté?

Il est bien vrai que, parmi les adeptes de la doctrine, il en est bien peu qui croient à la souveraineté directe et absolue du peuple, et que tous entendent bien escamoter, à leur profit, tout ce qui sera gagné par leur propagande d'une doctrine outrée. Peut-être craignent-ils de s'exposer à l'imputation d'être mus par des motifs d'intérêt personnel. S'ils disaient tout franchement aux peuples: le gouvernement du monde appartient à l'intelligence, non à la naissance; l'homme du peuple y a autant droit que le patricien ou le bourgeois, s'il est marqué du sceau de l'intelligence; il faut donc réformer nos lois, arranger nos institutions sociales de façon que toutes les intelligences, sans distinction, puissent prendre dans la société la place et le rang qui leur appartiennent par droit de nature. Si, dis-je, l'on eut tenu ce langage, on se serait peut-être exposé à quelques malignes imputations, mais on n'aurait pas trompé le peuple; on n'aurait pas lancé au milieu des masses un principe faux, dont avec leur logique inexorable, parce qu'elle n'est pas éclairée, elles tirent dans l'occasion les conséquences les plus pernicieuses pour elles-mêmes et pour la société tout entière. Prenons-y garde: le peuple qui n'a pas fait sa rhétorique, qui ignore ce que c'est qu'une métaphore ou une hyperbole, prendra toujours les mots dans leur sens propre; et un faux principe, une idée exagérée, entrée dans la croyance d'un peuple, c'est l'inoculation d'une lèpre morale à toute une société.

*De l'Intelligence dans ses rapports avec la société* (1852.)

OBSERVATIONS. — 1° Définissez et appréciez les idées d'Étienne Parent sur la souveraineté du peuple. — 2° Quel mauvais service rend-on

au peuple lui-même en lui criant sans cesse qu'il est le maître? —
3° Étienne Parent laisse entendre que le libre examen est ausi con-
damnable, chez le peuple, en matière politique qu'en matière religieuse.
Partagez-vous cette opinion? Dans quelle mesure est-elle vraie? —
4° Appréciez ce morceau au point de vue de la langue et du style.

## 15 — Le catholicisme bienfaiteur du peuple

Le catholicisme est de sa nature conservateur, et partant ne
peut se constituer sentinelle avancée du mouvement politique. Mais
ne l'alarmez pas par le libertinage de la pensée, et vous verrez
qu'il ne se réfugiera pas parmi les traînards. Etudiez bien le
catholicisme, mes jeunes amis, et vous verrez que c'est le système
religieux le plus favorable au peuple, ou, pour me servir de votre
mot favori, le plus démocratique qu'il y ait et qu'il y ait jamais eu
au monde...

Ouvriers, mes amis, pour qui je parle, vous qui êtes les abeilles
travailleuses de la ruche sociale, voulez-vous éviter les maux dont
souffrent vos semblables ailleurs? tenez fort et ferme à votre système
catholique, et à tout ce qui en fait l'essence. Repoussez les
adeptes du jugement privé, qui cherchent à vous en éloigner. Le
catholicisme, voyez-vous, c'est l'association dans sa plus haute et
sa plus vaste expression, et cela au profit du pauvre et du faible,
qui ne peuvent être forts que par l'association. Celle-ci en les
réunissant en un faisceau saura les rendre plus forts que les forts.
Je ne nierai pas que, humainement parlant, le principe du jugement
privé, qui est, en pratique, l'individualisme appliqué aux choses
morales, ne tende à augmenter la force des individualités; mais
cela ne peut profiter qu'au petit nombre d'individus fortement
trempés. L'individualisme est comme le vent qui anime un brasier,
mais qui éteint une chandelle.

Aux masses il faut l'association d'idées, l'unité, et par consé-
quent l'autorité. Je prie ceux de mes jeunes auditeurs qui seraient,
comme on l'est trop souvent à leur âge, enclins à se révolter contre
toute espèce d'autorité, de bien réfléchir là-dessus, avant de jeter le

doute et le trouble dans l'esprit du peuple, à l'endroit de ses
anciennes institutions. Les anciennes institutions d'un pays, ses
croyances religieuses surtout, il ne faut jamais l'oublier, sont à un
peuple ce que sont à un individu sa constitution physique, ses
habitudes, sa manière de vivre: en un mot, c'est sa vie propre. Et
dire qu'il se trouve des hommes, de soi-disant patriotes, prêts à
faire main-basse sur tout cela, sous le prétexte de réforme et de
progrès. Les malheureux, ils ne voient pas que c'est la destruction
et la mort. Réformons, mais ne détruisons pas; avançons, mais
sans lâcher le fil conducteur de la tradition.

*Considérations sur le sort des classes ouvrières* (1852).

## 16 — Le Bas-Canada comparé au Haut-Canada

Ce pamphlet[1] contient seize pages dont les huit premières
sont employées à jeter des points d'exclamations sur l'ignorance,
l'apathie et l'état arriéré du Bas-Canada, comparé non seulement
aux Etats-Unis, mais même au Haut-Canada.

Oui, il est vrai, et c'est avec douleur que nous l'admettons, le
Bas-Canada n'est pas ce qu'il devrait être: à la tête des colonies de
l'Amérique septentrionale sous le rapport de l'importance, il devrait
être aussi au premier rang dans l'échelle de l'industrie, des lumières
et de la civilisation. Mais avant de faire ces reproches à quelqu'un,
on doit s'enquérir de la cause de ses torts, et avoir la bonne foi de
les rapporter. Si notre écrivain eût consulté l'histoire du Bas-
Canada il aurait vu qu'après nous avoir dépouillés de biens consi-
dérables consacrés à l'éducation de la jeunesse, ce n'est que depuis
1824-25 que nous avons pu obtenir l'établissement d'un système
d'éducation populaire; il aurait vu l'état de violence dans lequel le

---

(1) Il s'agit d'un pamphlet intitulé *"Observations sur la convenance d'altérer la
ligne de division entre le Haut et le Bas-Canada,* par un Ami de l'un et de l'autre
intérêts généraux de l'Empire Britannique". Kingston 1831.

peuple canadien a passé les trente premières années de l'ère constitutionnelle, pendant lesquelles il a eu à lutter pour son existence comme peuple contre tout ce que peut inventer l'avidité, l'ambition et la haine, aidées de la protection puissante de différents ministères.

Au contraire, le peuple du Haut-Canada n'a pas eu un seul moment à craindre pour tout ce que les hommes ont de cher et de sacré dans la société, lois, usages, langue, religion, enfin tout ce qui fait l'homme social, tout ce qui l'attache à son pays, tout ce sans quoi le mot patriote est un mot vide de sens. Alors toutes les facultés se sont tournées vers l'industrie et ses améliorations. Reprocher au peuple du Bas-Canada d'être stationnaire, c'est reprocher à un homme qu'on environne de précipices de ne pas avancer, c'est d'exiger le développement de toutes ses facultés mentales de celui au-dessus de la tête duquel on tient une épée suspendue.

Cependant, que l'on parcoure nos fastes législatifs depuis qu'un esprit plus conciliateur règne dans notre administration coloniale; que l'on se rappelle les allocations presque prodigues que notre Chambre *Canadienne Française* a faites pour l'avancement du pays dans toutes les branches, pour la navigation, pour les communications intérieures et pour l'éducation surtout, et l'on sera convaincu que le *French Canadian Party* est disposé à faire du peuple canadien autre chose que des bûcherons et des portefaix.

Nous devons protester contre l'exactitude du tableau que notre écrivain fait du Bas-Canada qu'il représente comme étant encore engourdi dans la féodalité du dix-septième siècle. Certes, quelle est la partie de la population qui a le plus vigoureusement soutenu les principes et maintenu la pratique d'un gouvernement libre? n'est-ce pas ce qu'on appelle avec mépris le *French Canadian Party*? Que serait devenu sans le *French Canadian Party* le contrôle constitutionnel des deniers publics de la part du peuple? Que serait devenue l'institution du Jury? Dans quels rangs se trouvent les martyrs de la constitution, ces gens qui pour en soutenir et introduire les principes ont été traînés dans les prisons sous des accusations capitales? Mais la crainte d'être accusé du même écart que nous reprochons à notre pamphlétaire, nous oblige d'en venir au sujet.

(Le Canadien, 3 septembre 1831.)

OBSERVATIONS. — 1° Commentez vous-même cette phrase de l'article du *Canadien*: "Reprocher au peuple du Bas-Canada d'être stationnaire, c'est reprocher à un homme qu'on environne de précipices de ne pas avancer." — 2° Comparer les conditions matérielles et morales différentes au milieu desquelles ont pu se développer avant 1830 les Canadiens du Bas et du Haut-Canada.

---

## 17 — Quelques réformes nécessaires

Quelque nombreuses que soient les mesures qui demandent l'attention immédiate de la législature et à être réglées dans la prochaine session, nous espérons que la Chambre d'assemblée aura le temps de s'occuper des réformes à faire à la constitution pour lui donner en pratique cette efficacité, sans laquelle nous n'aurons jamais que le cadavre d'une constitution représentative. Le pays est déjà fatigué, et avec raison, de se trouver tous les ans obligé de recourir aux autorités de la mère-patrie, pour des objets qui pourraient et devraient être réglés ici. Il est à craindre que les délais qu'entraîne nécessairement un pareil recours, joints aux négligences des ministres, ne découragent à la fin le peuple, et que celui-ci ne laisse des abus s'accumuler, jusqu'à ce qu'enfin le poids en devienne insupportable, et que du choc de l'opinion publique soulevée contre la masse d'abus trop fortement enracinés, jaillisse l'étincelle terrible d'un grand incendie. C'est ce qui arrive partout où le peuple ne trouve pas dans son système gouvernemental un moyen prompt et paisible d'appliquer la réforme ou l'amélioration selon le besoin.

On nous parle des réformes étonnantes qui ont été effectuées paisiblement depuis quarante années de constitution par la constance et les représentations du peuple. On ne peut nier, il est vrai, que nous ne soyons un peu mieux qu'en 1810, alors qu'on emprisonnait les gens parce qu'ils demandaient à payer les dépenses du gouvernement civil; mais peut-on être satisfait du contrôle précaire qu'exerce la représentation sur les deniers publics ? Qui peut dans un temps de crise empêcher l'exécutif de vider la caisse publique et d'en employer le contenu à des fins d'oppression ? Il en est à peu près de même de toutes les réformes politiques que nous avons arrachées et qui ne sont guère que des palliatifs, qui ne touchent pas à la racine du mal.

Que veut dire la réforme opérée récemment dans le personnel du Conseil législatif ? Ce corps n'est-il pas toujours en dehors des principes de la constitution, dont le premier est l'indépendance absolue des trois branches de la constitution ? Peut-on appeler indépendant le conseiller législatif qui tient sa nomination de l'Exécutif, du corps qui dispense toutes les faveurs honorifiques et lucratives du gouvernement ? Il faudrait supposer aux hommes, pour les croire indépendants dans une telle position, une vertu plus qu'angélique, et ce n'est jamais sur cette supposition que l'on agit avec les hommes dans aucune circonstance, et en politique moins qu'ailleurs; sans cela on s'exposerait à d'étranges mécomptes.

Voilà ce que nous avons obtenu pendant quarante ans, sous le système des pétitions et représentations en Angleterre; car nous ne parlons pas de quelques mesures de pure police locale, que nous avons obtenues après de nombreuses et longues supplications et qui n'auraient pas dû souffrir un instant de difficulté.

Il est une autre branche de notre système politique à l'égard de laquelle nous avons aussi fait de fortes et fréquentes remontrances, mais où nos quarante années de constitution et de représentations n'ont encore pu introduire aucune réforme: c'est le Conseil exécutif, ce pouvoir occulte et intangible doué du privilège extraordinaire de faire le mal sans être tenu d'en répondre. Jamais nous ne pouvons espérer de paix et d'harmonie dans le gouvernement tant que la· constitution n'entourera pas le représentant du roi d'hommes responsables de tous les actes administratifs, et jouissant de la confiance des Chambres, comme c'est le cas dans tout gouvernement représentatif bien organisé. Le temps est arrivé où cette colonie a atteint une telle importance, une telle prospérité qu'elle a besoin d'une organisation ministérielle régulière.

(*Le Canadien,* 7 novembre 1832.)

# LOUIS-JOSEPH PAPINEAU

## (1786-1871)

L'éloquence fut un élément essentiel de son influence politique. Il est difficile de s'en rendre compte à la lecture des textes qui nous restent de cette littérature oratoire. La composition en est très inégale, tour à tour ramassée ou diffuse, alerte ou embarrassée. Il valait mieux l'entendre que le lire.

(Voir *Histoire de la Littérature canadienne*, 39-41.)

## 18 — Le discours de Saint-Laurent (1837) [1]

### NOS ENNEMIS

Concitoyens,

Nous sommes réunis dans des circonstances pénibles, mais qui offrent l'avantage de vous faire distinguer vos vrais d'avec vos faux amis, ceux qui le sont pour un temps, de ceux qui le sont pour toujours. Nous sommes en lutte avec les anciens ennemis du pays: le gouverneur, les deux conseils, les juges, la majorité des autres fonctionnaires publics, leurs créatures et leurs suppôts que vos représentants ont dénoncés depuis longtemps comme formant une faction corrompue, hostile aux droits du peuple et mue par l'intérêt seul à soutenir un système de gouvernement vicieux. Cela n'est pas inquiétant. Cette faction, quand elle agira seule, est aux abois. Elle a la même volonté qu'elle a toujours eue de nuire, mais elle n'a plus le même pouvoir de le faire. C'est toujours une bête malfaisante, qui aime à mordre et à déchirer, mais qui ne peut que rugir, parce que vous lui avez rogné les griffes et limé les dents.

---

(1) Ce discours fut publié dans la *Minerve* des 25 et 29 mai 1837, sous le titre: "Discours de l'honorable Louis-Joseph Papineau à l'assemblée du Comté de Montréal, tenu à St-Laurent, le 15 de mai courant, pour prendre en considération les Résolutions coercitives du Ministère anglais contre les droits et les libertés de cette colonie."

La *Minerve* du 15 mai annonce, page 2, 6e colonne, que l'Assemblée est à se tenir à Saint-Laurent sous la présidence de l'ancien représentant du Comté, "le Vénérable Louis Roi Portelance".

Pour eux les temps sont changés, jugez de leur différence. Il y a quelques années lorsque votre ancien représentant, toujours fidèle à vos intérêts et que vous venez de choisir pour présider cette assemblée, vous servait au parlement, lorsque bientôt après lui j'entrais dans la vie publique en 1810, un mauvais gouverneur jetait les représentants en prison ; depuis ce temps les représentants ont chassé les mauvais gouverneurs. Autrefois, pour gouverner et mettre à l'abri des plaintes de l'Assemblée les bas courtisans ses complices, le tyran Craig était obligé de se montrer, pour faire peur, comme bien plus méchant qu'il n'était. Il n'a pas réussi à faire peur. Le peuple s'est moqué de lui, et des proclamations royales, des mandements et des sermons déplacés, arrachés par surprise, et fulminés pour le frapper de terreur. Aujourd'hui pour gouverner, et mettre les bas courtisans ses complices à l'abri de la punition que leur a justement infligée l'Assemblée, le gouverneur est obligé de se montrer larmoyant pour faire pitié, et de se donner pour bien meilleur qu'il n'est en réalité. Il s'est fait humble et caressant pour tromper. Le miel sur ses lèvres, le fiel dans le cœur, il a fait plus de mal par ses artifices que ses prédécesseurs n'en ont fait par leurs violences ; néanmoins le mal n'est pas consommé, et ses artifices sont usés. La publication de ses instructions qu'il avait mutilées et mésinterprétées, la publication des rapports, dans lesquels l'on admet que cette ruse lui était nécessaire pour qu'il pût débuter dans son administration avec quelque chance de succès, ont fait tomber le masque. Il peut acheter quelques traîtres, il ne peut plus tromper des patriotes. Et comme dans un pays honnête le nombre des lâches qui sont en vente et à l'encan ne peut pas être considérable, ils ne sont pas à craindre. La circonstance nouvelle dont nos perpétuels ennemis vont vouloir tirer avantage, c'est que le Parlement britannique prend parti contre nous...

Cette difficulté est grande, mais elle n'est pas nouvelle, mais elle n'est pas insurmontable. Ce parlement tout-puissant, les Américains l'ont glorieusement battu, il y a quelques années. C'est un spectacle consolateur pour les peuples que de se reporter à l'époque de 1774 ; d'applaudir aux efforts vertueux et au succès complet qui fut opposé à la même tentative qui est commencée contre vous. Ce parlement tout-puissant, son injustice nous a déjà mis en lutte avec lui, et notre résistance constitutionnelle l'a déjà arrêté. En 1822 le ministère s'était montré un instrument oppresseur entre les mains de la faction officielle du Canada, et les Communes s'étaient montrées les dociles esclaves du ministère en l'appuyant dans sa tentative d'union des deux provinces par une très grande majorité. Le ministère Melbourne est également l'instrument oppresseur que fait jouer à son service la même faction officielle et tory du Canada; et la grande majorité des Communes dans une question coloniale qu'elles comprennent peu et à laquelle elles n'attachent aucun intérêt, est encore la tourbe docile qui marche comme le ministre la pousse. Les temps d'épreuve sont arrivés; ces temps sont d'une grande utilité au public. Ils lui apprennent à distinguer ceux qui sont patriotes aux jours sereins, que le premier jour d'orage disperse; ceux qui sont patriotes quand il n'y a pas de sacrifices à faire, de ceux qui le sont au temps des sacrifices.

OBSERVATIONS. — Peut-on justifier par ce texte le jugement énoncé plus haut sur l'éloquence de Papineau? Et pourrait-on conclure aussi que si l'éloquence du tribun consistait souvent dans la violence des mots, elle s'inspirait aussi d'une habile interprétation des faits?

# MICHEL BIBAUD

## (1782-1857)

Ouvrier inlassable d'activités littéraires, à une époque où cela n'était pas sans mérite. Poète et prosateur: le poète est nul; le prosateur écrit l'histoire au gré de ses préférences bureaucratiques; il la compose sans assez de méthode; il tient pourtant une plume qui au besoin ne manque ni de vigueur ni de grâce.

Œuvres: *Epîtres, Satires, Chansons, Epigrammes et autres pièces de vers* (1830). — *Histoire du Canada*, 3 vols (1837-1878).

(Voir *Histoire de la Littérature canadienne*, p. 32-33, 51-53.)

## 19 — Les jeunes gens et la politique

Les députés chargés des différentes requêtes partirent de Montréal, à la fin de janvier 1828. Après leur départ, l'agitation ne discontinua pas: on avait pris goût aux assemblées bruyantes, aux foudroyants discours, aux fulminantes et tranchantes résolutions.

Des jeunes gens, bien intentionnés, sans doute, épris de l'amour de leur patrie et de leurs compatriotes, mais encore sans expérience, s'étaient jetés, à corps perdu, dans la carrière de la politique. Dans leur enthousiasme patriotique, ils devaient, en passant les bornes de la modération et de la prudence, se fourvoyer, et égarer ou mener trop loin, ceux qui les voulurent suivre. Les jeunes gens sont l'espoir de la patrie, non son conseil; et pour réaliser, ne pas tromper cet espoir, ils doivent attendre que leur temps soit venu, que l'âge, l'expérience, la réflexion et l'étude aient éclairé leur raison et mûri leur jugement; autrement ils courent le risque de compromettre leur avenir, en faisant ce que dans la suite, ils voudraient pour beaucoup n'avoir pas fait, après avoir reconnu que le parti embrassé avec chaleur n'était ni le plus sage ni le plus sûr; ou qu'il n'était ni sûr ni sage de l'embrasser trop chaleureusement. Le journaliste, l'orateur, l'historien, qui, loin de chercher à réprimer, à modérer du moins la fougue des jeunes gens, chercherait à l'exciter, nous paraîtrait manquer essentiellement à son devoir public. Les hommes âgés, les sages, ne doivent pas seulement à la jeunesse le sourire de la bienveillance et des bons souhaits; ils lui doivent encore l'avis de se garder de son âge. Montesquieu avoue qu'il y a dans son premier ouvrage, ses *Lettres Persanes*, des étourderies de jeune homme, des *juvenilia*.

Des orateurs, ou des journalistes comme ceux qui alors étonnèrent nos oreilles, ou éblouirent nos regards, auraient pu mettre en feu toute la Grèce, à l'exception, peut-être, de la Béotie, et le sang français qui *effervesce* dans les veines de notre jeunesse, ne lui permet pas de résister longtemps et victorieusement à l'impression des harangues flamboyantes et des diatribes inflammatoires; et l'on ne doit pas en être surpris, quand on réfléchit que des discours ou des écrits médiocrement violents ont pu transmuer le phlegme germanique en bile noire, et fanatiser des cerveaux allemands.

(*Histoire du Canada*, II, liv. 4.)

# F.-X. GARNEAU

## (1809-1866)

Son *Histoire du Canada* exerça sur les contemporains une influence politique et littéraire dont on ne saurait guère exagérer la mesure. L'esprit et le style de l'ouvrage expliquent, en grande partie, cette influence. La ferveur de la pensée n'en exclut pas la force : et si l'expression se montre soupent mal disciplinée dans la première édition de l'*Histoire*, elle retrouve peu à peu équilibre et sobriété dans les trois éditions qui ont suivi, et que l'auteur avait lui-même préparées.

Œuvres: *Histoire du Canada*, 3 vols (1845-1848) ; *Voyage en Angleterre et en France* (1855). Poèmes dans revues et journaux.

(Voir *Histoire de la Littérature canadienne*, p. 34, 53-58.)

## 20 — Luttes perpétuelles, forces de résistance de la race française au Canada

Si l'on envisage l'histoire du Canada dans son ensemble, depuis Champlain jusqu'à nos jours, on voit qu'elle a deux phases, la domination française et la domination anglaise, que signalent, l'une, les guerres contre les tribus sauvages et contre les provinces qui forment aujourd'hui les Etats-Unis ; l'autre, la lutte morale et politique des Canadiens pour conserver leur religion et leur nationalité. La différence des armes à ces deux époques nous les montre sous deux aspects différents ; mais c'est sous le dernier qu'ils nous intéressent le plus. Il y a quelque chose de touchant et de noble tout à la fois à défendre sa nationalité, héritage sacré qu'aucun peuple, quelque dégradé qu'il fût, n'a jamais répudié. Jamais plus grande et plus sainte cause n'a inspiré un cœur haut placé, et n'a mérité la sympathie des esprits généreux.

Si autrefois la guerre a fait briller la valeur des Canadiens, les débats politiques ont depuis fait surgir au milieu d'eux des hommes dont les talents, l'éloquence et le patriotisme sont pour nous un juste sujet d'orgueil et un motif de généreuse émulation. Les Papineau, les Bédard, les Vallières ont, à ce titre, une place distinguée dans l'histoire comme dans notre souvenir.

Par cela même que le Canada a éprouvé de nombreuses vicissitudes, tenant à la nature de sa dépendance coloniale, les progrès n'y ont marché qu'au milieu d'obstacles, de secousses sociales, qu'augmentent aujourd'hui l'antagonisme des races en présence, les préjugés, l'ignorance, les écarts des gouvernants et quelquefois des gouvernés. Les auteurs de l'union des deux provinces du Canada, projetée en 1822 et exécutée en 1840, ont apporté en faveur de cette mesure diverses raisons spécieuses pour couvrir d'un voile une grande injustice. L'Angleterre, qui ne veut voir maintenant dans les Canadiens français que des colons turbulents, des étrangers mal affectionnés, a feint de prendre pour des symptômes de rébellion leur inquiétude, leur attachement à leurs institutions et à leurs usages menacés. Cette conduite prouve que ni les traités ni les actes publics les plus solennels n'ont pu l'empêcher de violer des droits d'autant plus sacrés qu'ils servaient d'égide au faible contre le fort.

Mais, quoi qu'on fasse, la destruction d'un peuple n'est pas chose aussi facile qu'on pourrait se l'imaginer.

Nous sommes loin de croire que notre nationalité soit à l'abri de tout danger. Comme bien d'autres, nous avons eu nos illusions à cet égard. Mais le sort des Canadiens n'est pas plus incertain aujourd'hui qu'il l'était il y a un siècle. Nous ne comptions que soixante mille âmes en 1760, et nous sommes aujourd'hui (1859) près d'un million. Ce qui caractérise la race française entre toutes les autres, c'est, dit un auteur, cette force secrète de cohésion et de résistance qui maintient l'unité nationale à travers les plus cruelles vicissitudes, et la relève triomphante de tous les désastres...

Tout démontre que les Français établis en Amérique ont conservé ce trait caractéristique de leurs pères, cette puissance énergique et insaisissable qui réside en eux-mêmes, et qui, comme le génie, échappe à l'astuce de la politique aussi bien qu'au tranchant de l'épée. Ils se conservent comme type même quand tout semble annoncer leur destruction. Un noyau s'en forme-t-il au milieu de races étrangères, il se développe, en restant isolé, pour ainsi dire, au sein de ces populations avec lesquelles il peut vivre, mais avec lesquelles il ne peut s'incorporer. Des Allemands, des Hollandais, des Suédois se sont établis par groupes dans les Etats-

Unis, et se sont insensiblement fondus dans la masse, sans résistance, sans qu'une parole même révélât leur existence au monde. Au contraire, aux deux bouts de cette moitié de continent, deux groupes français ont pareillement pris place, et non seulement ils s'y maintiennent comme race, mais on dirait qu'un esprit d'énergie indépendante d'eux repousse les attaques dirigées contre leur nationalité. Leurs rangs se resserrent; la fierté du grand peuple dont ils descendent, laquelle les anime alors qu'on les menace, leur fait rejeter toutes les capitulations qu'on leur offre; leur nature gauloise, en les éloignant des races flegmatiques, les soutient aussi dans des circonstances où d'autres perdraient toute espérance. Enfin cette force de cohésion, qui leur est propre, se développe d'autant plus que l'on veut la détruire.

(*Histoire du Canada*, Discours préliminaire.)

OBSERVATIONS. — En reprenant le premier paragraphe de ce morceau, dites quels sont les deux aspects différents de l'âme canadienne que révèlent les deux époques de notre histoire. Justifiez votre démonstration par des faits précis, appropriés, coordonnés, qu'aurait pu invoquer Garneau.

## 21 — Le colon français et le colon anglais du XVIIième siècle

Si l'on compare à présent le colon français et le colon anglais du XVIIième siècle, ce rapprochement donne lieu à un autre contraste. Le colon anglais était principalement dominé par l'amour de la liberté et la passion du commerce et des richesses. Tous les sacrifices pour atteindre à ces objets, vers lesquels ses pensées tendaient sans cesse, étaient peu de chose pour lui, car en dehors il ne voyait que ruine et abjection. Aussi, dès que les traitants de l'Acadie le croisèrent dans leurs courses sur les mers, ou que les Hollandais de la Nouvelle-York le gênèrent dans ses progrès sur terre, employa-t-il tous ses efforts pour s'emparer de ces deux contrées à la fois. En Acadie, il n'y avait que quelques centaines de pêcheurs dispersés sur les bords de l'Océan; il lui fut en conséquence assez facile de conquérir une province toute couverte de forêts. La Nouvelle-Hollande, encore moins en état de se défendre que l'Acadie, faute d'appui en Europe, passa sous le joug sans faire de résistance.

Mais, au bout de ces conquêtes, les Américains se trouvèrent face à face avec les Canadiens : les Canadiens, peuple de laboureurs, de chasseurs et de soldats ; les Canadiens, qui eussent triomphé, quoique plus pauvres, s'ils avaient été seulement la moitié aussi nombreux que leurs adversaires ! Leur vie, à la fois insouciante et agitée, soumise et indépendante, était plus chevaleresque, plus poétique que la vie calculatrice de ces derniers. Catholiques ardents, ils n'avaient pas été jetés en Amérique par les persécutions religieuses ; royalistes zélés, ils ne demandaient pas une liberté contre laquelle peut-être ils eussent combattu. C'étaient des chercheurs d'aventures, courant après une vie nouvelle, ou des vétérans brunis par le soleil de la Hongrie, et qui avaient pris part aux victoires des Turenne et des Condé ; c'étaient des soldats qui avaient vu fléchir sous le génie de Luxembourg le lion britannique et l'aigle autrichienne. La gloire militaire était leur idole, et, fiers de marcher sous les ordres de leurs seigneurs, ils les suivaient partout au risque de leur vie pour mériter leur estime et leur considération. C'est ce qui faisait dire à un ancien militaire : "Je ne suis pas surpris si les Canadiens ont tant de valeur, puisque la plupart descendent d'officiers et de soldats qui sortaient d'un des plus beaux régiments de France."

L'instruction que les seigneurs et le peuple recevaient du clergé, presque seul instituteur en Canada, n'était pas faite pour éteindre cet esprit poussé jusqu'à l'enthousiasme, et qui plaisait au gouvernement par son royalisme, et au clergé par son dévouement à la protection des missions catholiques. Les missions redoutaient par-dessus tout la puissance et le prosélytisme des protestants. Ainsi le gouvernement et le clergé avaient intérêt à ce que le Canadien fût soldat. A mesure que la population augmentait, la milice avec ce système devait y devenir de plus en plus redoutable. Le Canada était en effet presque une colonie militaire ; dans les recensements on comptait les armes, comme dans les rôles d'une armée.

Tels étaient nos ancêtres. Comme l'émigration, après quelques efforts, cessa presque tout à fait, et qu'il n'est venu guère plus de

cinq mille colons en Canada pendant toute la durée de la domination
française, ce système était peut-être le meilleur dans les circonstances, pour lutter contre la force toujours croissante des colonies
anglaises.   Pendant près d'un siècle, la puissance de celles-ci vint
se briser contre cette milice aguerrie, qui ne succomba que sous
le nombre, en 1760, après une lutte acharnée de six ans, pendant
laquelle elle s'illustra par de nombreuses et éclatantes victoires.
Encore aujourd'hui c'est à nous que le Canada doit de ne pas faire
partie des Etats-Unis; nous l'empêchons de devenir américain de
mœurs, de langue et d'institutions.

(*Histoire du Canada*, I, liv. V, ch. 1.)

OBSERVATIONS. — Sur quels contrastes et quelles vertus différentes
Garneau a-t-il construit ce parallèle?  Pourquoi le choc inévitable de ces
deux groupes de colons?

----

## 22 — D'Iberville conquiert la Baie d'Hudson (1657)

Il fit voile de Terreneuve au mois de juillet.  L'entrée de la
baie se trouva obstruée par des banquises, au milieu desquelles ses
vaisseaux, séparés les uns des autres et entraînés de divers côtés,
coururent les plus grands périls.  Si la navigation a quelque chose
de grand et hardi dans les hautes latitudes de notre globe, elle y
est en même temps fort triste.  Un ciel bas et sombre, une mer
qu'éclaire rarement le soleil, des flots lourds et couverts, la plus
grande partie de l'année, de glaces, dont les masses immenses
ressemblent à des montagnes, des côtes désertes et arides, qui
semblent augmenter l'horreur des naufrages, un silence qui n'est
interrompu que par les gémissements de la tempête, telles sont ces
mers qui ont attaché au front de d'Iberville une gloire dont le
caractère tient de la nature mystérieuse du Nord.  Depuis longtemps son vaisseau aventureux les sillonne.  Plus tard, il descendra
vers des climats plus doux; et ce marin, qui a fait son apprentissage
au milieu des glaces polaires, ira finir sa carrière sur les flots tièdes
et limpides des Antilles, au milieu des côtes embaumées de la
Lousiane; il fondera un empire sur des rivages où l'hiver et ses

frimas sont inconnus, où la verdure et les fleurs sont presque éternelles.

L'escadre fut dans le plus terrible danger. Pressés par les glaces, qui s'amoncelaient à une grande hauteur, et s'affaissaient tout à coup avec des craquements et un fracas épouvantables, deux des vaisseaux, portés l'un contre l'autre, s'abordèrent poupe en poupe, tandis qu'un troisième était écrasé à côté d'eux, et si subitement que l'équipage eut à peine le temps de se sauver. Ce ne fut que le 28 août que d'Iberville, monté sur le *Pélican*, put entrer dans la mer libre, ayant depuis longtemps perdu de vue ses autres vaisseaux. Il arriva seul devant le fort Nelson le 4 septembre. Le lendemain matin, il aperçut, à quelques lieues sous le vent, trois voiles qui louvoyaient pour entrer dans la rade ; après leur avoir fait des signaux, il reconnut que c'étaient des bâtiments anglais ; ils allaient le mettre entre deux feux, et le traquer, pour ainsi dire, au pied de la place qu'il était venu assiéger. Ces vaisseaux étaient le *Hampshire,* de cinquante-deux canons, le *Dehring* et l'*Hudson Bay,* chacun de trente-deux. En entrant dans la baie, ils avaient découvert dans les glaces un des vaisseaux de d'Iberville, et l'avaient canonné, par intervalles, pendant dix heures. Le vaisseau français, immobile, n'avait pu présenter à ses ennemis que les deux pièces de canon de son arrière. Les Anglais avaient fini par l'abandonner, le croyant près de sombrer, et ils s'étaient dirigés vers le fort Nelson, devant lequel ils trouvèrent d'Iberville.

La fuite était impossible à ce lernier, il fallait combattre ou se rendre. Son vaisseau portait quarante-six canon ; mais le nombre de ses hommes en état de servir était diminué en ce moment par la maladie et par l'envoi d'un détachement à terre, qu'il n'avait pas le temps de rappeler. Il paya d'audace, et, lâchant ses voiles au vent, il arriva sur ses adversaires. Les Anglais venaient rangés en ligne. Ils lui crièrent qu'ils savaient bien qu'il était d'Iberville, qu'ils le tenaient enfin, et qu'il fallait qu'il se rendît. Le *Pélican* voulut aborder le *Hampshire,* et un détachement de Canadiens se tenait prêt à sauter sur son pont ; mais ce vaisseau sut l'éviter et, virant de bord, couvrit le *Pélican* de mousqueterie et de mitraille, le perça à faire eau et hacha ses manœuvres. Le commandant anglais cherchait à démâter le vaisseau français et à le serrer contre un bas-fond; d'Iberville gouverna pour déjouer cette manœuvre, et y réussit. Au bout de trois heures et demie d'une lutte acharnée, le *Hampshire* court pour gagner le vent, recueille ses forces et pointe ses pièces à couler bas. D'Iberville, qui a prévu son dessein, le prolonge vergue à vergue, pendant qu'on se fusille d'un bord à l'autre. La mitraille et les boulets font un terrible ravage. Le *Pélican* redouble son feu, pointe ses canons si juste et tire une bordée si à propos, qu'enfin son fier adversaire fait au plus sa longueur de chemin et sombre sous voiles. Tout périt.

Déjà d'Iberville courait droit à l'*Hudson Bay,* qui était le plus à portée d'entrer dans la rivière Sainte-Thérèse, et qui amena aussitôt son pavillon. Il ne restait plus que le *Dehring*; il prit chasse et se déroba au *Pélican,* parce qu'il avait moins souffert dans sa voilure que le redoutable vainqueur. Cette belle victoire donna la baie d'Hudson aux Français.

(*Histoire du Canada*, I, liv. V, ch. 2.)

OBSERVATIONS. — L'art du récit dans ce morceau. Comment une simplicité toujours sobre, et qui au début n'exclut pas la grâce, concourt à la précision et au mouvement de cette narration...

---

## 23 — Les hommes et les partis en 1791

Dès le début du gouvernement constitutionnel, les hommes et les partis se dessinent assez pour que l'on aperçoive leurs caractères, leurs tendances et leur esprit. Le parti anglais, voyant ses espérances déçues, se rallia au gouvernement avec beaucoup de dépit. Cependant son rôle était encore considérable; il dominait dans le conseil législatif, dans le conseil exécutif, dans l'administration. Le parti canadien ne régnait qu'à la Chambre d'assemblée, qui fut bientôt en opposition ouverte avec les deux autres branches de la législature et avec tous les fonctionnaires publics, qui la détestaient déjà. De là les longs démêlés qui vont remplir nos annales. Les Canadiens se présenteront à nous sous un aspect nouveau. Intrépides et persévérants sur les champs de bataille au temps de la domination française, on va les voir, sous le gouvernement anglais, montrer la même constance dans une lutte d'un autre genre, et se distinguer par leur énergie et par des talents qu'on ne leur avait pas encore connus.

Les deux hommes qui vont fixer les premiers l'attention sur le théâtre parlementaire, seront M. Pierre Bédard et M. Joseph Papineau, que la tradition nous représente comme des patriotes doués de véritables talents oratoires. Ils furent dans la législature les plus fermes défenseurs de nos droits, et les partisans les plus désintéressés et les plus fidèles de l'Angleterre, au service de laquelle le dernier s'était distingué par son zèle durant la révolution américaine. Sortis tous les deux des rangs du peuple, ils avaient reçu une éducation classique au collège de Québec. M. Papineau fut bientôt le principal orateur des deux chambres. Une stature haute et imposante, une voix bien sonore, une éloquence véhémente et argumentative, lui donnaient une grande influence dans les assemblées publiques. Il conserva jusqu'à la fin de sa vie un patriotisme pur et la confiance de ses concitoyens, qui aimaient à entourer de leur respect ce vieillard dont la tête droite et couverte d'une longue chevelure blanche, gardait encore le caractère de l'énergie et de la force.

M. Bédard était loin d'avoir les mêmes avantages physiques. A une figure dont les traits, fortement prononcés, étaient irréguliers et durs, il joignait un maintien peu gracieux et un extérieur très négligé. Bizarre et insouciant par caractère, il prenait peu d'intérêt à la plupart des matières qu'on discutait dans la Chambre, et, en général, il parlait négligemment; mais lorsqu'une question attirait vivement son esprit, il sortait de son indifférence avec une agitation presque fébrile. Embrassant d'un coup d'œil son sujet, il l'abordait largement, mais non sans quelque embarras: en commençant sa parole était difficile et saccadée; mais bientôt la figure énergique de l'orateur s'animait, sa voix devenait ferme et puissante; de ce moment sa phrase jaillissait avec abondance et avec éclat. Il combattait ses adversaires avec une force de logique irrésistible, et rien n'était capable d'intimider son courage ou de faire fléchir ses convictions. C'est ainsi que nous allons le voir lutter d'abord contre les prétentions extravagantes de l'oligarchie anglaise, et ensuite contre la tyrannie du gouverneur sir James Craig, dont il brava le despotisme, en se mettant au-dessus des terreurs du public, qui admirait sa fermeté sans imiter toujours son indépendance.

Tels sont les deux hommes que les Canadiens prendront pour chefs dans les premières années du régime parlementaire...

(Histoire du Canada, III, liv. XII, ch. 2.)

## 24 — L'état des esprits en 1837

La brusque clôture des travaux législatifs ôta tout espoir de conciliation. En quelques endroits du district de Montréal, le peuple était déjà entraîné par les agitateurs; les assemblées se succédaient sans cesse dans les villes et dans les campagnes. Le gouvernement se mit à sévir contre ceux qui y prenaient part, et destitua un grand nombre de juges de paix et d'officiers de milice; M. Papineau perdit sa commission. Cela ne fit guère que fournir des armes aux partisans du mouvement. Les jeunes gens surtout étaient comme emportés dans un tourbillon. Les associations politiques étendaient leurs ramifications parmi les ouvriers. Les plus grands efforts se faisaient pour soulever partout le peuple; mais on éveillait plutôt la curiosité de la foule que sa colère. Loin des villes, loin de la population anglaise et du gouvernement, le peuple vit tranquille comme s'il était au milieu de la France, et sent à peine les blessures du joug étranger. La peinture des injustices et de la tyrannie du vainqueur excitait bien lentement les passions dans son âme et n'y laissait aucune impression durable. D'ailleurs il n'avait pas une confiance entière dans tous les hommes qui s'adressaient à lui. Il avait vu tant d'agitateurs accuser le pouvoir d'abus et de despotisme, et accepter ensuite les premières faveurs que ce même pouvoir leur offrait.

Cependant en certains endroits il commençait à oublier sa prudence ordinaire. Le comté des Deux-Montagnes était toujours en effervescence. A Saint-Denis et ailleurs, on fêta les officiers de milice et les magistrats destitués. On forma des sociétés secrètes, et l'on parla de résistance. Une association de jeunes gens s'était établie à Montréal sous le nom de *Fils de la Liberté*:

elle publia un manifeste menaçant. Ces unions avaient leurs agents
dans les campagnes. A Québec, quelques jeunes gens, après avoir
vainement essayé d'organiser une association semblable à celle des
*Fils de la Liberté,* reçurent un envoyé secret de Montréal, qui les
informa qu'on allait prendre les armes. M. Cazeau, l'un d'eux,
comptant sur les ouvriers du faubourg Saint-Roch, prépara quelques
balles, qu'il eut beaucoup de peine à cacher à la police quand plus
tard elle fit une descente chez lui. Ce club secret avait pris
M. Morin pour chef. Ses idées néanmoins ne faisaient pas de
progrès, et M. Morin s'en plaignit à ses amis du comité central des
Deux-Montagnes...

M. Morin, malgré ce langage, était un homme doux, poli, de
goûts simples et studieux, ayant plutôt la suavité de manières d'un
ecclésiastique que l'ardeur emportée d'un conspirateur. On ne
pouvait le charger d'un rôle qui fût plus contraire à son caractère.
Ce qui faisait dire au *Canadien*: "Ce fut pour lui un jour bien
malheureux que celui où il se posa en chef de parti dans ce district.
Tant qu'il n'eut qu'à agir sous la direction immédiate de volontés
supérieures, plus habituées que lui au commandement, il vit
s'accroître sa réputation d'homme habile; mais depuis il n'a fait
que jouer de malheur et prouver que, s'il a les talents de l'exécution,
il n'a pas encore acquis ceux de la direction."

A Saint-Denis, à Saint-Charles, à Saint-Eustache, à Berthier, à
l'Acadie, on fit les mêmes préparatifs. Le comité central et
permanent du comté de Montréal, composé des chefs du mouvement, transmit une adresse à l'*Association des ouvriers de Londres,*
espèce de club politique et révolutionnaire, dans l'espérance, sans
doute, d'éveiller la sympathie au moins de quelques hommes en
Angleterre. Les têtes exaltées de Montréal résolurent de s'adresser
aussi au congrès des Etats-Unis pour demander le commerce libre.
Petit à petit les hommes du mouvement augmentaient ainsi de
hardiesse jusqu'à inquiéter les gens paisibles, qui crurent devoir
faire des démonstrations en sens contraire. M. de Hertel, colonel
d'un bataillon de milice dans le comté des Deux-Montagnes, ce
centre d'agitation, écrivit au gouverneur que tout son monde était
animé du meilleur esprit et prêt à obéir à ses ordres au premier
appel. Mais le grand nombre ne voyant pas encore de véritable

danger, désirait laisser le gouvernement se tirer comme il pourrait
de ces difficultés puisqu'il en était la cause première.

(*Histoire du Canada*, III, liv. XVI, ch. 2.)

## 25 — Les Canadiens fidèles à eux-mêmes

Nous avons donné l'histoire des émigrants français qui ont
fixé les destinées de leur postérité à l'extrémité septentrionale de
l'Amérique du Nord.  Détachés comme quelques feuilles d'un
arbre, ces émigrants ont été jetés dans un monde nouveau pour y
être battus de mille orages, orages excités par l'avidité du négoce
et la barbarie, orages de la décadence d'une antique monarchie et
de la conquête étrangère.

Quoique peu riche et peu favorisé, le peuple canadien a montré
qu'il conserve quelque chose de la noble nation dont il tire son
origine.  Depuis la conquête, sans se laisser distraire par les
déclamations des philosophes ou des rhéteurs sur les droits de
l'homme et autres thèses qui amusent le peuple des grandes villes,
il a fondé toute sa politique sur sa propre conservation.  Il était
trop peu nombreux pour prétendre ouvrir une voie nouvelle aux
sociétés, ou se mettre à la tête d'un mouvement quelconque à
travers le monde.  Il s'est resserré en lui-même, il a rallié tous
ses enfants autour de lui, et a toujours craint de perdre un usage,
une pensée, un préjugé de ses pères, malgré les sarcasmes de ses
voisins.  C'est ainsi qu'il a conservé jusqu'à ce jour sa religion,
sa langue, et un pied-à-terre à l'Angleterre dans l'Amérique du
Nord en 1775 et en 1812...

Les Canadiens français forment un peuple de cultivateurs,
dans un climat rude et sévère.  Ils n'ont pas, en cette qualité, les
manières élégantes et fastueuses des populations méridionales; mais
ils ont de la gravité, du caractère et de la persévérance.  Ils en ont
donné des preuves depuis qu'ils sont en Amérique, et nous sommes
convaincus que ceux qui liront leur histoire de bonne foi, recon-
naîtront qu'ils se sont montrés dignes des deux grandes nations
aux destinées desquelles leur sort s'est trouvé ou se trouve encore lié.

Au reste, ils n'auraient pu être autrement sans démentir leur origine. Normands, Bretons, Tourangeaux, Poitevins, ils descendent de cette forte race qui marchait à la suite de Guillaume le Conquérant, et dont l'esprit, enraciné ensuite en Angleterre, a fait des habitants de cette petite île une des premières nations du monde; ils viennent de cette France qui se tient à la tête de la civilisation européenne depuis la chute de l'empire romain, et qui, dans la bonne comme dans la mauvaise fortune, se fait toujours respecter; de cette France qui, sous ses Charlemagne comme sous ses Napoléon, ose appeler toutes les nations coalisées à des combats de géants; ils viennent surtout de cette Vendée normande, bretonne, angevine, dont le monde à jamais respectera le dévouement sans bornes pour les objets de ses sympathies, et dont l'admirable courage a couvert de gloire le drapeau qu'elle avait levé au milieu de la révolution française.

Que les Canadiens soient fidèles à eux-mêmes; qu'ils soient sages et persévérants, qu'ils ne se laissent point séduire par le brillant des nouveautés sociales et politiques. Ils ne sont pas assez forts pour se donner carrière sur ce point. C'est aux grands peuples à faire l'épreuve des nouvelles théories; ils peuvent se donner toute liberté dans leurs orbites spacieuses. Pour nous, une partie de notre force vient de nos traditions; ne nous en éloignons ou ne les changeons que graduellement. Nous trouverons dans l'histoire de notre métropole, dans l'histoire de l'Angleterre elle-même, de bons exemples à suivre. Si l'Angleterre est grande aujourd'hui, elle a eu de terribles tempêtes à essuyer, la conquête étrangère à maîtriser, des guerres religieuses à éteindre et bien d'autres traverses. Sans vouloir prétendre à si haute destinée, notre sagesse et notre ferme union adouciront beaucoup nos difficultés, et, en excitant leur intérêt, rendront notre cause plus sainte aux yeux des nations.

(*Histoire du Canada*, III, liv. XVI, ch. 3.)

OBSERVATIONS. — F.-X. Garneau recommande aux Canadiens d'être fidèles à eux-mêmes, conservateurs de leurs traditions plutôt que curieux des nouveautés sociales et politiques. Comment se justifie en 1850 cette conclusion de l'*Histoire du Canada* de Garneau? et sur quelles considérations essentielles l'historien cherche-t-il à l'appuyer?

# DEUXIÈME PÉRIODE (1860-1900)

## CHAPITRE I

## L'HISTOIRE

# J.-B.-A. FERLAND

## (1805-1865)

Historien du régime français, l'abbé Ferland a apporté dans ses travaux le souci d'une grande précision. L'émotion se dégage des faits qu'il raconte, plutôt que du style. Cette sobriété qui veut intéresser surtout l'esprit donne une valeur durable à son œuvre.

Œuvres : *Cours d'Histoire du Canada*, 2 vols (1861). Etudes historiques et géographiques parues dans les *Soirées canadiennes* et le *Foyer canadien*.

(Voir *Histoire de la Littérature canadienne*, p. 65-67.)

## 26 — Mort chrétienne et caractère de Champlain

Frappé de paralysie, Champlain était resté, depuis deux mois et demi, dans un état de faiblesse et de malaise qui l'empêchait de suivre de près les affaires de la colonie.

Depuis son retour à Québec, où il restait plus assidûment qu'auparavant, il semblait avoir voulu se tenir prêt pour la mort. Il avait établi un ordre si admirable parmi les soldats, que, suivant le P. Le Jeune, "le fort paraissait une académie bien réglée". A l'exemple du chef, tous approchaient des sacrements ; leur conduite était régulière et édifiante. Aux repas, l'un d'eux faisait la lecture ; au dîner, on lisait quelque bonne histoire, et au souper, la vie des saints. Le soir, en véritable père, Champlain les réunissait dans sa chambre pour faire l'examen de conscience et réciter ensuite les prières à genoux. Il établit aussi la coutume si religieusement conservée jusqu'à présent, de sonner l'Angelus trois fois par jour.

Dans sa dernière maladie, il reçut les secours de la religion du
P. Charles Lalemant, pour qui il avait une grande affection. Il
mourut le vingt-cinq décembre, témoignant jusqu'à la fin l'intérêt
qu'il portait aux familles venues pour peupler le pays. De leur
côté, tous les habitants voulurent montrer leur reconnaissance pour
lui, en s'efforçant de rendre le convoi funèbre aussi solennel que le
permettaient les circonstances. Le P. Le Jeune prononça l'oraison
funèbre; le corps du fondateur de Québec fut ensuite inhumé dans
une chapelle, qui paraît avoir été attenante à Notre-Dame de
Recouvrance, et qui fut désignée sous le nom de chapelle de
Champlain...

Champlain mourut aimé et respecté de tous ceux qui l'avaient
connu. Plusieurs années après, un missionnaire jésuite recueillait
parmi les Hurons, les témoignages de leur admiration pour les
vertus qu'ils avaient remarquées dans Champlain, pendant l'hiver
qu'il passa dans leur pays; ils avaient conservé pour lui un grand
respect. Les mémoires de l'époque s'accordent à lui reconnaître
les qualités nécessaires à un fondateur de colonie: constance,
fermeté, courage, désintéressement, honneur, loyauté, amour véritable de la patrie, et, par-dessus tout, une foi vive et pratique, qui
le portait à regarder le salut d'une âme comme plus précieux que
la conquête d'un royaume. A ses profondes convictions religieuses,
il devait la grandeur de ses vues, sa fermeté au milieu des revers,
et sa persévérance dans l'œuvre principale de sa vie.

Trente-deux ans auparavant, il avait visité le Saint-Laurent
pour la première fois et formé le projet de planter le pavillon
français sur les hauteurs de Québec. Seul il avait persévéré dans
cette glorieuse entreprise, et en avait supporté patiemment toutes
les peines et toutes les difficultés. A la guerre, au milieu des
conseils, dans ses longs voyages de découverte, il n'avait cessé de
déployer un grand courage, une habileté remarquable, et une
constance que rien ne pouvait lasser. Il sut choisir avec un rare
bonheur les sites où s'élèvent aujourd'hui les villes de Montréal,
des Trois-Rivières et de Québec; il traça lui-même les plans. et
surveilla l'exécution des travaux qui se firent dans ce dernier lieu.
Il protégeait si soigneusement les intérêts publics et particuliers

des Français et des sauvages, que tous le regardaient comme un père, et qu'au milieu des contestations qu'il eut à régler, il ne s'éleva jamais le moindre doute sur la droiture de ses intentions...

"Il était sans contredit, dit Charlevoix, un homme de mérite... Ce qu'on admire le plus en lui, ce fut sa constance à suivre ses entreprises, sa fermeté dans les plus grands dangers, un courage à l'épreuve des contretemps les plus imprévus, un zèle ardent et désintéressé pour la patrie, un cœur tendre et complaisant et un grand fonds d'honneur et de charité... Mais ce qui met le comble à tant de bonnes qualités, c'est que, dans sa conduite comme dans ses écrits, il parut toujours un homme véritablement chrétien, zélé pour le service de Dieu, plein de candeur et de religion."

Le beau caractère de Champlain semble avoir exercé une heureuse influence sur celui des premiers colons du Canada; ou plutôt, l'on doit croire que sa prudence et son esprit religieux l'avaient engagé à n'appeler dans la colonie que des personnes d'une conduite réglée et chrétienne.

(*Cours d'Histoire du Canada*, I, liv. II, ch. 9.)

OBSERVATIONS. — Précisez par des faits ce jugement de l'abbé Ferland sur Champlain: "A ses profondes convictions religieuses, il devait la grandeur de ses vues, sa fermeté au milieu des revers, et sa persévérance dans l'œuvre principale de sa vie."

---

## 27 — Martyre des PP. Brébeuf et Lalemant

Dans le bourg de Saint-Louis se trouvaient alors les Pères de Brébeuf et Gabriel Lalemant, qui étaient chargés des cinq bourgades voisines. Ils avaient refusé de suivre les fuyards, et étaient restés pour secourir ceux des chrétiens qui allaient être exposés aux dangers du combat. Au milieu des horreurs de la mêlée, pendant que les décharges de la mousqueterie, les cris des guerriers, les gémissements des blessés formaient autour d'eux une épouvantable confusion de bruit, qui déchiraient les oreilles et attristaient le cœur, les deux missionnaires se tenaient auprès de la brèche, l'un occupé à baptiser les catéchumènes, et l'autre donnant l'absolution à ceux qui étaient déjà chrétiens. Ils furent bientôt saisis eux-mêmes et envoyés avec les autres prisonniers au bourg de Saint-Ignace. En même temps les vainqueurs expédiaient des éclaireurs pour examiner les défenses de la maison de Sainte-Marie, et, sur leur rapport favorable, le conseil de guerre décida de l'attaquer le lendemain. De leur côté, les Français se préparaient à une vigoureuse défense, tous étant résolus de mourir plutôt que de se rendre. Deux cents Iroquois s'avancèrent en effet; mais ils furent repoussés par des Hurons de la tribu de l'Ours et obligés de se mettre à l'abri derrière ce qui restait de palissade de Saint-Louis. Après plusieurs escarmouches où tour à tour les deux partis furent vainqueurs et vaincus, les Iroquois restèrent maîtres du champ de bataille; la victoire leur avait cependant coûté cher, car ils avaient perdu près de cent de leurs meilleurs guerriers.

Cependant ceux qui étaient entrés au fort de Saint-Ignace voulurent se donner le plaisir de torturer les deux jésuites. Ceux-ci s'attendaient déjà aux tourments réservés aux prisonniers; le P. de Brébeuf avait même, quelque temps auparavant, annoncé sa mort comme prochaine.

Salués à leur arrivée par une rude bastonnade, ils sont attachés au poteau et tourmentés avec le fer et le feu; on leur suspend au cou un collier de haches rougies sur des charbons; on leur met des ceintures d'écorce, enduites de poix et de résine enflammées; en dérision du saint baptême on leur verse de l'eau bouillante sur la tête. Quelques Hurons transfuges se montrent les plus cruels et joignent l'insulte à la cruauté: "Tu nous as dit, Echon, répétaient-ils, que plus on souffre en ce monde plus on est heureux dans l'autre: eh bien, nous sommes tes amis, puisque nous te procurons un plus grand bonheur dans le ciel. Remercie-nous des bons services que nous te rendons." Dans le plus fort de ses tourments, le P. Gabriel Lalemant levait les yeux au ciel, joignant les mains et demandant à Dieu du secours. Le P. de Brébeuf demeurait comme un rocher, insensible au fer et au feu, sans pousser un seul cri, ni même un seul soupir. De temps en temps, il élevait la voix pour annoncer la vérité aux infidèles et pour encourager les chrétiens qu'on torturait autour de lui. Irrités de la sainte liberté avec laquelle il leur parlait, ses bourreaux lui coupèrent le nez, lui arrachèrent les lèvres, et lui enfoncèrent un fer rouge dans la bouche. Le héros chrétien conserva le plus grand calme, et son regard était si ferme et si assuré, qu'il semblait encore commander à ses bourreaux.

On amena alors près du P. de Brébeuf son jeune compagnon couvert d'écorces de sapin, auxquelles on se préparait à mettre le feu; celui-ci se jetant aux pieds du vieux missionnaire, se recommanda à ses prières et répéta les paroles de l'apôtre saint Paul: "Nous avons été mis en spectacle au monde, aux anges et aux hommes". En ramenant le P. Lalemant à son poteau, on alluma les écorces qui le couvraient, et ses bourreaux s'arrêtaient pour goûter le plaisir de le voir brûler lentement et d'entendre les soupirs qu'il ne pouvait s'empêcher de pousser.

Rendus furieux par l'odeur du sang, les Iroquois se surpassèrent dans cette occasion par des raffinements de cruauté; ils arrachèrent les yeux du P. Lalemant et mirent à la place des charbons ardents; ils taillaient sur les cuisses et sur les bras des deux missionnaires des morceaux de chair, qu'ils faisaient rôtir sur des charbons et qu'ils dévoraient sous leurs yeux.

Les tourments du P. de Brébeuf durèrent environ trois heures; il mourut le jour même de sa prise, le seize mars, vers quatre heures du soir. Après sa mort, les barbares lui arrachèrent le cœur qu'ils se partagèrent; ils espéraient que ceux qui en mangeraient obtiendraient une portion du courage de leur victime. Les bourreaux s'acharnèrent alors sur le P. Gabriel Lalemant, qui fut torturé sans interruption jusqu'au lendemain à neuf heures du matin. Encore dut-il de voir terminer alors ses maux à la compassion d'un Iroquois, qui, fatigué de le voir languir depuis un jour et une nuit, lui donna un coup de hache pour mettre un terme à ses souffrances.

Le Père Gabriel Lalemant, neveu des deux missionnaires de ce nom, n'était au pays des Hurons que depuis six mois... Né à Paris d'une famille distinguée dans la robe, il avait professé les sciences pendant plusieurs années. Malgré la faiblesse de son corps et la délicatesse de sa constitution, depuis plusieurs années il demandait la grâce d'être envoyé dans les pénibles missions du

Canada. Quoique arrivé un des derniers sur la scène des combats, il eut le bonheur d'être un des premiers à ravir la couronne du martyre. Il n'était âgé que de trente-neuf ans lorsqu'il eut la gloire de mourir en annonçant l'évangile.

(*Cours d'Histoire du Canada*, I, liv. III, ch. 7.)

OBSERVATIONS. — Après la lecture de ce récit, montrez comment au réalisme violent des détails s'y oppose la beauté sereine de l'âme des martyrs.

## 28 — Héroïsme de Dollard et de ses compagnons

Bientôt après, on apprit les événements qui avaient empêché les Iroquois de se rendre à Québec. Dix-sept braves Français de Montréal avaient détourné le coup, en périssant glorieusement pour sauver leurs frères. Un jeune homme, appartenant à une bonne famille, était arrivé depuis peu à Montréal, avec l'intention de se distinguer par quelque coup d'éclat contre les Iroquois. Daulac avait servi dans l'armée en France; sa première campagne prouva qu'il était tout à fait propre à la guerre sauvage. Plein d'énergie lui-même, il sut communiquer ses sentiments à seize jeunes gens, qu'il engagea à le suivre dans une expédition contre les Iroquois. Ces dix-sept braves se préparèrent à la mort, de manière à n'avoir aucune inquiétude soit temporelle, soit spirituelle. Chacun d'eux fit son testament; tous se confessèrent, communièrent ensemble, et en présence des autels, promirent de ne jamais demander quartier et de se soutenir fidèlement les uns les autres. Vers la fin d'avril, ils firent leurs adieux, comme s'ils eussent été certains de ne jamais revenir, et, le premier mai, ils s'arrêtèrent au pied du saut des Chaudières, sur la rivière des Outaouais. Ayant trouvé là un petit fort sauvage, formé de pieux à demi pourris qu'on avait plantés en terre, ils se décidèrent à y attendre les Iroquois, qui allaient descendre des terres de chasse situées au Nord. Ce misérable réduit, qui ne valait pas la plus mauvaise chaumière, était éloigné de l'eau et commandé par un coteau voisin.

Quelques jours s'étaient écoulés dans l'attente quand les braves Français furent rejoints par une bande de Hurons et d'Algonquins, qui leur demandèrent la permission de partager leurs périls...

Le lendemain de l'arrivée des guerriers sauvages au camp des Français, deux Hurons, étant allés à la découverte, rapportèrent qu'ils avaient aperçu cinq canots montés par des Iroquois. C'étaient des éclaireurs envoyés par une bande de deux cents Onnontagués, qui revenaient de leurs chasses. Le conseil des alliés décida qu'on attendrait l'ennemi de pied ferme, et que le lendemain on élèverait une seconde palissade autour de l'ancienne. Malheureusement le temps manqua ; car peu après, on vit défiler en bon ordre les canots iroquois. Les chasseurs onnontagués avaient pris la tenue de guerriers qui s'avancent contre l'ennemi : ils portaient la hache du combat à la ceinture ; les fusils étaient rangés sur l'avant de chaque canot, et ils étaient prêts à l'attaque et à la défense.

Les alliés furent surpris : en ce moment, ils étaient à genoux, faisant la prière du soir. Près du rivage, les chaudières avaient été placées sur les feux pour préparer le souper ; ils n'eurent que le temps de se jeter dans le fort. De part et d'autre, on se salua par des cris et par une vive fusillade. Un capitaine onnontagué, s'avançant sans armes, éleva la voix pour demander à quelle nation appartenaient les défenseurs du fort. "Ce sont des Français, des Hurons et des Algonquins", leur répondit-on ; "et ils demandent à l'Iroquois de camper sur l'autre rive, s'il veut parlementer." Les deux partis comprirent qu'une lutte était inévitable. Les Onnontagués entourent leur camp d'une palissade ; de leur côté, les alliés travaillent à assurer leur fort ; ils lient les pieux avec des branches, ils les consolident avec de la terre et des pierres, en ayant le soin de laisser des meurtrières d'espace en espace.

Les assiégés n'avaient pas encore terminé leurs travaux de fortification, lorsque les Iroquois donnèrent l'assaut, en poussant leurs cris de guerre. Les Français les reçurent chaudement ; à chaque meurtrière étaient placés trois tireurs, dont les balles décimaient les rangs iroquois ; beaucoup d'Onnontagués tombèrent morts ou blessés. Les ennemis, après des efforts inutiles, battirent en retraite tout surpris d'éprouver une si vigoureuse résistance. Recourant alors à leurs ruses ordinaires, ils firent semblant de

vouloir parlementer pendant qu'ils envoyaient avertir le gros corps
d'Agniers, rassemblés dans les îles de Richelieu. Les Hurons et
les Algonquins ne voulaient point rejeter trop brusquement les
propositions des ennemis; mais les Français refusaient tout accom-
modement, certains qu'on voulait les tromper. Et, de fait, pendant
que les Iroquois amusaient les Hurons d'un côté du fort, ils
cherchaient à faire des approches de l'autre côté. Toujours sur
leurs gardes, les Français repoussèrent de nouveau les ennemis, et
les forcèrent à se tenir hors de la portée du fusil. Pendant sept
jours le fort demeura ainsi investi : les assiégés, resserrés dans un
étroit espace, étaient soumis à mille incommodités; le froid,
l'insomnie, la faim et la soif les harassaient beaucoup plus que les
Iroquois. L'eau était si rare qu'ils n'en avaient pas assez pour
délayer la farine de maïs qui faisait leur nourriture, et qu'ils
étaient obligés de l'avaler toute sèche. Bientôt le plomb manqua
aux Algonquins et aux Hurons, qui ne l'avaient pas ménagé
suffisamment, et Daulac dut leur en fournir. Cependant jusqu'à
ce moment les assiégés n'avaient encore perdu aucun des leurs.

Après une semaine d'attente, les Onnontagués eurent la
satisfaction de voir arriver les Agniers et les Onneyouts au nombre
de cinq cents. Des cris sauvages retentirent dans la forêt, de
manière à effrayer les cœurs timides et à faire croire que des
milliers de guerriers l'envahissaient. Le fort fut entouré de toutes
parts; la fusillade se continuait le jour et la nuit; les attaques
étaient fréquentes et vigoureuses. Au milieu de toutes ces
difficultés les Français restaient admirables de courage, de vigilance
et surtout de piété. Aussitôt qu'ils avaient repoussé une attaque,
ils se mettaient à genoux pour remercier Dieu et se recommander
à sa protection.

Cependant la soif pressait tellement les assiégés, que les
sauvages n'y pouvaient plus tenir. Les Hurons découragés son-
gèrent à la paix et envoyèrent quelques-uns des leurs pour
s'aboucher avec les ennemis. Les envoyés furent reçus par les
Iroquois avec de grands cris qui effrayèrent les Hurons restés dans
le fort. Trente d'entre eux cependant engagés par les invitations
et les belles promesses de leurs compatriotes apostats, sautèrent
par-dessus la palissade, pour se rendre aux ennemis, malgré les

sanglants reproches que leur adressait Anahotaha. Après cette
honteuse fuite, il ne resta avec lui de sa bande que sept ou huit
hommes; les Français et les Algonquins étaient trop fiers pour
consentir à se mettre entre les mains des Iroquois. Les fuyards
causèrent un double dommage par leur lâche conduite: ils affai-
blirent les forces des alliés, et ils ranimèrent le courage des Iroquois
en leur faisant connaître la faiblesse des compagnons de Daulac.

Des parlementaires, suivis d'une troupe de guerriers, se rap-
prochèrent de nouveau du fort pour inviter le reste des Hurons à
se rendre; mais se défiant de tous ces pourparlers, les Français les
reçurent à coups de fusil, en tuèrent plusieurs et forcèrent les
autres à prendre la fuite.

Les Iroquois étaient honteux: depuis dix jours, une chétive
palissade, défendue par une poignée de Français et quelques
sauvages, arrêtait leur armée tout entière. Ils voulurent tenter
un effort suprême. Des bûchettes furent distribuées; ceux qui en
acceptaient une se dévouaient à monter à l'assaut. Tous ensemble
les assaillants se ruèrent au pied de la palissade et s'y cram-
ponnèrent au-dessous des canonnières, de manière que, n'y ayant
de bastion d'où on pût les battre, les assiégés ne pouvaient leur
faire de mal; ainsi abrités, les Iroquois travaillaient à coups de
haches à abattre les pieux. Dans cette extrémité, les Français
eurent recours à tous les moyens que le courage et l'expérience leur
purent fournir. Dépourvus de grenades, ils les remplaçaient par
des canons de fusil, qu'ils chargeaient à crever et qu'ils lançaient
ensuite sur l'ennemi. Daulac s'avisa de jeter au milieu des ennemis
un petit baril de poudre, auquel il avait ajusté une fusée. Malheureusement une branche arrêta le projectile et le rejeta dans le
fort, où il fit explosion, portant la mort au milieu des combattants.
Etouffés par la fumée, les assiégés ne pouvaient plus distinguer les
assiégeants, qui profitèrent de la confusion, et s'emparèrent des
meurtrières, d'où ils faisaient un feu écrasant. Dans ce moment
suprême, un neveu d'Anahotaha, qui était passé aux Iroquois,
invita son oncle à se rendre, en lui promettant la vie sauve: "J'ai
donné ma parole aux Français, répondit le chef; je mourrai avec
eux." Peu après le vieux guerrier tomba frappé à mort; mais
avant d'expirer, il pria un de ses compagnons de lui mettre la tête

sur les charbons, afin que les Iroquois n'eussent pas l'honneur de lui enlever la chevelure. Poussé par un sentiment d'humanité mal entendue, un Français, voyant les assaillants sur le point d'entrer dans le fort, acheva à coups de hache ses compagnons blessés à mort, afin de les délivrer des supplices qu'ils auraient eus à endurer de la part de leurs cruels ennemis.

Les assiégés avaient assurément tout à redouter de la rage des Iroquois. Ceux-ci, en effet, ayant pénétré dans le fort, renversèrent à coups de fusil quelques braves qui se défendaient avec un courage désespéré, et se livrèrent à toutes les fureurs de la vengeance. Deux Français qui respiraient encore furent traînés sur le feu, et tourmentés de la manière la plus horrible. Quatre autres conservaient assez de force pour être conduits à la suite des vainqueurs; on les distribua aux cantons d'Onnontagué, d'Onneyout et d'Agnier, qui avaient pris part à la lutte. Avec ces captifs français furent menés prisonniers quatre Hurons, qui avaient combattu jusqu'à la fin avec Anahotaha; le même sort fut réservé à ceux de leurs compatriotes qui pendant le siège avaient eu la lâcheté de passer aux ennemis.

Des sept cents Iroquois qui avaient assisté au siège du petit fort, un grand nombre avaient été mis hors de combat. Au rapport d'un Huron, pris avec les Français, des masses de cadavres iroquois s'élevèrent autour de la palissade durant la dernière attaque, et servirent aux assiégeants pour l'escalader. Les vainqueurs étaient restés stupéfaits de la résistance que leur avaient opposée les dix-sept Français, renfermés dans un si faible réduit, sans eau, sans nourriture et sans un instant de repos. Aussi, affaiblie et lassée, l'armée iroquoise renonça au projet d'attaquer Québec.

(*Cours d'Histoire du Canada*, I, liv. 3, ch. 12.)

OBSERVATIONS. — 1° Récit impersonnel et captivant; captivant surtout peut-être parce qu'il est impersonnel. Montrer comment l'auteur s'efface ou n'apparaît que très discrètement, pour ne rien ôter à l'éloquence des faits. — 2° A quels faits principaux du récit se reconnaît mieux l'héroïsme de Dollard et de ses compagnons?

## 29 — Dispersion des Acadiens

Ainsi, à Grand-Pré, Winslow, par une proclamation officielle, invitait les vieillards, les jeunes gens, et jusqu'aux enfants mâles de dix ans, de se réunir dans l'église de ce lieu, le vendredi cinq de septembre 1755, pour recevoir certaines communications qu'il avait à leur faire de la part du gouvernement. Plus de cinq cents hommes qui avaient répondu à cet appel furent renfermés dans l'église de Grand-Pré, où Winslow, environné de ses officiers, leur expliqua les intentions du gouvernement. Il leur annonça que le le roi leur enlevait leurs terres, leurs bestiaux et tout ce qu'ils possédaient, à l'exception de leurs meubles personnels et de leur argent; que, de ce moment, ils demeuraient prisonniers sous la garde des troupes qu'il commandait. A Grand-Pré furent réunis, comme prisonniers, quatre cent quatre-vingt-trois hommes et trois cent trente-sept femmes, tous chefs de familles; le nombre de leurs enfants réunis avec eux pour prendre le chemin de l'exil s'élevait à mille cent trois. Comme quelques-uns de ces malheureux habitants s'étaient réfugiés dans les forêts, on employa tous les moyens pour les forcer à venir se mettre à la discrétion des Anglo-Américains; on ravagea tout le pays environnant pour leur ôter le moyen de subsister. Dans le seul district des Mines deux cent cinquante-cinq maisons furent détruites, et un nombre proportionné de granges, d'étables et d'autres bâtiments; les parents de ceux qui refusaient de se rendre prisonniers étaient menacés de souffrir pour expier ce que l'on nommait l'obstination de leurs amis.

Les Acadiens prisonniers souffrirent avec résignation l'emprisonnement et les maux dont il était accompagné. Le départ devait avoir lieu le dix de septembre; les navires étaient prêts; les prisonniers avaient été rangés en ordre; cent soixante jeunes gens reçurent l'ordre de s'avancer vers les navires. Ils déclarèrent qu'ils étaient prêts à s'embarquer, mais qu'ils ne voulaient pas être séparés de leurs parents. Sur un ordre de l'officier supérieur, les soldats anglo-américains chargèrent à la baïonnette cette troupe de jeunes gens désarmés et les forcèrent de s'avancer vers les navires. Des mères se précipitaient vers le sentier que suivaient les malheureux prisonniers, afin de leur dire un dernier adieu; repoussés par les soldats, elles s'agenouillaient sur le rivage, pour demander à Dieu de protéger leurs enfants, qui cherchaient à s'encourager en chantant des cantiques. Les hommes plus âgés furent ensuite conduits aux navires de la même manière. Ainsi fut embarquée toute la population mâle du district des Mines sur cinq navires mouillés à l'entrée de la rivière de Gaspareaux. Peu après, arrivèrent d'autres navires sur lesquels les femmes et les enfants furent placés et conduits dans les colonies américaines, où l'on n'avait pas songé à demander une retraite pour les pauvres exilés.

Plus de sept mille Acadiens avaient ainsi été dépouillés de leurs biens et chassés de leur pays dans cette occasion; mille d'entre eux furent jetés dans le Massachusetts; quatre cent cinquante furent envoyés dans la Pennsylvanie, et débarqués à Philadelphie, où l'on proposa de les vendre s'ils voulaient y consentir, proposition qui fut rejetée avec indignation par les prisonniers. D'autres, envoyés dans la Georgie, et assez froidement reçus, entreprirent de retourner dans leur pays; plusieurs étaient déjà arrivés à New-York et à Boston, lorsqu'un ordre du général Lawrence les força de renoncer à leur projet.

A peine les troupes anglo-américaines se furent-elles acquittées de la pénible exécution qui leur avait été confiée, que les soldats furent frappés de l'horreur de la situation.

Placés au milieu de riches campagnes, ils se trouvaient néanmoins dans une profonde solitude. Il n'y avait pas d'ennemis à attaquer, point d'amis à défendre. Les volutes de fumée qui s'élevaient au-dessus des maisons incendiées, marquaient les lieux où, quelques jours auparavant, demeuraient des familles heureuses; les animaux des fermes s'assemblaient, inquiets, autour des ruines fumantes, comme s'ils eussent espéré de voir revenir leurs maîtres; pendant les longues nuits, les chiens de garde hurlaient sur ces scènes de désolation; leurs voix plaintives semblaient rappeler leurs anciens protecteurs et les toits sous lesquels ils avaient coutume de s'abriter.

*(Cours d'Histoire du Canada, II, ch. 35.)*

OBSERVATIONS. — 1° A la barbarie des procédés l'historien oppose la calme résignation des victimes. Contraste historique qui pourrait être aussi, dans ce récit, effet de l'art? — 2° La note sentimentale est presque totalement exclue de ce récit. Quelle est, à votre avis, l'effet de cette méthode objective sur l'esprit du lecteur? Signalez l'émotion discrète qui pourtant se dégage du dernier paragraphe.

# HENRI-RAYMOND CASGRAIN

## (1831-1904)

Il a laissé une œuvre historique que le temps ne respecte pas tout entière. Elle est cependant vivante encore en beaucoup de ses parties. L'auteur y avait versé tous ses dons de l'image et sa grande sensibilité; mais il savait aussi conduire avec une sobre émotion les récits. L'esprit critique n'égala pas son patriotisme.

Œuvres principales: *Légendes; Biographies canadiennes; Histoire de l'Hôtel-Dieu de Québec* (1878); *Pèlerinage au pays d'Evangéline* (1885); *Montcalm et Lévis* (1891).

(Voir *Histoire de la Littérature canadienne*, p. 61-64; 68-70.)

## 30 — Panorama militaire de Québec (1759)

Le lendemain, au soleil levant, par une journée claire comme celle de la veille, Wolfe prit avec lui l'ingénieur en chef Mackeller, se fit escorter par quelques troupes légères, et remonta le fleuve jusqu'à l'extrémité de l'île d'Orléans, où il mit pied à terre.

Il n'a pas écrit, mais il est facile de deviner quelle fut sa première impression. Il avait devant lui un des plus beaux points de vue et une des positions stratégiques les mieux choisies de l'Amérique du Nord: à sa droite, la rivière et la cascade de Montmorency, formant une ligne de défense naturelle; à sa gauche, les falaises escarpées de Lévis; en face, à une lieue de distance, s'avançant comme la proue d'un immense navire, le promontoire de Québec dominant les deux rives. Il distinguait parfaitement les lignes du camp retranché se prolongeant en zigzags avec leurs batteries et leurs redans, depuis les cimes du Montmorency jusqu'à la rivière Saint-Charles; et en arrière de cette première ligne, tout le long du coteau, la double rangée de jolies maisons blanches bordant le chemin. Il ne savait pas encore que le groupe de tentes qu'il apercevait sur son extrême droite était le camp de son plus habile ennemi, le chevalier de Lévis, avec les meilleures troupes régulières et ces fameux coureurs de bois de Montréal, redoutés de ses soldats presque autant que les sauvages; qu'au centre de cette côte, le manoir seigneurial de Salaberry, entouré d'une multitude de tentes, était le quartier général de Montcalm; et que plus loin, vers la Canardière, se trouvait celui de Bougainville, qu'allait bientôt occuper le marquis de Vaudreuil.

Sur toute l'étendue de cette côte, il voyait les lignes blanches des régiments français et celles des troupes coloniales, qui allaient prendre leurs positions respectives. A l'entrée de la rivière Saint-Charles lui apparaissaient les lignes confuses des ponts fortifiés, et au loin dans la vallée, le clocher à peine visible de l'Hôpital-Général.

A l'aide du plan de Québec déroulé devant lui, il pouvait déterminer la position des principaux édifices de la ville, dont les flèches et les toitures dominaient les remparts : le Séminaire et l'Hôtel-Dieu au bord du cap, la cathédrale, le collège des jésuites, les monastères des ursulines et des récollets disposés au centre en quadrilatère irrégulier ; sur la gauche, et couronnant le précipice, le château Saint-Louis vu de profil. Les deux grands bouquets d'arbres, surgissant du milieu des toits, indiquaient les jardins du Séminaire et du collège. Autour des crêtes palissadées de la montagne, s'alignaient les batteries du château Saint-Louis, du Séminaire, de l'hôpital ; et au-dessous, allongeant leurs gueules à fleur d'eau, les batteries Saint-Charles, Dauphine, Royale et de Construction.

Mais ce qu'il ne pouvait voir du point où il était, ce que lui cachait le cap Diamant qui fermait l'horizon à l'ouest, c'étaient les deux chaînes de rochers à pic entre lesquelles, à partir d'une distance de plusieurs lieues, le fleuve se fraye un passage. Sans les avoir vues, il savait par les rapports les plus positifs, que du côté nord jusqu'au cap Rouge, trois lieues plus haut, la falaise est à peu près inabordable ; que dans les rares endroits où elle est accessible, elle peut être facilement défendue par de petits corps d'armée, et qu'au delà, la rivière du Cap Rouge forme, par ses rives encaissées, un obstacle non moins difficile que celui de la rivière Montmorency. Aussi cette position n'entrait-elle dans ses plans d'attaque que comme un dernier moyen auquel il ne devait songer qu'après avoir épuisé tous les autres.

(Montcalm et Lévis, II.)

OBSERVATIONS. — Ce panorama est-il bien composé ? L'imagination s'y mêle-t-elle à la vision des choses ? Relevez ces traces d'imagination.

## 31 — La descente de l'armée de Wolfe à l'Anse au Foulon
## (13 septembre 1759)

A minuit, deux lanternes furent hissées l'une au-dessus de l'autre au grand mât du Sutherland. C'était le signal convenu. Aussitôt la première division prit place dans les bateaux et se mit en ligne, suivie de proche par le reste de l'armée, l'infanterie légère faisant l'avant-garde. A deux heures, sur un signe du général, dont le canot s'était placé en tête, tous les bateaux se mirent en mouvement. Les soldats avaient ordre de garder un profond silence, les équipages de faire le moins de bruit possible, et de ne se servir de leurs rames que pour diriger légèrement leurs embarcations, car la marée baissante et la brise du sud-ouest qui s'était élevée, les faisaient dériver rapidement. Les vaisseaux de l'amiral Holmes devaient descendre trois quarts d'heure plus tard avec le reste des troupes. La nuit était sereine mais sans lune, et la lumière des étoiles, tamisée par les vapeurs de septembre, était à peine visible. Le silence nocturne n'était troublé que par le clapotement de l'eau sur les flancs des embarcations, et par le bruit du vent dans les arbres de la falaise qui tout près, sur la gauche, dressait sa muraille de pierre dans l'obscurité.

Durant plus d'une heure la longue file de bateaux glissa dans le même silence en suivant les contours du rivage. Aucun bruit insolite ne se faisait entendre sur les hauteurs, et tout portait à croire qu'ils n'étaient pas découverts. Wolfe, assis à l'arrière de son canot, conversait de temps en temps à voix basse avec les officiers rangés auprès de lui. L'un d'eux, John Robinson, jeune garde-marine, qui devint plus tard professeur de sciences naturelles à l'université d'Edimbourg, a raconté l'impression profonde qu'avait faite sur lui la conversation du général. Les idées mélancoliques qui l'avaient obsédé lui revenant à l'esprit, il en chercha l'expression dans la poésie, et il se mit à réciter la belle élégie de Gray sur un cimetière de campagne, dont la publication était encore récente. Eut-il une intuition plus vive du sort qui l'attendait, lorsque, d'une voix émue, il répéta ce vers qui ne fut jamais si vrai que pour lui-même:

"The paths of glory lead but to the grave."

"Messieurs, murmura-t-il en terminant la citation, j'aimerais mieux avoir fait cette élégie que de prendre Québec."

"Qui vive?" cria une sentinelle invisible dans l'ombre à l'un des bateaux de l'infanterie légère, au moment où il rasait le rivage de Samos à une portée de pistolet.

"France!" répondit un capitaine des Fraser's Highlanders, qui savait très bien le français.

La sentinelle, croyant que c'était le convoi de vivre annoncé par Bougainville, laissa passer le bateau en commettant la faute de ne pas demander le mot d'ordre et de ne pas aller elle-même s'assurer de la vérité.

Quelques minutes après, un froissement de branches indiquant que quelqu'un descendait la côte du Foulon, se fit entendre, suivi du nouveau: "Qui vive?

— France!" répéta le capitaine; et il ajouta: "Ne faites pas de bruit, ce sont les vivres; on pourrait nous entendre". La corvette de Hunter était en effet ancrée à peu de distance. "Passez", dit la sentinelle, qui ne descendit pas plus loin.

La force du courant entraîna les bateaux de l'infanterie légère un peu au-dessous de l'anse. Les vingt-quatre volontaires, conduits par le capitaine Delaune, sautèrent sur le sable et s'avancèrent jusqu'au pied de la falaise, qui en cet endroit est très escarpée et couverte aujourd'hui comme alors de bois et de broussailles. Leurs fusils en bandoulière, ils se mirent hardiment à la gravir en s'aidant des branches et des arbustes. Il arrivèrent au sommet sans avoir reçu un coup de fusil, et s'avancèrent jusqu'à la clairière ouverte sur le plateau, suivis de près par un plus fort détachement. Le jour commençait à poindre et permettait de distinguer la toile blanche des tentes sur le fond obscur du sol et du feuillage. Ils s'élancèrent vers les sentinelles qui, en les apercevant, tirèrent quelques coups de fusil et se replièrent vers les tentes. Vergor dormait profondément dans son lit, et ne fut réveillé que par les détonations et les cris d'alarme. Il sortit précipitamment et se mit en défense avec les soldats de son poste accourus des tentes voisines. Ils n'étaient qu'au nombre d'une trentaine, car Vergor avait envoyé le reste, composé d'habitants de Lorette, travailler à leur récolte, à la condition, paraît-il, qu'ils iraient achever les siennes sur la terre qu'il possédait dans cette paroisse. Un piquet de l'infanterie légère, débarqué un peu plus haut, gravissait alors le ravin et marchait au secours des volontaires. Vergor, pris entre deux feux, ne fit qu'une faible résistance, reçut une balle au talon et se rendit prisonnier avec quelques-uns des siens. Les autres réussirent à s'échapper à la faveur de l'obscurité et des bois voisins.

Wolfe, resté sur le bord de la grève, attendait un signal avant de lancer de nouvelles troupes. Pendant un temps assez long, rien ne rompit le silence de la nuit que les rafales du vent et le murmure du ruisseau Saint-Denis qui, gonflé par les dernières pluies, tombait en cascade sur le flanc de la montagne. Soudain éclatèrent quelques coups de fusil suivis d'appels aux armes, puis de nouvelles décharges accompagnées de clameurs confuses. Enfin, des hourras poussés par cent poitrines anglaises annoncèrent que le poste était pris. Wolfe, sans rien laisser voir de la joie qu'il éprouvait, donna l'ordre d'avancer. Toute la première division, formée d'environ seize cents hommes, s'élança hors des bateaux, précédée des sapeurs qui, en peu d'instants, eurent débarrassé le ravin des abattis qui l'obstruaient et rendu libre le chemin tracé sur le penchant de la côte. Une partie de la division s'y engagea, tandis que le reste grimpait à droite et à gauche en s'accrochant aux buissons et aux angles des rochers. Wolfe, à qui l'excitation du moment donnait de nouvelles forces, gravit la côte d'un pas léger et rangea rapidement les troupes en bataille à mesure qu'elles débouchaient sur le plateau, l'aile gauche du côté de Sillery, l'aile droite du côté de Québec, toute la ligne faisant face au chemin Saint-Louis.

(*Montcalm et Lévis*, II.)

OBSERVATIONS. — 1° L'abbé Casgrain mêle volontiers la poésie à l'histoire. Montrez comment apparaît dans cette page ce souci de l'historien. La poésie est-elle ici un obstacle à la précision du récit? ou y ajoute-t-elle seulement de l'intérêt? — 2° Quelle impression fait sur vous cette page d'histoire au fur et à mesure qu'elle se déroule? A quoi tient le sort d'une ville, d'un peuple?

## 32 — **Une maison canadienne**

Voyez-vous là-bas, sur le versant de ce coteau, cette jolie maison qui se dessine, blanche et proprette, avec sa grange couverte de chaume, sur la verdure tendre et chatoyante de cette belle érablière?

C'est une maison canadienne.

Du haut de son piédestal de gazon, elle sourit au grand fleuve, dont la vague, où frémit sa tremblante image, vient expirer à ses pieds.

Car l'heureux propriétaire de cette demeure aime son beau grand fleuve et il a eu soin de s'établir sur ses bords.

Si quelquefois la triste nécessité l'oblige à s'en éloigner, il s'ennuie et a toujours hâte d'y revenir. Car c'est pour lui un besoin d'écouter sa grande voix, de contempler ses îles boisées et ses rives lointaines, de caresser de son regard ses eaux tantôt calmes et unies, tantôt terribles et écumantes...

Voulez-vous maintenant jeter un coup d'œil sous ce toit dont l'aspect extérieur est si riant?

Je vais essayer de vous en peindre le tableau, tel que je l'ai vu maintes fois.

D'abord, en entrant dans le tambour, deux seaux pleins d'eau fraîche sur un banc de bois et une tasse de fer-blanc accrochée à la cloison, vous invitent à vous désaltérer.

A l'intérieur, pendant que la soupe bout sur le poêle, la mère de famille, assise près de sa fenêtre, dans une chaise berceuse, file tranquillement son rouet.

Un mantelet d'indienne, un jupon bleu d'étoffe du pays et une câline blanche sur la tête, c'est là toute sa toilette.

Le petit dernier dort à ses côtés dans son ber.

De temps en temps, elle jette un regard réjoui sur sa figure fraîche qui, comme une rose épanouie, sort du couvre-pied d'indienne de diverses couleurs, dont les morceaux taillés en petits triangles sont ingénieusement distribués.

Dans un coin de la chambre, l'aînée des filles, assise sur un coffre, travaille au métier en fredonnant une chanson.

Forte et agile, la navette vole entre ses doigts; aussi fait-elle bravement dans sa journée sept ou huit aunes de toile du pays à grande largeur, qu'elle emploiera plus tard à faire des vêtements pour l'année qui vient.

Dans l'autre coin, à la tête du grand lit à courtepointe blanche et à carreaux bleus, est suspendue une croix entourée de quelques images. Cette petite branche de sapin flétrie qui couronne la croix, c'est le rameau bénit.

Deux ou trois marmots nu-pieds sur le plancher s'amusent à atteler un petit chien.

Le père, accroupi près du poêle, allume gravement sa pipe avec un tison ardent qu'il assujettit avec son ongle. Bonnet de laine rouge, gilet et culottes d'étoffe grise, bottes sauvages, tel est son accoutrement. Après chaque repas, il faut bien fumer une touche avant d'aller faire le train ou battre à la grange.

L'air de propreté et de confort qui règne dans la maison, le gazouillement des enfants, les chants de la jeune fille qui se mêlent au bruit du rouet, l'apparence de santé et de bonheur qui reluit sur les visages, tout, en un mot, fait naître dans l'âme le calme et la sérénité.

Si jamais, sur la route, vous étiez surpris par le froid ou la neige, allez heurter sans crainte à la porte de la famille canadienne, et vous serez reçu avec ce visage ouvert, avec cette franche cordialité que ses ancêtres lui ont transmise comme un souvenir et une relique de la vieille patrie. Car l'antique hospitalité française, qu'on ne connaît plus guère aujourd'hui dans certaines parties de la France, semble être venue se réfugier sous le toit de l'habitant canadien. Avec sa langue et sa religion, il a conservé pieusement ses habitudes et ses vieilles coutumes.

Le voyageur qui serait entré, il y a un siècle, sous ce toit hospitalier, y aurait trouvé les mêmes mœurs et le même caractère.

*(Légendes: Tableau de la Rivière-Ouelle.)*

# JOSEPH-EDMOND ROY

## (1858-1913)

Historien des petites choses, des mœurs et des coutumes canadiennes, Edmond Roy a voulu écrire sans artifice, et parfois sans composition, des pages qui surabondent de vie. Son œuvre est à la fois un document précieux et une familière causerie.

Œuvres principales: *Histoire du Notariat au Canada* (1899); *Histoire de la Seigneurie de Lauzon*, 5 vols (1897-1904); *Souvenirs d'une classe au Séminaire de Québec* (1907).

(Voir *Histoire de la Littérature canadienne*, p. 70-72.)

## 33 — Le temps des fêtes à la campagne

Le temps des fêtes commençait à la messe de minuit, au réveillon de la Noël, pour ne se terminer qu'à la veille du mercredi des cendres.

Dans la nuit de Noël, à l'heure où les morts se lèvent de leurs sépulcres et viennent s'agenouiller autour de la croix du cimetière, et qu'un prêtre, le dernier curé de la paroisse, en surplis et en étole, leur dit la messe, alors que les montagnes s'entr'ouvrent et laissent entrevoir les trésors enfouis dans leurs flancs, alors que les animaux parlent dans les granges et se disent la bonne nouvelle, voyez dans tous les villages les maisons s'illuminer comme par enchantement.

C'est le commencement de la grande semaine qui se terminera par le jour de l'an. On ne dit pas le premier de l'an, mais le jour de l'an, parce que ce jour-là, à lui seul, vaut toute l'année.

La veille, à la tombée de la nuit, les jeunes gens se sont réunis. Armés de longs bâtons et de sacs profonds, ils vont de porte en porte chanter la guignolée:

> Bonjour le maître et la maîtresse
> Et tous les gens de la maison,
> Nous avons fait une promesse
> De venir vous voir une fois l'an...

Ils battent la mesure avec leurs bâtons, et dans leurs sacs, ils recueillent la chignée, c'est-à-dire l'échine d'un porc frais, que l'on destine aux pauvres, car il faut bien, eux aussi, qu'ils aient leur part de joie au jour de l'an.

Longtemps d'avance, on a eu le soin de dire aux enfants de ne pas pleurer, de ne point se quereller, mais d'être bons et obéissants. Ceux qui pleurent au jour de l'an ont les yeux rouges toute l'année. Aussi voyez comme ils sont graves, le matin, bien avant l'aube, lorsque tous ensemble, les plus âgés en tête, ils vont dans la grande chambre demander la bénédiction des vieux parents. Et comme les étrennes pleuvent de toutes parts.

Ce jour-là tout le monde se visite et s'embrasse, les ennemis se réconcilient et chacun en se serrant la main dit: *Je vous la souhaite bonne et heureuse, et le Paradis à la fin de vos jours.*

Nous avons parlé de la table frugale de nos ancêtres, mais pour le temps des fêtes, on interrompt d'une façon éclatante le perpétuel ordinaire. La femme, et par ce mot il faut entendre la maîtresse de maison, cuisine pendant toute une semaine. Il n'y en a pas comme elle pour mettre la main à la pâte.

Les longues tables se dressent, toutes couvertes de nappes ou de beaux draps blancs, et quelle hécatombe de pâtés, de tourtières, de ragoûts de toutes sortes, sans parler des jambons roses, dont la couenne enlevée a été remplacée par un damier de clous de girofle artistement piqués. L'habitant aime à ce que sa table ploie sous l'abondance des mets.

Le petit verre de rhum de la Jamaïque circule de main en main et les pipes s'allument.

Nos ancêtres avaient pour habitude, même aux moindres réunions, de chanter à leurs dîners et soupers; les hommes et les femmes alternaient. On peut juger si au temps des fêtes les beaux chanteux s'en donnaient.

Dans les derniers jours qui précédaient le carême et que l'on appelle plus spécialement encore le carnaval ou les jours gras, les chevaux s'attèlent, les carrioles glissent sur la neige et l'on va par bandes festoyer gaiement chez les parents et les amis. Les violoneux battent la mesure de leurs talons, *l'archette* grince et chacun

choisit sa compagnie.   En avant, la danse ! c'est la gigue, c'est le
cotillon, qui font tourner les couples endiablés...

Quelquefois des masques, affublés de grossières défroques,
feront irruption au milieu du bal : ce sont les mardi-gras, et chacun
leur fera la politesse tout en essayant de découvrir qui ils sont,
car souvent le diable s'est présenté ainsi déguisé chez des braves
gens qui avaient entamé une gigue sur les premières heures du
carême.

(*Histoire de la Seigneurie de Lauzon*, IV, ch. 7.)

---

## 34 — Une maison d'habitant en 1820

L'habitant de Lauzon possédait une bonne maison, chaude en
hiver, fraîche en été.   Cette maison, percée de larges fenêtres où
entraient l'air et le soleil, mais bien protégée contre les saisons
froides ou les tempêtes par des contrevents ou de lourds volets,
était bâtie de pierres, ou encore, comme l'on disait alors, de pièces
sur pièces, c'est-à-dire en troncs d'arbres équarris, posés les uns sur
les autres, avec un toit pointu à la façon normande, recouvert de
bardeaux.

A quelques pas de la maison s'élevaient le fournil, la grange
et l'écurie, la plupart du temps couverts de chaume, et cet ensemble
de dépendances constituait ce que l'on appelle encore les bâtiments.
On jugeait de l'aisance d'un habitant par le nombre et la grandeur
de ses bâtiments.

Le Canadien n'avait pas le goût cependant de choisir une jolie
situation pour sa maison d'habitation, soit à l'orée d'un bois, soit
sur les bords d'un clair ruisseau.   Il bâtissait de préférence sur
la marge du grand chemin, sans souci de l'alignement ou du décor,
cherchant surtout à se garer du vent dominant dans la localité.   Il
ignorait aussi l'art de grouper les dépendances de la ferme et de
les entourer de bouquets de bois agréables à l'œil.   C'est tout au
plus si, au commencement du siècle, on commençait à planter des
peupliers de Normandie pour ornementer les longues avenues.   Les
anciens Canadiens avaient eu pendant si longtemps à subir les

attaques des Indiens qui se tenaient embusqués dans les bois à deux pas de leurs habitations, que l'on ne saurait s'étonner de voir leurs descendants préférer la rase campagne ou la plaine nue aux massifs d'arbres ombreux.

L'intérieur de la maison de l'habitant canadien, doublé de planches de sapin, avec un plafond supporté par des poutres énormes, si on les compare à la hauteur et à la grandeur de l'appartement, est aussi simple que l'extérieur. Point de luxe, mais une grande propreté et beaucoup de confort. Dans la pièce d'entrée, qui sert à la fois de cuisine et de chambre à coucher, voici d'abord la large cheminée avec l'âtre ouvert et le foyer de pierres plates, la crémaillère et les chenets, la pelle à feu, le grand chaudron et les marmites, des poêlons et des lèchefrites, des tourtières, un gril, une bombe, tout un régiment d'ustensiles, car la batterie de cuisine de la ménagère canadienne a été de tout temps bien garnie. Au-desssus de la corniche, sont rangés les fers à repasser, un fanal de fer-blanc, des chandeliers.

On s'éclaire encore à la chandelle de suif que l'on fabrique à la maison; aussi voit-on dans les inventaires que chaque habitant possède un moule à chandelles. Quelques-uns ont aussi des lampes en fer où l'on fait brûler de l'huile de loup-marin. L'usage de la chandelle de baleine commence cependant à s'introduire. On ignore encore l'usage des allumettes et l'on se sert de loupes d'érable sèches pour allumer du feu à l'aide d'un briquet et d'une pierre à fusil.

Au fond de la pièce s'élève le lit du maître et de la maîtresse de la maison, le lit garni de la communauté, comme on dit solennellement dans les actes des notaires. C'est un véritable monument, dominé par un baldaquin, élevé de quatre ou cinq pieds, garni d'une paillasse de coutil, d'un matelas, d'un lit de plume, avec couvertes et draps de laine, des taies d'oreillers et un traversin couverts d'indienne rouge, puis la courtepointe. Dans cet énorme lit, tiendraient sans peine les sept frères du petit Poucet et les sept filles de l'Ogre, avec leurs pères et leurs mères; on y pouvait dormir dans tous les sens, en long et en large, en diagonale, sans jamais tomber dans la ruelle...

Le reste du mobilier est des plus sommaires; cinq ou six chaises de bois avec siège en paille, un rouet à filer avec son dévidoir, un métier à tisser la toile, une huche, une table, deux ou trois coffres peinturés de couleur criarde, rouge ou bleu, une commode, puis, près de la porte, le banc aux seaux.

En hiver, un poêle en fer, que l'on chauffe incessamment nuit et jour, tient le centre de l'appartement. C'est le véritable foyer où convergent hommes, femmes et enfants, ustensiles de maison ou de ferme. Tout s'y rencontre dans un pêle-mêle abracadabrant; on y prépare à la fois la nourriture de la famille et la pâtée des bestiaux; on y réchauffe les vêtements; on y déglace les instruments de travail.

Et si vous voulez maintenant connaître la vaisselle et la coutellerie dont usaient nos ancêtres, il y a cent ans, ouvrez ce buffet à deux panneaux, ou cette armoire à garde-manger, ou encore ce simple dressoir, et vous y verrez défiler les plats et les assiettes de grès ou de faïence, des cuillers d'étain, des fourchettes en fer, la cafetière et la théière en fer-blanc, des bols et des soucoupes, des douzaines de terrines en fer-blanc, un moulin à poivre, un couloir, un biberon, un fromager, un moulin à café, une boîte au sel. Quelques-uns ont encore des cuillers à pot en cuivre, du temps des Français, mais on commence à voir s'introduire des assiettes et des plats de terre de Londres.

Remarquez dans cet inventaire sommaire l'absence complète de couteaux. C'est que chaque habitant le porte encore avec lui, comme au temps jadis où il fallait se garer des attaques des Indiens. Et, pendant les repas, les hommes et les femmes se servent toujours de leur couteau de poche.

L'habitant de Lauzon, surtout celui qui habite les bords du fleuve, aime encore passionnément la chasse et la pêche. Aussi, dans toutes les maisons, voyez suspendu à la poutre du centre, le grand fusil à pierre avec la corne à poudre. Ce n'est plus cependant le fusil venu de France, car l'habitant a été désarmé aussitôt après la prise de Québec.

(*Histoire de la Seigneurie de Lauzon*, IV, ch. 7.)

## 35 — La rentrée au séminaire

La cloche sonne. Il est six heures. C'est le signal de la rentrée. Les grands se séparent des petits. Chacun se dirige vers sa salle de récréation. Les maîtres de salle se promènent de long et de large et cherchent à connaître les nouveaux arrivés. Les ombres du soir commencent à descendre sur les cours.

Les portes se ferment. Le régiment est caserné pour dix longs mois. O vous, qui entrez, laissez toute espérance, ne manquaient pas de dire alors les anciens, endurcis, qui voulaient faire leurs savants en citant les parole que Dante a inscrites au seuil de son Enfer: *Lasciate ogni speranza.* Mais les nouveaux, peu sensibles aux charmes classiques, commençaient en ce moment à saisir l'isolement dans lequel ils se trouvaient. Quel écolier, encore à ses premières armes, n'a pas éprouvé la nostalgie du logis? La crainte du ridicule fait refouler au fond du cœur les larmes qui montent involontairement aux yeux. On essaye de se raidir contre ce mal inconnu, mais c'est en vain, les sanglots étouffent la gorge. Les plus braves attendent jusqu'à la nuit pour pleurer tout leur saoûl, dans leur lit, des larmes silencieuses jusqu'à ce qu'un sommeil réparateur vienne faire oublier les émotions de la journée.

Le lendemain, commence la routine régulière. Le lever, la prière, l'étude, les classes, les récréations se suivent et se ressemblent. Les connaissances se nouent, les groupes se forment. Il faut quelque temps aux jeunes poussins pour s'apprivoiser à la cage et régler leur volée au son de la cloche, mais au bout d'une semaine cela n'y paraît plus. Il n'y a pas besoin de bien longs entretiens entre écoliers pour apprendre à s'apprécier mutuellement. En très peu de temps, les connaissances se font et l'on est bientôt à l'aise les uns avec les autres. Ce n'est que lorsque nous avons puisé la dissimulation dans le commerce du monde que nous apprenons à cacher notre caractère, à le dérober aux observations et à déguiser nos véritables sentiments à ceux avec qui nous sommes en relation. Telle n'est pas la naïve et confiante jeunesse.

J'ai connu des collèges où les anciens faisaient subir aux nouveaux une véritable initiation de loges maçonniques, où les grands ne perdaient pas une occasion de maltraiter les petits.

Il ne s'agit pas ici de faire le procès à une éducation plutôt qu'à une autre : j'expose des faits : je dis ce que j'ai vu des rapports entre élèves, entre forts et faibles.

Que de misères ces pauvres novices, timorés et dépaysés, devaient endurer avant d'être admis dans les cercles. A celui-ci, on cachait sa lingerie, à cet autre on donnait la bascule ; un troisième recevait gravement l'instruction d'aller chercher le *chiar* chez le directeur. Je ne finirais plus s'il fallait dire toutes les mystifications dont ces pauvres petits nouveaux étaient les victimes.

D'où vient cette coutume ? Je serais bien en peine de le dire, mais on trouve quelque chose d'analogue dans la marine et dans les grands collèges d'Europe et des Etats-Unis...

Dans certains collèges, de mon temps, on considérait ces amusements comme inoffensifs, c'était l'histoire de rire un moment. Mais je me suis toujours demandé pourquoi l'on permettait ces charges à l'adresse des nouveaux. N'était-ce pas un abus révoltant, de nature souvent à jeter le découragement dans les âmes timides ?

Ah ! ces pauvres nouveaux, comme, une fois seuls dans leurs lits, ils versaient des larmes de colère au souvenir des humiliations de la journée et comme ils regrettaient la maison paternelle !

Au séminaire de Québec, la brimade était chose inconnue, ou si quelque élève prenait quelquefois un malin plaisir à mystifier un nouveau, il le faisait à l'insu des maîtres car autrement il aurait été sévèrement réprimandé.

(*Souvenirs d'une classe au Séminaire de Québec.*)

OBSERVATIONS. — 1° Contrôlez par vos souvenirs personnels la vérité de ce récit. — 2° "Il n'y a pas besoin de bien longs entretiens entre écoliers pour apprendre à s'apprécier mutuellement." Estimez-vous que cela est vrai ? Pourquoi ? — 3° Que pensez-vous de l'affirmation suivante : "Ce n'est que lorsque nous avons puisé la dissimulation dans le commerce du monde que nous apprenons à cacher notre caractère... à déguiser nos véritables sentiments..." ? Peut-on la vérifier dès le collège, le collège étant lui-même tout un monde ?

# BENJAMIN SULTE

## (1841-1923)

Il faut l'avoir entendu causer pour apprécier toute la bonhomie de son style. Il écrit comme il causait: sans recherche, avec ironie souvent, sans suite presque toujours. Il ne compose pas: il juxtapose. Mais prenez garde, il vous retiendra longtemps.

Œuvres principales: *Histoire des Canadiens français* (1882-1884); *Histoire des Trois-Rivières* (1870); *Mélanges d'Histoire et de Littérature* (1891). Ses œuvres furent rééditées après sa mort, sous le titre de *Mélanges historiques*.

(Voir *Histoire de la Littérature canadienne*, p. 74-75.)

## 36 — Louis-Joseph Papineau

### SON ÉDUCATION

Louis-Joseph, qui fut admis avocat le 9 mai 1810, était entré au parlement dès 1808, comme représentant du comté de Chambly (Kent), et depuis lors jusqu'à 1834 il s'est fait élire dix fois. On raconte qu'il se contenta durant les sessions de 1808 et de 1809 de suivre avec attention les pratiques et usages de la chambre d'assemblée, afin de se mettre au courant de ce mécanisme assez compliqué et qu'il faut absolument connaître si l'on veut prendre part aux travaux des législateurs.

En 1810, son père, reprenant la place qu'il avait occupée avec tant d'éclat l'espace de douze ans, n'avait pas encore ouvert la bouche lorsque le fils se leva pour faire une observation au sujet d'un projet de loi soumis à la chambre. On lui répondit de manière à rebuter un jeune homme ordinaire, mais le lion sentit la piqûre; il attaqua le bill sous toutes ses faces, le démolit et termina en proposant sur le même sujet une mesure préparée par lui et qui passa comme une lettre à la poste.

En sortant de cette séance, Joseph Papineau, père, dit aux membres qui l'accompagnaient:

"Qu'avais-je besoin de me faire réélire! Vous avez dans celui-là mieux que moi."

On voulut savoir de Louis-Joseph Papineau où il avait appris le métier de la parole. Sa réponse devrait être méditée par tous ceux qui se destinent à la vie publique.

"Je me suis exercé dans notre petit cercle littéraire de Québec."

C'était pourtant une réunion bien humble que cette académie d'écoliers, mais il en est sorti sept ou huit hommes brillants qui n'auraient pu se former ailleurs que là et dont la carrière a dépendu de cette heureuse circonstance.

De Gaspé, condisciple de Louis-Joseph Papineau, dit que la renommée du jeune Papineau "l'avait précédé avant même son entrée au séminaire de Québec. Tout faisait présager, dès lors, une carrière brillante à cet enfant précoce, passionné pour la lecture, et dont l'esprit était déjà plus orné que celui de la plupart des élèves qui achevaient leur cours d'études. Il jouait rarement avec les enfants de son âge, mais lisait pendant une partie des récréations, faisait une partie de dames, d'échecs, ou s'entretenait de littérature soit avec ses maîtres, soit avec les écoliers des classes supérieures à la sienne. L'opinion générale était qu'il aurait été constamment à la tête de ses classes, s'il n'eût préféré la lecture à l'étude de la langue latine".

Remarquons que Louis-Joseph Papineau a fait son éducation au Séminaire de Québec. Toutefois sa famille demeurait à Montréal; comme la législature siégeait à Québec, le père et le fils avaient souvent l'occasion de se trouver ensemble. On peut dire que le fils était élevé dans l'atmosphère politique, au milieu d'hommes qui se nommaient Bédard, Chartier de Lotbinière, Borgia, Debartzch, Neilson, Papineau, le seul groupe, dans le monde entier, qui possédât la juste conception de la manière d'administrer les colonies à cette époque...

## Son influence

La parole de Papineau enlevait les imaginations, et c'est même ce qu'il ne calculait pas assez de 1834 à 1837. Le sentiment populaire se nourrissait de sa verve et de ses terribles coups de langue, mais l'orateur se contenait parfaitement et croyait que le peuple pensait avec le même sang-froid et la même modération que lui. Il déchaînait des forces qu'il savait exister et qu'il croyait pouvoir contenir. Illusion qu'avait eue Mirabeau, illusion de presque tous les agitateurs. Je ne sais quel sens vous donnez au mot agitateur, mais n'oublions pas que, sous un gouvernement constitutionnel, ce genre de politique est nécessaire, tandis qu'il constitue un embarras public sous la monarchie absolue.

Papineau a vécu de 1786 à 1871; il s'est occupé de politique de 1808 à 1837, et de 1847 à 1855; l'époque où il agit en chef va de 1817 à 1837; deux dates sont mémorables et le montrent à l'apogée du prestige: 1823 et 1834, c'est-à-dire deux crises où l'agitateur fournit la mesure de ses ressources oratoires et impressionna toute l'Amérique du Nord. Dans un cas comme dans l'autre, le ministère britannique fit la sourde oreille parce qu'il était pénétré de ce vieux préjugé européen: "Il faut conserver les colonies en tutelle et les exploiter pour le seul avantage de la mère patrie."

La destinée de Papineau n'était pas de réussir à nous faire accorder les réformes dont se composait son programme, mais il était venu au monde pour faire l'éducation politique des Canadiens. Sa carrière, répétons-le, commence à cet égard en 1817 et finit en 1837. Après les troubles et son exil, il n'avait plus de rôle à jouer, car il repoussa l'acte d'union des deux Canadas de 1841, qui nous était imposé, et ne songea pas à l'utiliser dans un sens pratique comme le comprit La Fontaine. En un mot, il n'avait qu'une idée, qu'un désir, c'était de nous procurer une constitution parfaite, un rêve trop beau pour ce bas monde.

Alors, direz-vous, il n'avait qu'une note dans la voix et ne pouvait faire qu'un seul discours constamment le même? C'était à peu près cela, en effet; mais, quel virtuose! Il avait trouvé un thème d'une grande justesse et de plus approprié à l'entendement populaire; son but était de le développer et d'en tirer tous les accents, les accords, les sentiments qu'il pouvait produire, et il y parvint en maître, électrisant à tout coup son auditoire. Paganini avait ramassé à Venise un air dont personne ne s'occupait; il le couvrit d'une de ses interprétations comme il savait les imaginer, l'enroula dans des variations fantaisistes, le fit soupirer, rire, chanter, lui imprima des allures contraires les unes aux autres tout en étant charmantes, et le *Carnaval de Venise* fit l'admiration des artistes comme celle de la foule. C'est absolument le cas de Papineau.

## L'HOMME ET LE STYLE

Louis-Joseph Papineau avait une belle grande taille, souple et droite, un port noble, des mouvements gracieux. Tout en lui respirait la bonté. Sa figure au repos était une vraie médaille; lorsque les traits s'animaient ils parlaient aux yeux, tant la pensée s'y trouvait dépeinte. La voix, sonore, bien timbrée, portait au loin, mais de près, dans une conversation, elle était moyenne et toujours d'un son agréable.

J'ai lu cent lettres écrites de sa main, remplies de passages, longs et minutieux, sur les membres de sa famille et leurs amis. Elles débordent d'affection, de complaisance, de soin pour ceux qui lui appartiennent. Le ton est chaud, la parole est gentille, la forme est gaie. C'est lui tel que je l'ai connu longtemps après, lorsque j'allais dîner, le dimanche, à son manoir de Montebello, car les lettres en question datent de 1810 à 1837.

Ses lectures étaient variées. Sa mémoire excellente lui permettait de puiser dans les livres qu'il n'avait pas ouverts depuis longtemps. En conversation, il se mettait juste au niveau de son interlocuteur. Chacun s'imaginait que Papineau était comme lui-même. La différence d'âge n'existait pas: il était vieillard avec les vieux et jeune avec la jeunesse. Langage approprié et manières ajustées au rôle qu'il prenait; politesse exquise et pas du tout fatigante: tel était l'idole des Canadiens, et certes, personne ne s'est jamais moqué de cette gloire populaire qui resta sans tache, car la vie privée du tribun fut un modèle de la plus pure sagesse.

Dans ses lettres comme dans ses discours, il avait la manière du XVIIIe siècle: la longue période. Presque toutes ses phrases se divisaient en quatre ou cinq membres séparés par le point-virgule.

On accorde de nos jours trois membres, et encore plusieurs disent que c'est trop long.  Pas plus que ses contemporains il n'échappa à l'emphase qui régna si fort en France de 1750 à 1850 et marque cet espace d'un siècle d'une façon toute particulière dans l'histoire de notre langue.  Son vocabulaire était celui des orateurs, car il y a des expressions qui sonnent bien dans la bouche et doivent leur valeur à la prononciation, tandis qu'il en est d'autres, très expressives sur le papier, qui ont moins bonne mine sur nos lèvres.

Il avait par nature la faculté de la parole et la cultivait avec un soin constant; c'est dire qu'il possédait l'art de construire la phrase et surtout de penser avant que de parler.  Nous avons peu d'hommes qui se donnent la peine de travailler pour maîtriser la langue écrite; nous en avons encore moins qui apprennent à parler selon l'art, soit devant un auditoire, soit dans un salon.  Papineau excellait en ces deux derniers genres; mais quand il prenait la plume, on ne le retrouvait pas à la même hauteur; pourtant il écrivait fort bien en tant qu'il s'agit de faire comprendre les idées que l'on émet.  Le style de l'écrivain lui manquait.  Il était maître du style de l'orateur qui utilise la voix, le geste, la circonstance de lieu, à part le fond de la pensée, tandis que l'écrivain n'a à sa disposition que des mots tracés en noir sur un fond blanc pour exprimer tout ce qu'il veut faire entendre; c'est plus difficile.

(*Mélanges historiques*, XIII, Papineau et son temps.)

# ERNEST MYRAND
## (1854-1921)

Il fut à la fois original et curieux. Il fit de l'histoire, où se complaît sa menue curiosité. Au surplus capable de mettre du lyrisme jusque dans les petites choses, quand celles-ci provoquaient son émoi facile. Souvent il captive par cette sensibilité même dont on voit partout la trace.

Œuvres principales: *Une fête de Noël sous Jacques Cartier* (1888); *Noëls anciens de la Nouvelle-France* (1899); *Frontenac et ses amis* (1902).

(Voir *Histoire de la Littérature canadienne*, p. 76-77.)

## 37 — Importance historique de nos Noëls anciens

Au cours de ces études critiques, j'ai longuement parlé de la valeur littéraire des Noëls anciens de la Nouvelle-France, et, plus brièvement aussi, de leurs qualités artistiques, c'est-à-dire musicales. Il me reste à considérer leur importance historique.

Au lendemain de la signature du Traité de Paris — 10 février 1763 — l'Angleterre, voulant s'assurer la possession de sa conquête, résolut d'asservir le Canada en lui faisant perdre, comme à l'Irlande, ce qu'il avait de plus cher au monde après Dieu: son idiome national. Un des moyens les plus efficaces que les vainqueurs employèrent alors fut d'interdire toutes relations entre la France et son ancienne colonie. Echanges de commerce, rapports de familles, correspondances, tout fut brusquement interrompu. On défendit même l'exportation des livres, et il fallut, au Séminaire de Québec, copier les auteurs classiques ainsi qu'on l'avait fait jadis dans les monastères du Moyen-Age. Tout ce qui pouvait, de près ou de loin, rappeler un souvenir de France était soigneusement éliminé. Nul Français ne pouvait pénétrer dans la colonie sans un passeport bien en règle et devait se soumettre à la haute surveillance de la police. Nul Canadien, d'autre part, ne pouvait se rendre en France sans qu'il eût à donner de très graves raisons; et encore devait-il se rapporter aux autorités londoniennes.

Cette vigilance inquiète et soupçonneuse dura trente ans — de 1760 à 1790. Oui, pendant trente ans, nos ancêtres eurent à soutenir, pour conserver l'usage de la langue française, une lutte acharnée, bien autrement formidable que les rencontres de l'ennemi sur les champs de bataille. Crémazie, le doux poète de la nostalgie, et qui lui-même mourut du mal du pays bien qu'il eût la France pour terre d'exil, Crémazie a chanté, avec un accent de vérité navrante, les affolantes angoisses et les inconsolables regrets de nos aïeux à cette époque sinistre de leur histoire. Relisez le *Drapeau de Carillon,* son plus beau cantique sur l'amour de la patrie...

Concevez, si possible, la tristesse infinie des Canadiens français écoutant chanter dans leurs églises, en deuil de la patrie, ces véritables Noëls du désespoir dont l'amertume était à ce point excessive qu'elle donnait à leurs âmes l'avant-goût des peines du dam: 25 décembre 1759, année trois fois sinistre par la bataille du 13 septembre, la mort de Montcalm, et la reddition de Québec; 25 décembre 1760, année de la capitulation de Montréal; 25 décembre 1763, *l'année terrible* par excellence, l'année de l'infâme *Traité de Paris* qui scellait la pierre du sépulcre où gisait ensevelie cette mère adorée qu'ils nommaient la Nouvelle-France.

Et cependant nos ancêtres ne renoncèrent pas à leur foi nationale; ils crurent comme à un dogme à la résurrection du Canada français laissé pour mort sur le champ de bataille et que la France monarchique avait abandonné aux fossoyeurs. Mais l'Eglise vint au tombeau politique de ce nouveau Lazare et répéta sur lui le miracle du Christ. Ce miracle, nos aïeux l'attendirent trente ans! La Providence eût doublé ce retard, l'eût prolongé au terme de la captivité de Babylone, que nos ancêtres l'eussent attendu toujours et quand même, sans impatience comme sans lassitude, tant ils étaient sûrs de l'immortalité de l'âme française...

Israël captif, en présence de l'Euphrate qui lui rappelait le souvenir du Jourdain, suspendait ses lyres et ses cithares aux arbres du rivage et refusait à son vainqueur de lui apprendre les hymnes de Sion. *Quomodo cantabimus canticum Domini in terra aliena?* Le Canada français, devenu anglais malgré lui, chante haut et ferme devant ses maîtres qui n'osent pas lui imposer silence. Il chante pour ses enfants et les enfants de leurs enfants, afin qu'ils n'oublient pas ces cantiques religieux au rythme desquels la première mère patrie endormait leurs berceaux, éveillait leurs jeunes âmes, et que de la sorte ce répertoire de mélodies nationales se transmette comme un inestimable héritage, un legs sacré, de mémoires en mémoires et de générations en générations.

Telle est, à mon sens, la valeur historique des *Noëls anciens de la Nouvelle-France,* et je regrette de n'en pouvoir donner toute la mesure. Ils sont pour moi des livres saints ces vieux recueils de Surin, de Pellegrin, de Garnier, si religieusement conservés au monastère de l'Hôtel-Dieu de Québec. Car, de même qu'il fallut copier les classiques au Séminaire de Québec, de 1760 à 1790, de même, l'on copiait, à l'Hôpital, et à la même époque, dans ces recueils deux fois centenaires, les Noëls qui se chantaient dans les églises de nos paroisses aux anniversaires bénis de la naissance du Sauveur.

(Noëls anciens de la Nouvelle-France, XIX.)

# CHAPITRE II

## LA POÉSIE

### OCTAVE CREMAZIE

#### (1827-1879)

On l'a surnommé "poète national". Le mot caractérise son inspiration plus qu'il ne signifie sa haute valeur. Il rappelle aussi qu'il fut le premier dans l'ordre du temps à célébrer avec des strophes aussi larges et aussi ferventes notre histoire. Patriotisme mélancolique, inquiet; celui d'une âme prédestinée à l'exil et à la souffrance.

(Voir *Histoire de la Littérature canadienne*, p. 81-86.)

### 38 — Chant du vieux soldat canadien

"Pauvre soldat, aux jours de ma jeunesse,
Pour vous, Français, j'ai combattu longtemps;
Je viens encor, dans ma triste vieillesse,
Attendre ici vos guerriers triomphants.
Ah! bien longtemps vous attendrai-je encore
Sur ces remparts où je porte mes pas?
De ce grand jour quand verrai-je l'aurore?
Dis-moi, mon fils, ne paraissent-ils pas?

Qui nous rendra cette époque héroïque
Où, sous Montcalm, nos bras victorieux
Renouvelaient dans la jeune Amérique
Les vieux exploits chantés par nos aïeux?
Ces paysans qui, laissant leurs chaumières,
Venaient combattre et mourir en soldats,
Qui redira leurs charges meurtrières?
Dis-moi, mon fils, ne paraissent-ils pas?

Napoléon, rassasié de gloire,
Oublierait-il nos malheurs et nos vœux,

Lui, dont le nom, soleil de la victoire,
Sur l'univers se lève radieux?
Serions-nous seuls privés de la lumière
Qu'il verse à flots aux plus lointains climats?
O ciel! Qu'entends-je? une salve guerrière?
Dis-moi, mon fils, ne paraissent-ils pas?

Quoi! c'est, dis-tu, l'étendard d'Angleterre,
Qui vient encor, porté par ces vaisseaux,
Cet étendard que moi-même naguère,
A Carillon, j'ai réduit en lambeaux.
Que n'ai-je, hélas! au milieu des batailles
Trouvé plutôt un glorieux trépas
Que de le voir flotter sur nos murailles!
Dis-moi, mon fils, ne paraissent-ils pas?

Le drapeau blanc, — la gloire de nos pères, —
Rougi depuis dans le sang de mon roi,
Ne porte plus aux rives étrangères
Du nom français la terreur et la loi.
Des trois couleurs l'invincible puissance
T'appellera pour de nouveaux combats,
Car c'est toujours l'étendard de la France.
Dis-moi, mon fils, ne paraissent-ils pas?

Pauvre vieillard, dont la force succombe,
Rêvant encor l'heureux temps d'autrefois,
J'aime à chanter sur le bord de ma tombe
Le saint espoir qui réveille ma voix.
Mes yeux éteints verront-ils dans la nue
Le fier drapeau qui couronne leurs mâts?
Oui, pour le voir, Dieu me rendra la vue!
Dis-moi, mon fils, ne paraissent-ils pas?..."

Un jour, pourtant, que grondait la tempête,
Sur les remparts on ne le revit plus.
La mort, hélas! vint courber cette tête
Qui tant de fois affronta les obus.

Mais, en mourant, il redisait encore
A son enfant qui pleurait dans ses bras:
"De ce grand jour tes yeux verront l'aurore,
"Ils reviendront! et je n'y serai pas!"

Tu l'as dit, ô vieillard! la France est revenue.
Au sommet de nos murs, voyez-vous dans la nue
Son noble pavillon dérouler sa splendeur?
Ah! ce jour glorieux où les Français, nos frères,
Sont venus, pour nous voir, du pays de nos pères,
Sera le plus aimé de nos jours de bonheur.

Voyez sur les remparts cette forme indécise,
Agitée et tremblante au souffle de la brise;
C'est le vieux Canadien à son poste rendu!
Le canon de la France a réveillé cette ombre,
Qui vient, sortant soudain de sa demeure sombre,
Saluer le drapeau si longtemps attendu.

Et le vieux soldat croit, illusion touchante!
Que la France, longtemps de nos rives absente,
Y ramène aujourd'hui ses guerriers triomphants,
Et que sur notre fleuve elle est encor maîtresse:
Son cadavre poudreux tressaille d'allégresse,
Et lève vers le ciel ses bras reconnaissants.

Tous les vieux Canadiens moissonnés par la guerre
Abandonnent aussi leur couche funéraire,
Pour voir réalisés leurs rêves les plus beaux.
Et puis on entendit, le soir, sur chaque rive,
Se mêler au doux bruit de l'onde fugitive
Un long chant de bonheur qui sortait des tombeaux.

19 août 1855.

OBSERVATIONS. — Fiction touchante, sentiments profonds de fidélité,
poésie large mais d'un envol inégal, à la fois ferme et pesant, et que ne
relève pas assez l'imagination verbale: est-ce ce jugement, ou un autre,
que vous portez en terminant la lecture de ces strophes de Crémazie?

## 39 — Le drapeau de Carillon
### (Fragment)

Sur les champs refroidis jetant son manteau blanc,
Décembre était venu.  Voyageur solitaire,
Un homme s'avançait d'un pas faible et tremblant
Aux bords du lac Champlain.  Sur sa figure austère
Une immense douleur avait posé sa main.
Gravissant lentement la route qui s'incline
De Carillon bientôt il prenait le chemin,
Puis enfin s'arrêtait sur la haute colline.

Là, dans le sol glacé fixant un étendard,
Il déroulait au vent les couleurs de la France;
Planant sur l'horizon, son triste et long regard
Semblait trouver des lieux chéris de son enfance.
Sombre et silencieux il pleura bien longtemps,
Comme on pleure au tombeau d'une mère adorée,
Puis à l'écho sonore envoyant ses accents,
Sa voix jeta le cri de son âme éplorée:

> "O Carillon, je te revois encore,
> Non plus, hélas! comme en ces jours bénis
> Où dans tes murs la trompette sonore
> Pour te sauver nous avait réunis.
> Je viens à toi, quand mon âme succombe
> Et sent déjà son courage faiblir.
> Oui, près de toi, venant chercher ma tombe,
> Pour mon drapeau je viens ici mourir.

> "Mes compagnons, d'une vaine espérance
> Berçant encore leurs cœurs toujours français,
> Les yeux tournés du côté de la France,
> Diront souvent: reviendront-ils jamais?
> L'illusion consolera leur vie;
> Moi, sans espoir, quand mes jours vont finir,
> Et sans entendre une parole amie,
> Pour mon drapeau je viens ici mourir.

"Cet étendard qu'au grand jour des batailles,
Noble Montcalm, tu plaças dans ma main,
Cet étendard qu'aux portes de Versailles,
Naguère, hélas! je déployais en vain,
Je le remets aux champs où de ta gloire
Vivra toujours l'immortel souvenir,
Et dans ma tombe emportant ta mémoire,
Pour mon drapeau je viens ici mourir.

"Qu'ils sont heureux ceux qui dans la mêlée
Près de Lévis moururent en soldats!
En expirant, leur âme consolée,
Voyait la gloire adoucir leur trépas.
Vous qui dormez dans votre froide bière;
Vous que j'implore à mon dernier soupir,
Réveillez-vous! Apportant ma bannière,
Sur vos tombeaux, je viens ici mourir."

A quelques jours de là, passant sur la colline
A l'heure où le soleil à l'horizon s'incline,
Des paysans trouvaient un cadavre glacé,
Couvert d'un drapeau blanc.  Dans sa dernière étreinte
Il pressait sur son cœur cette relique sainte,
Qui nous redit encor la gloire du passé.

O noble et vieux drapeau, dans ce grand jour de fête,
Où, marchant avec toi, tout un peuple s'apprête
A célébrer la France, à nos cœurs attendris
Quand tu viens raconter la valeur de nos pères,
Nos regards savent lire en brillants caractères
L'héroïque poème enfermé dans tes plis.

Quand tu passes ainsi comme un rayon de flamme,
Ton aspect vénéré fait briller dans notre âme
Tout ce monde de gloire où vivaient nos aïeux.
Leurs grands jours de combats, leurs immortels faits d'armes,
Leurs efforts surhumains, leurs malheurs et leurs larmes,
Dans un rêve entrevus, passent devant nos yeux.

O radieux débris d'une grande épopée !
Héroïque bannière du naufrage échappée !
Tu restes sur nos bords comme un témoin vivant
Des glorieux exploits d'une race guerrière ;
Et, sur les jours passés répandant ta lumière
Tu viens rendre à son nom un hommage éclatant.

Ah ! bientôt puissions-nous, ô drapeau de nos pères !
Voir tous les Canadiens, unis comme des frères,
Comme au jour du combat se serrer près de toi !
Puisse des souvenirs la tradition sainte,
En régnant dans leur cœur, garder de toute atteinte
        Et leur langue et leur foi !

1er janvier 1858.

OBSERVATION. — Pourquoi notre peuple chante-t-il encore quelques strophes du *Drapeau de Carillon* ?

---

## 40 — Les morts

(Fragments)

O morts ! Dans vos tombeaux vous dormez solitaires,
Et vous ne portez plus le fardeau des misères
        Du monde où nous vivons.
Pour vous le ciel n'a plus d'étoiles ni d'orages ;
Le printemps, de parfums ; l'horizon, de nuages ;
        Le soleil, de rayons.

Immobiles et froids dans la fosse profonde,
Vous ne demandez pas si les échos du monde
        Sont tristes ou joyeux ;
Car vous n'entendez plus les vains discours des hommes,
Qui flétrissent le cœur et qui font que nous sommes
        Méchants et malheureux.

Le vent de la douleur, le souffle de l'envie
Ne vient plus dessécher, comme au temps de la vie,
      La moelle de vos os ;
Et vous trouvez ce bien, au fond du cimetière,
Que cherche vainement notre existence entière,
      Vous trouvez le repos.


Tandis que nous allons, pleins de tristes pensées,
Qui tiennent tout le jour nos âmes oppressées,
      Seuls et silencieux,
Vous écoutez chanter les voix du sanctuaire
Qui vous viennent d'en haut et passent sur la terre
      Pour remonter aux cieux.


Vous ne demandez rien à la foule qui passe
Sans donner seulement aux tombeaux qu'elle efface
      Une larme, un soupir ;
Vous ne demandez rien à la brise qui jette
Son haleine embaumée à la tombe muette,
      Rien, rien qu'un souvenir.


Toutes les voluptés où notre âme se mêle
Ne valent pas pour vous un souvenir fidèle,
      Cette aumône du cœur
Qui s'en vient réchauffer votre froide poussière,
Et porte votre nom, gardé par la prière,
      Au trône du Seigneur.


Hélas ! ce souvenir que l'amitié vous donne
Dans le cœur meurt avant que le corps abandonne
      Ses vêtements de deuil,
Et l'oubli des vivants, pesant sur votre tombe,
Sur vos os décharnés plus lourdement retombe
      Que le plomb du cercueil !

Notre cœur égoïste au présent seul se livre,
Et ne voit plus en vous que les feuillets d'un livre
　　　Que l'on a déjà lus ;
Car il ne sait aimer, dans sa joie ou sa peine,
Que ceux qui serviront son orgueil ou sa haine :
　　　Les morts ne servent plus.

A nos ambitions, à nos plaisirs futiles,
O cadavres poudreux, vous êtes inutiles !
　　　Nous vous donnons l'oubli.
Que nous importe à nous ce monde de souffrance
Qui gémit au delà du mur lugubre, immense
　　　Par la mort établi ?

On dit que, souffrant trop de notre ingratitude
Vous quittez quelquefois la froide solitude
　　　Où nous vous délaissons ;
Et que vous paraissez au milieu des ténèbres
En laissant échapper de vos bouches funèbres
　　　De lamentables sons.

．　．　．　．　．　．　．　．　．　．　．　．　．

Les cantiques sacrés du barde de Solyme,
Accompagnant de Job la tristesse sublime,
Au fond du sanctuaire éclatent en sanglots ;
Et le son de l'airain, plein de sombres alarmes,
Jette son glas funèbre et demande des larmes
Pour les spectres errants, nombreux comme les flots.

Donnez donc en ce jour où l'Eglise pleurante
Fait entendre pour eux une plainte touchante,
Pour calmer vos regrets, peut-être vos remords,
Donnez, du souvenir ressuscitant la flamme,
Une fleur à la tombe, une prière à l'âme,
Ces doux parfums du ciel qui consolent les morts.

Priez pour vos amis, priez pour votre mère,
Qui vous fit d'heureux jours dans cette vie amère,
Pour les parts de vos cœurs dormant dans les tombeaux.
Hélas! tous ces objets de vos jeunes tendresses
Dans leur étroit cercueil n'ont plus d'autres caresses
Que les baisers du ver qui dévore leurs os.

Priez pour l'exilé, qui, loin de sa patrie,
Expira sans entendre une parole amie;
Isolé dans sa vie, isolé dans sa mort,
Personne ne viendra donner une prière,
L'aumône d'une larme à la tombe étrangère!
Qui pense à l'inconnu qui sous la terre dort?

Priez encor pour ceux dont les âmes blessées
Ici-bas n'ont connu que les sombres pensées
Qui font les jours sans joie et les nuits sans sommeil;
Pour ceux qui, chaque soir, bénissant l'existence,
N'ont trouvé, le matin, au lieu de l'espérance,
A leurs rêves dorés qu'un horrible réveil.

Ah! pour ces parias de la famille humaine,
Qui, lourdement chargés de leur fardeau de peine,
Ont monté jusqu'au bout l'échelle de douleur,
Que votre cœur touché vienne donner l'obole
D'un pieux souvenir, d'une sainte parole,
Qui découvre à leurs yeux la face du Seigneur.

Apportez ce tribut de prière et de larmes,
Afin qu'en ce moment terrible et plein d'alarmes,
Où de vos jours le terme enfin sera venu,
Votre nom, répété par la reconnaissance
De ceux dont vous aurez abrégé la souffrance,
En arrivant là-haut, ne soit pas inconnu.

Et prenant ce tribut, un ange aux blanches ailes,
Avant de le porter aux sphères éternelles,
Le dépose un instant sur les tombeaux amis;
Et les mourantes fleurs du sombre cimetière,
Se ranimant soudain au vent de la prière,
Versent tous leurs parfums sur les morts endormis.

**Québec, 2 novembre 1856.**

OBSERVATIONS. — 1° La solitude des morts, l'égoïsme des vivants, la consolation de la prière : montrez, par le plan et l'analyse du morceau, que le poète y développe ces trois thèmes lyriques. — 2° On a dit que ce poème sur les *Morts* est le plus beau qu'ait écrit Crémazie. Après l'avoir comparé aux autres poèmes que vous connaissez de cet auteur, partagez-vous ce jugement ? y apercevez-vous une pensée plus personnelle, une langue plus forte, un lyrisme plus profond ?

# LOUIS FRÉCHETTE

## (1839-1908)

Il fut le chef de la dynastie oratoire des poètes canadiens. Mais il savait aussi calmer sa ferveur, méditer, rêver. Son âme fut à la fois violente et tendre, et sa poésie la contient toute. Il harangue et il émeut; il va même jusqu'à épuiser l'émotion. Il régna après Crémazie à une époque où chez nous, en littérature, on demandait un roi.

Œuvres principales: *Mes Loisirs* (1865); *Pêle-Mêle* (1877); *Fleurs boréales et les Oiseaux de neige* (1879); *la Légende d'un peuple* (1887); *Feuilles volantes* (1891).

(Voir *Histoire de la Littérature canadienne*, p. 86-90.)

## 41 — L'Amérique

### (Fragment)

Amérique! — salut à toi, beau sol natal!
Toi, la reine et l'orgueil du ciel occidental!
Toi qui, comme Vénus, montas du sein de l'onde,
Et du poids de ta conque équilibras le monde!

Quand, le front couronné de tes arbres géants,
Vierge, tu secouais au bord des océans,
Ton voile aux plis baignés de lueurs éclatantes;
Quand drapés dans leurs flots de lianes flottantes,
Tes grands bois ténébreux, tout pleins d'oiseaux chanteurs
Imprégnèrent les vents de leurs âcres senteurs;
Quand ton mouvant réseau d'aurores boréales
Révéla les splendeurs de tes nuits idéales;
Quand tes fleuves sans fin, quand tes sommets neigeux,
Tes tropiques brûlants, tes pôles orageux,
Eurent montré de loin leurs grandeurs infinies,
Niagaras grondants! blondes Californies!
Amérique! au contact de ta jeune beauté,
On sentit reverdir la vieille humanité!

Car ce ne fut pas tant vers des rives nouvelles
Que l'austère Colomb guida ses caravelles,
Que vers un port sublime où tout le genre humain
Avec fraternité pût se donner la main;
Un port où l'homme osât, sans remords et sans crainte,
Vivre libre, au soleil de la liberté sainte!

.   .   .   .   .   .   .   .   .   .   .   .

Le héros, qui rêvait d'enrichir un royaume,
De l'immense avenir ne vit que le fantôme.
Sans doute il savait bien qu'un éternel fleuron
Dans les âges futurs brillerait à son front,
Que des peuples entiers salueraient son génie;
Mais Colomb, en cherchant la moderne Ausonie,
Ne fut — le fier chrétien en fit souvent l'aveu —
Qu'un instrument passif entre les mains de Dieu;
Et, quand il ne croyait que suivre son étoile,
La grande main dans l'ombre orientait la voile!

.   .   .   .   .   .   .   .   .   .   .   .

Oh! qu'ils sont loin ces jours où le globe étonné
Ecoutait, recueilli, d'un monde nouveau-né
          L'hymne d'amour puissant et calme,
Et voyait, au-dessus de l'abîme béant,
L'Amérique à l'Europe, à travers l'Océan,
          Des temps nouveaux tendre la palme!

Que de grands buts atteints, d'horizons élargis,
De chemins parcourus, depuis que tu surgis,
          Terre radieuse et féconde,
Au bout des vastes mers comme un soleil levant,
Et que ton aile immense, ouverte dans le vent,
          Doubla l'envergure du monde!

.   .   .   .   .   .   .   .   .   .   .   .

Amérique, en avant! prodigue le laurier
Au courage, au génie, à tout mâle ouvrier
          De l'œuvre civilisatrice.
Point de gloire pour toi née au bruit du canon!
Ce qu'il te faut un jour, c'est le noble surnom
          De grande régénératrice!

Alors le monde entier t'appellera: ma sœur.
Et tu le sauveras! car déjà le penseur
          Voit en toi l'ardente fournaise
Où bouillonne le flot qui doit tout assainir,
L'auguste et saint creuset où du saint avenir
          S'élabore l'âpre genèse!

                              (*La Légende d'un Peuple.*)

OBSERVATIONS. — 1° Salut oratoire. La poésie se fait ici éloquente.
Quels sont les éléments principaux de cette éloquence? la force intérieure
de la pensée du poète, ou la splendeur des visions américaines? — 2° Peut-
on, d'après ce morceau, définir ou caractériser tout le talent poétique de
Louis Fréchette?

---

## 42 — Jolliet
(Fragment)

Le grand fleuve dormait couché dans la savane.
Dans les lointains brumeux passaient en caravane
De farouches troupeaux d'élans et de bisons.
Drapé dans les rayons de l'aube matinale,
Le désert déployait sa splendeur virginale
          Sur d'insondables horizons.

Juin brillait! Sur les eaux, dans l'herbe des pelouses,
Sur les sommets, au fond des profondeurs jalouses,
L'été fécond chantait ses sauvages amours.
Du sud à l'aquilon, du couchant à l'aurore
Toute l'immensité semblait garder encore
          La majesté des premiers jours.

Travail mystérieux ! les rochers aux fronts chauves,
Les pampas, les bayous, les bois, les antres fauves,
Tout semblait tressaillir sous un souffle effréné ;
On sentait palpiter les solitudes mornes,
Comme au jour où vibra, dans l'espace sans bornes,
    L'hymne du monde nouveau-né.

L'Inconnu trônait là dans sa grandeur première.
Splendide, et tacheté d'ombres et de lumière,
Comme un reptile immense au soleil engourdi,
Le vieux Meschacébé, vierge encore de servage,
Déployait ses anneaux de rivage en rivage
    Jusques aux golfes du midi.

Echarpe de Titan sur le globe enroulée,
Le grand fleuve épanchait sa nappe immaculée,
Des régions de l'Ourse aux plages d'Orion,
Baignant la steppe aride et les bosquets d'orange,
Et mariant ainsi dans un hymen étrange
    L'équateur au septentrion.

Fier de sa liberté, fier de ses flots sans nombre,
Fier des bois ténébreux qui lui versent leur ombre,
Le Roi-des-eaux n'avait encore, en aucun lieu
Où l'avait promené sa course vagabonde,
Déposé le tribut de sa vague profonde
    Que devant le soleil de Dieu...

Jolliet ! Jolliet ! quel spectacle féerique
Dut frapper ton regard, quand ta nef historique
Bondit sur les flots d'or du grand fleuve inconnu !
Quel sourire d'orgueil dut effleurer ta lèvre !
Quel éclair triomphant, à cet instant de fièvre !
    Dut resplendir sur ton front nu !

Le voyez-vous, là-bas, debout comme un prophète,
L'œil tout illuminé d'audace satisfaite,

La main tendue au loin vers l'Occident bronzé,
Prendre possession de ce domaine immense
Au nom du Dieu vivant, au nom du roi de France,
    Et du monde civilisé !

Puis, bercé par la houle, et bercé par ses rêves,
L'oreille ouverte aux bruits harmonieux des grèves,
Humant l'âcre parfum des grands bois odorants,
Rasant les îlots verts et les dunes d'opale,
**De méandre en méandre**, au fil de l'onde pâle,
    Suivre le cours des flots errants !

A son aspect, du sein des flottantes ramures,
Montait comme un concert de chants et de murmures ;
Des vols d'oiseaux marins s'élevaient des roseaux,
Et, pour montrer la route à la pirogue frêle,
**S'enfuyaient** en avant, traînant leur ombre grêle
    Dans le pli lumineux des eaux.

Et, pendant qu'il allait voguant à la dérive,
On aurait dit qu'au loin les arbres de la rive,
En arceaux parfumés penchés sur son chemin,
Saluaient le héros dont l'énergique audace
Venait d'inscrire encore le nom de notre race
    Au faste de l'esprit humain !

              (*La Légende d'un Peuple.*)

---

## 43 — Vive la France !

C'était après les jours sombres de Gravelotte :
La France agonisait.

        Bazaine Iscariote,
Foulant aux pieds honneur et patrie et serments,
Venait de livrer Metz aux reîtres allemands,

Comme un troupeau de loups sorti des steppes russes,
Une armée, ou plutôt des hordes de Borusses,
Féroces, l'œil en feu, sabre aux dents, vingt contre un,
Après une razzia de Strasbourg à Verdun,
Incendiant les bourgs, saccageant les villages,
Ivres de vin, de sang, de haine et de pillages,
Et ne laissant partout que carnage et débris,
Nouveau fléau de Dieu, s'avançaient sur Paris.

Vols, attentats sans nom, horribles hécatombes.
Rien ne rassasiait ces noirs semeurs de tombes.
La province à demi morte et saignée à blanc,
Se tordait et râlait sous leur talon sanglant.

Seule! et voulant donner un exemple à l'histoire,
Paris, ce boulevard de dix siècles de gloire,
Orgueil et désespoir des rois et des césars,
Foyer de la science et temple des beaux-arts,
Folle comme Babel, sainte comme Solyme,
En un jour transformée en guerrière sublime,
Le front haut, l'arme au bras, narguant la trahison,
Par-dessus ses vieux forts regardait l'horizon!

Au loin le monde ému frissonnait dans l'attente;
Qu'allait-il arriver?

                    L'Europe haletante
Jetait, soir et matin, sur nos bords atterrés,
Ses bulletins de plus en plus désespérés...
On bombardait Paris!

                    Or, tandis que la France,
Jouant sur un seul dé sa dernière espérance,
Se roidissait ainsi contre le sort méchant,
Un poème naïf, douloureux et touchant
S'écrivait en son nom sur un autre hémisphère.
Tandis que d'un œil sec d'autres regardaient faire, —
D'autres pour qui la France, ange compatissant,
Avait donné cent fois le meilleur de son sang, —

Par delà l'Atlantique, aux champs du nouveau monde
Que le bleu Saint-Laurent arrose de son onde,
Des fils de l'Armorique et du vieux sol normand,
Des Français, qu'un roi vil avait vendus gaîment,
Une humble nation qu'encore à peine née,
Sa mère avait un jour, hélas! abandonnée,
Vers celle que chacun reniait à son tour
Tendit les bras avec un indicible amour!

La voix du sang parla: la sainte idolâtrie,
Que dans tout noble cœur Dieu mit pour la patrie,
Se réveilla chez tous; dans chacun des logis,
Un flot de pleurs brûlants coula des yeux rougis;
Et, parmi les sanglots d'une douleur immense,
Un million de voix cria:

                    Vive la France!
Sous les murs de Québec, la ville aux vieilles tours,
Dans le creux du vallon que baignent les détours
Du sinueux Saint-Charles aux rives historiques,
A l'ombre du clocher se groupent vingt fabriques.
C'est le faubourg Saint-Roch, où vit en travaillant
Une race d'élite au cœur fort et vaillant.

Là surtout, ébranlant ces poitrines robustes,
Où trouvent tant d'échos toutes les causes justes,
Retentit douloureux ce cri de désespoir:
— La France va mourir!

                    Ce fut navrant.

                              Un soir
Un de ces soirs brumeux et sombres de l'automne
Où la bise aux créneaux chante plus monotone,
De ses donjons, à l'heure où les sons familiers
De la cloche partout ferment les ateliers,
La haute citadelle, avec sa garde anglaise,
Entendit tout à coup tonner la Marseillaise,
Mêlée au bruit strident du fifre et du tambour...

Les voix montaient au loin: c'était le vieux faubourg
Qui, grondant comme un flot que l'ouragan refoule,
Gagnait la haute ville, et se ruait en foule
Autour du consulat, où de la France en pleurs,
Drapeau toujours sacré, flottaient les trois couleurs.

Celui qui conduisait la marche, un gars au torse
D'Hercule antique, avait, sous sa rustique écorce,
— Comme un lion captif, grandi sous les barreaux, —
Je ne sais quel aspect farouche de héros.
C'était un forgeron à la rude encolure,
Un fort; et rien qu'à voir sa calme et fière allure,
Et son mâle regard et son grand front serein,
On sentait battre là du cœur sous cet airain.

Il s'avança tout seul vers le fonctionnaire;
Et, d'une voix tranquille où grondait le tonnerre,
Dit:

     — Monsieur le consul, on nous apprend là-bas
Que la France trahie a besoin de soldats.
On ne sait pas chez nous ce que c'est que la guerre:
Mais nous sommes d'un sang qu'on n'intimide guère;
Et je me suis laissé dire que nos anciens
Ont su ce que c'était que les canons prussiens.
Au reste, pas besoin d'être instruit, que je sache,
Pour se faire tuer ou brandir une hache;
Et c'est la hache en main que nous partirons tous;
Car la France, Monsieur... la France, voyez-vous...
Il se tut; un sanglot l'étreignait à la gorge.
Puis, de son poing bruni par le feu de la forge
Se frappant la poitrine, où son col entr'ouvert
D'un scapulaire neuf montrait le cordon vert;

— Oui, monsieur le consul, reprit-il, nous ne sommes
Que cinq cents aujourd'hui; mais, tonnerre! des hommes,
Nous en aurons, allez!... Prenez toujours cinq cents,
Et dix mille demain vous répondront: — Présents!

La France, nous voulons épouser sa querelle;
Et, fier d'aller combattre et de mourir pour elle,
J'en jure par le Dieu que j'adore à genoux,
On ne trouvera pas de traîtres parmi nous!...

Le reste se perdit, car la foule en démence
Trois fois aux quatre vents cria:

— Vive la France!

Hélas! pauvres grands cœurs! leur instinct filial
Ignorait que le code international,
Qui pour l'âpre négoce a prévu tant de choses,
Pour les saints dévoûments ne contient pas de clauses.

Et le consul, qui m'a conté cela souvent,
En leur disant merci, pleurait comme un enfant.

*(La Légende d'un Peuple.)*

OBSERVATIONS. — Montrez que ce poème représente, à une époque déterminée, un état d'âme et un état littéraire du Canada français. Qu'est-ce qu'on y retrouve du talent de l'auteur?

---

## 44 — Renouveau

Il faisait froid.  J'errais dans la lande déserte,
Songeant, rêveur distrait, aux beaux jours envolés;
De givre étincelant la route était couverte,
Et le vent secouait les arbres désolés.

Tout à coup, au détour du sentier, sous les branches
D'un buisson dépouillé, j'aperçus, entr'ouvert,
Un nid, débris informe où quelques plumes blanches
Tourbillonnaient encor sous la bise d'hiver.

Je m'en souviens: c'était le nid d'une linotte
Que j'avais, un matin du mois de mai dernier,
Surprise, éparpillant sa merveilleuse note
Dans les airs tout remplis d'arome printanier.

Ce jour-là, tout riait; la lande ensoleillée
S'enveloppait au loin de reflets radieux;
Et, sous chaque arbrisseaux, l'oreille émerveillée
Entendait bourdonner des bruits mélodieux.

Le soleil était chaud, la brise caressante;
De feuilles et de fleurs les rameaux étaient lourds...
La linotte chantait sa gamme éblouissante
Près du berceau de mousse où dormaient ses amours.

Alors, au souvenir de ces jours clairs et roses,
Qu'a remplacés l'automne avec son ciel marbré,
Mon cœur, — j'ai quelquefois de ces heures moroses, —
Mon cœur s'émut devant ce vieux nid délabré.

Et je songeai longtemps à mes jeunes années,
Frêles fleurs dont l'orage a tué les parfums,
A mes illusions que la vie a fanées,
Au pauvre nid brisé de mes bonheurs défunts.

Car quelle âme ici-bas n'eut sa flore nouvelle,
Son doux soleil d'avril et ses tièdes saisons —
Epanouissement du cœur qui se révèle!
Des naïves amours mystiques floraisons!

O jeunesse! tu fuis comme un songe d'aurore...
Et que retrouve-t-on, quand ton rêve est fini?
Quelques plumes, hélas! qui frisonnent encore
Aux branches où le cœur avait bâti son nid.

Et je revins chez moi, ce soir-là, sombre et triste...
Mais quand la nuit m'eut versé mon sommeil,
Dans un tourbillon d'or, de pourpre et d'améthyste,
Je vis renaître au loin le beau printemps vermeil.

Je vis, comme autrefois, la lande ranimée,
Etaler au soleil son prisme aux cent couleurs;
Des vents harmonieux jasaient dans la ramée,
Et des rayons dorés pleuvaient parmi les fleurs!

La nature avait mis sa robe des dimanches...
Et je vis deux pinsons, sous le feuillage vert,
Qui tapissaient leur nid avec des plumes blanches
Dont les lambeaux flottaient naguère au vent d'hiver.

O temps! courant fatal où vont nos destinées,
De nos plus chers espoirs aveugle destructeur,
Sois béni! car, par toi, nos amours moissonnées
Peuvent encore revivre, ô grand consolateur!

Dans l'épreuve, par toi, l'espérance nous reste...
Tu fais, après l'hiver, reverdir les sillons;
Et tu verses toujours quelque baume céleste
Aux blessures que font tes cruels aiguillons.

Au découragement n'ouvrons jamais nos portes:
Après les jours de froid viennent les jours de mai;
Et c'est souvent avec ses illusions mortes
Que le cœur se refait un nid plus parfumé!

*(Les Fleurs boréales.)*

OBSERVATIONS. — 1° Il y a dans ce poème une allégorie.  Essayez d'en montrer la justesse et la grâce. — 2° Sous quel aspect nouveau se montre ici le poète qui a écrit la *Légende d'un peuple*?

———————

# PAMPHILE LE MAY

## (1837-1918)

A cette époque, il eût peut-être été le plus grand, s'il n'eût été le moins appliqué. Il vibre plus qu'il ne travaille. Sa valeur grandit avec son application. Il fut l'ancêtre de nos poètes du terroir: mœurs champêtres, traditions, paysages familiers inspirent ses meilleurs chants.

Œuvres principales: *Essais poétiques* (1865); *Les Vengeances* (1875); *Une Gerbe* (1879); *Fables canadiennes* (1882); *Petits poèmes* (1883); *Les Gouttelettes* (1904). — En prose: *Fêtes et Corvées* (1898); *Contes vrais* (1899).
(Voir *Histoire de la Littérature canadienne*, p. 90-93.)

## 45 — Les colons

Entendez-vous chanter les bois où nous allons ?
Sur les pins droits et hauts comme des colonnades,
Les oiseaux amoureux donnent des sérénades,
Que troubleront, demain, les vigoureux colons.

Entendez-vous gémir les bois ?  Dans ces vallons
Qui nous offraient, hier, leurs calmes promenades,
Les coups de haches, drus comme des canonnades,
Renversent bien des nids avec les arbres longs.

Mais dans les défrichés où tombe la lumière,
L'été fera mûrir, autour d'une chaumière,
Le blé de la famille et le foin du troupeau.

L'âme de la forêt fait place à l'âme humaine,
Et l'humble défricheur taille ici son domaine,
Comme dans une étoffe on taille un fier drapeau.

(*Les Gouttelettes.*)

OBSERVATIONS. — Les trois moments de la forêt; comment le poète les a-t-il enfermés dans le cadre du sonnet ?

———

## 46 — A un vieil arbre

Tu réveilles en moi des souvenirs confus.
Je t'ai vu, n'est-ce pas? moins triste et moins modeste.
Ta tête sous l'orage avait un noble geste,
Et l'amour se cachait dans tes rameaux touffus.

D'autres, autour de toi, comme de riches fûts,
Poussaient leurs troncs noueux vers la voûte céleste.
Ils sont tombés, et rien de leur beauté ne reste;
Et toi-même, aujourd'hui, sait-on ce que tu fus?

O vieil arbre tremblant dans ton écorce grise;
Sens-tu couler encore une sève qui grise?
Les oiseaux chantent-ils sur tes rameaux gercés?

Moi, je suis un vieil arbre oublié dans la plaine,
Et pour tromper l'ennui dont ma pauvre âme est pleine,
J'aime à me souvenir des nids que j'ai bercés.

*(Les Gouttelettes.)*

## 47 — Le sanctus à la maison
### (Tableau de Ch. Huot)

Par la fenêtre ouverte on voit la floraison.
C'est l'heure de la messe.  Au loin un clocher brille.
Tout le monde est parti; seule, une jeune fille
Vaque aux soins du ménage en la pauvre maison.

Une croix noire pend à la blanche cloison.
Dans son corsage neuf l'enfant est bien gentille.
L'eau bout, la vapeur monte.  Un chat luisant se grille
Au poêle d'où s'échappe un reflet de tison.

Mais voici que l'airain tinte dans le ciel rose.
Sanctus! Sanctus! Sanctus... La jeune fille pose
Le chou vert sur un banc, au clou le gobelet.

Sanctus! Sanctus!... Avant que la cloche se taise,
Elle tombe à genoux et, les bras sur sa chaise,
Elle incline la tête et dit son chapelet.

(*Les Gouttelettes.*)

OBSERVATIONS. — Il y a dans ce sonnet, composé d'après un tableau
de Charles Huot, une évocation pittoresque. Réalisme précis des choses
et des mots; grâce pieuse de la jeune fille; et sur tout le tableau une
légère teinte de poésie: est-ce en cela surtout que se montre ici l'art
du poète?

---

## 48 — La laitière

Le sarrasin fleuri verse un parfum de miel,
Et le moineau, gorgé des blés mûrs qu'il saccage,
Vole à son nid. L'érable et le pin du bocage
Dentellent, au ponant, les champs pourpres du ciel.

C'est le soir. Dans l'air pur monte un vibrant appel,
Et soudain le troupeau qu'on a mis au pacage.
Par la sente connue ou par le marécage,
Accourt lécher la main d'où s'égrène le sel.

La génisse rumine auprès de la barrière.
Avec un bruit de source, au fond d'une chaudière,
De sa lourde mamelle il tombe un flot de lait.

La laitière caresse un rêve. Elle présume
Qu'avec deux fois le prix de cette blanche écume
Elle peut étrenner un joli mantelet.

(*Les Gouttelettes.*)

## 49 — Le réveil

Laissons l'âtre mourir ; courons à l'aventure.
Le brouillard qui s'élève est largement troué ;
La fontaine reprend son murmure enjoué ;
La clématite grimpe à chaque devanture.

Le ciel fait ondoyer les plis de sa tenture ;
Une tiède vapeur monte du sol houé ;
L'air doux est plein de bruits ; les bois ont renoué,
Dans les effluves chauds, leur discrète ceinture.

L'aile gaîment s'envole à l'arbre où pend le nid ;
L'enfant rit : le vieillard n'a plus de tons acerbes ;
Les insectes émus s'appellent sous les herbes.

O le joyeux réveil ! Tout chante, aime et bénit !
Un élan pousse à Dieu la nature féconde,
Et le rire du ciel s'égrène sur le monde.

*(Les Gouttelettes.)*

---

## 50 — Ultima verba

Mon rêve a ployé l'aile.   En l'ombre qui s'étend,
Il est comme un oiseau que le lacet captive.
Malgré des jours nombreux ma fin semble hâtive ;
Je dis l'adieu suprême à tout ce qui m'entend.

Je suis content de vivre et je mourrai content.
La mort n'est-elle pas une peine fictive ?
J'ai mieux aimé chanter que jeter l'invective.
J'ai souffert, je pardonne, et le pardon m'attend.

Que le souffle d'hiver emporte, avec la feuille,
Mes chants et mes sanglots d'un jour ! Je me recueille
Et je ferme mon cœur aux voix qui l'ont ravi.

Ai-je accompli le bien que toute vie impose?
Je ne sais.  Mais l'espoir en mon âme repose,
Car je sais les bontés du Dieu que j'ai servi.

(Les Gouttelettes.)

---

## 51 — Les "brayeurs"

Allons à la corvée! Allons, bande joyeuse,
Car le temps est venu de broyer le lin mûr!
On nous attend là-bas où la côte se creuse,
Comme une fraîche alcôve, à deux pas du flot pur.
Nous sommes vigoureux et nos mains sont brunies.
Nous aimons le soleil, nous aimons les hivers.
Pour nous, enfants des champs, les saisons sont bénies:
Nous aimons leurs travaux et leurs plaisirs divers.

Au-dessus des sapins s'élève la fumée,
Veillez au lin qui sèche, oh! veillez bien, chauffeurs!
Dans plus d'un œil d'azur la flamme est allumée!
Veillez au lin qui sèche, et veillez à vos cœurs.

Frappons fort, jeunes gens, frappons tous en cadence!
De ces vallons connus éveillons les échos.
Travaillons tout le jour avec zèle et prudence;
Plus rude est le labeur, plus doux est le repos.
Frappons, frappons gaîment; sous l'active mâchoire
Le lin va se changer en un panache d'or.
Quand le devoir est fait nous avons la victoire,
Et l'esprit retrempé prend un nouvel essor.

Au-dessus des sapins s'élève la fumée,
Veillez au lin qui sèche, oh! veillez bien, chauffeurs!
Dans plus d'un œil d'azur la flamme est allumée,
Veuillez au lin qui sèche, et veillez à vos cœurs!

Autour de nous, partout, voltigent les aigrettes ;
On dirait de la neige à travers les rameaux.
Nous rions, nous chantons, dans les fauves retraites
Où souvent chantent seuls les gais petits oiseaux.
Nous luttons de vitesse, et la filasse blonde,
La filasse en cordons se tresse tout le jour,
Mais nous tressons nos mains pour danser une ronde
Sous les yeux des parents, le soir, à notre tour.

Au-dessus des sapins s'élève la fumée,
Veillez au lin qui sèche, oh ! veillez bien, chauffeurs !
Dans plus d'un œil d'azur la flamme est allumée,
Veillez au lin qui sèche, et veillez à vos cœurs.

(*Les Epis.*)

OBSERVATIONS. — Le May s'est plu à décrire des scènes paysannes
de ce genre. Il idéalise celle-ci en mêlant au travail rustique la poésie
d'un sentiment discret et gracieux. Le pourriez-vous démontrer ?

## 52 — Le calvaire

Parmi mes souvenirs il en est un que j'aime
Par-dessus tout. Il luit comme une ardente gemme,
Dans le lointain des jours, au fond de mon cœur las.

Quand dans tous les jardins fleurissaient les lilas,
Ou quand l'été soufflait du feu, que la lumière
Faisait un nimbe d'or à la pauvre chaumière,
Que la nue au soleil empourprait un lambeau,
Le dimanche, on allait, si le soir était beau,
Par la route ou les champs tout pleins de voix joyeuses,
Se jeter à genoux sur les touffes soyeuses
Des renoncules d'or et du plantain vermeil,
Devant la grande croix où, d'un sanglant sommeil,
Le Christ dormait, tenu par quatre clous infâmes.

Et les mères alors, comme les saintes femmes,
Au pied du bois sacré se tenaient humblement ;
Et, courbé sous le poids d'un long accablement,
Un vieux, le plus âgé, je crois, de nos villages,
S'agenouillait plus loin.

                  Nous, les enfants volages,
Nous cherchions un gazon doux comme le velours.
Lui, le vieux, dont les ans étaient pourtant bien lourds,
Semblait aimer la pierre où la chair se déchire.
Il regardait le Dieu penchant son front de cire,
Son beau front couronné d'épines et souillé ;
Et quelquefois aussi, de son regard mouillé
Il nous enveloppait avec sollicitude.

Nous étions bien légers, mais d'honnête attitude.
Quelquefois cependant nous répondions : amen,
En riant aux oiseaux qui fêtaient leur hymen
Dans les hauts peupliers, tout autour du calvaire.
J'étais, sans le savoir, un sauvage trouvère.
Je ne connaissais rien au delà des hameaux,
Et la gloire et l'amour étaient pour moi des mots.
Mais je trouvais à vivre un indicible charme...
Et pourtant l'avenir sonnait comme une alarme
Dans mon esprit naïf et plein d'obscurité :
Je devinais si peu la sainte vérité
Qu'à tout homme au cœur droit le ciel un jour révèle.

Enfin, comme les blés que le faucheur nivelle,
Tous les fronts se penchaient touchant le sol béni.
L'exercice pieux était alors fini.
C'était l'adieu.

              Sortant de la petite enceinte,
Jeunes à l'œil hardi, vieux à la face sainte,
Par les chemins poudreux tout frangés de buissons,
S'en allaient en causant semailles et moissons.

Souvent, je m'en rappelle aussi, garçons et filles,
Marchant tous deux par deux, entraient dans les charmilles,
S'enivrer de l'air frais et des parfums du soir.

Puis, quand montait la nuit, ils s'en allaient s'asseoir
En cercle, pour les jeux, dans la maison voisine.
Les hommes s'appelaient au fond de la cuisine,
Pour battre le briquet autour de l'âtre éteint.
Ces choses me charmaient, et mon cœur les retint.

Depuis, le bon vieillard qui priait sur la pierre,
En embrassant la croix a fermé sa paupière,
Pour la rouvrir au ciel.   Depuis, les jeunes gens
Qui s'attardaient un peu sous les bois indulgents,
Pour se parler d'amour après une prière,
Ont défriché partout l'inutile bruyère;
Et leurs blanches maisons, pleines de gais marmots,
Ont remplacé les nids qui chantaient aux rameaux.
Mais le Christ adoré, dépouillé de sa gloire,
Le Christ au front sanglant reste sur la croix noire...
Hier je l'ai vu là, demain je l'y verrai.
Car j'ai besoin qu'il parle à mon cœur éploré.

*(Les Epis.)*

# WILLIAM CHAPMAN

## (1850-1917)

Il se complaît dans la phrase, aussi longtemps qu'elle lui procure l'illusion de penser. La poésie se confond chez lui avec l'émotion verbale. L'éloquence se joint tout naturellement à cette conception de l'art poétique. Elle lui fera tout de même écrire des strophes patriotiques, que ses contemporains, qui aimaient le verbe oratoire, ont applaudies. Notre peuple, dans ses *Aspirations*, reconnut les siennes.

Œuvres principales: *Feuilles d'Erable* (1890); *les Aspirations* (1904); *Rayons du Nord* (1910); *Fleurs de givre* (1912).

(Voir *Histoire de la Littérature canadienne*, p. 93-94.)

## 53 — Notre langue

Notre langue naquit aux lèvres des Gaulois.
Ses mots sont caressants, ses règles sont sévères,
Et, faite pour chanter les gloires d'autrefois,
Elle a puisé son souffle aux refrains des trouvères.

Elle a le charme exquis du timbre des Latins,
Le séduisant brio du parler des Hellènes,
Le chaud rayonnement des émaux florentins,
Le diaphane et frais poli des porcelaines.

Elle a les sons moelleux du luth éolien,
Le doux babil du vent dans les blés et les seigles,
La clarté de l'azur, l'éclair olympien,
Les soupirs du ramier, l'envergure des aigles.

Elle chante partout pour louer Jéhova,
Et, dissipant la nuit où l'erreur se dérobe,
Elle est la messagère immortelle qui va
Porter de la lumière aux limites du globe.

La première, elle dit le nom de l'Eternel
Sous les bois canadiens noyés dans le mystère.
La première, elle fit monter vers notre ciel
Les hymnes de l'amour, l'élan de la prière.

La première, elle fit tout à coup frissonner
Du grand Meschacébé la forêt infinie,
Et l'arbre du rivage a paru s'incliner
En entendant vibrer cette langue bénie.

Langue de feu, qui luit comme un divin flambeau,
Elle éclaire les arts et guide la science;
Elle jette, en servant le vrai, le bien, le beau,
A l'horizon du siècle une lueur immense.

Un jour, d'âpres marins, vénérés parmi nous,
L'apportèrent du sol des menhirs et des landes,
Et nos mères nous ont bercés sur leurs genoux
Aux vieux refrains dolents des ballades normandes.

Nous avons conservé l'idiome légué
Par ces héros quittant pour nos bois leurs falaises,
Et, bien que par moments on le crût subjugué,
Il est encore vainqueur sous les couleurs anglaises.

Et nul n'osera plus désormais opprimer
Ce langage aujourd'hui si ferme et si vivace...
Et les persécuteurs n'ont pu le supprimer,
Parce qu'il doit durer autant que notre race.

Essayer d'arrêter son élan, c'est vouloir
Empêcher les bourgeons et les roses d'éclore;
Tenter d'anéantir son charme et son pouvoir
C'est rêver d'abolir les rayons de l'aurore.

Brille donc à jamais sous le regard de Dieu,
O langue des anciens!  Combats et civilise,
Et sois toujours pour nous la colonne de feu
Qui guidait les Hébreux vers la Terre promise!

(*Les Aspirations.*)

OBSERVATIONS. — 1° Les images par lesquelles Chapman, dans la
deuxième et la troisième strophe, définit les qualités de notre langue, sont-
elles justes? — 2° Comment appréciez-vous l'ensemble de ce morceau?
Y reconnaissez-vous quelque chose des qualités et des défauts du poète
rhéteur?

---

## 54 — Le laboureur

Derrière deux grands bœufs ou deux lourds percherons,
L'homme marche courbé dans le pré solitaire,
Ses poignets musculeux rivés aux mancherons
De la charrue ouvrant le ventre de la terre.

Au pied d'un coteau vert noyé dans les rayons,
Les yeux toujours fixés sur la glèbe si chère,
Grisé du lourd parfum qu'exhale la jachère,
Avec calme et lenteur il trace ses sillons.

Et, rêveur, quelquefois il ébauche un sourire:
Son oreille déjà croit entendre bruire
Une mer d'épis d'or sous un soleil de feu;

Il s'imagine voir le blé gonfler sa grange;
Il songe que ses pas sont comptés par un ange,
Et que le laboureur collabore avec Dieu.

(*Les Aspirations.*)

## 55 — A la Bretagne

Je n'ai jamais foulé tes falaises hautaines,
Je n'ai pas vu tes pins verser leurs larmes d'or,
Je n'ai pas vu tes nefs balancer leurs antennes ;
Pourtant je te chéris, vieux pays de l'Armor.

Je t'aime d'un amour fort comme tes grands chênes,
Vers lesquels bien souvent mon cœur prend son essor,
Car sur nos bords, vois-tu, nous conservons encore
Le sang pur qui toujours gonfla si bien tes veines.

Oui, je t'adore avec tes vieux souvenirs.
Tes bruyères, tes joncs, ton granit, tes menhirs,
Ton rivage farouche et peuplé de légendes.

Et lorsque Floréal revient tout embaumer,
Dans la brise de l'est je crois, le soir, humer
Comme un vague parfum qui viendrait de tes landes.

*(Les Aspirations.)*

# ADOLPHE POISSON

## (1849-1922)

Son lyrisme se plaît dans l'ombre des pins qui enveloppe sa maison. Il a aussi cherché les horizons de l'histoire. Nul poète ne fut plus sensible: mais il ne peut toujours traduire ni tout son rêve ni toute sa pensée. A le lire, on devine en ses poèmes quelque chose d'inexprimé.

Œuvres: *Heures perdues* (1894); *Sous les Pins* (1902); *Chants du soir* (1912).

(Voir *Histoire de la Littérature canadienne*, p. 94.)

## 56 — L'appel des amis

Ami, laisse ton rêve.  Abandonne la rive,
Où ton esprit s'endort dans l'immobilité.
Viens lutter avec nous; l'attitude pensive
Est signe de faiblesse en ce siècle agité.

Arbore comme nous cette noble bannière
Qui s'enfle avec effort sous le vent du progrès;
Pour les larges sentiers abandonne l'ornière,
Agrandis l'horizon de tes songes abstraits.

Viens vers la haute mer.  Au large ta nacelle!
Ouvre ta voile au vent et ton âme à l'orgueil.
L'étoile du progrès dans la nuit étincelle;
D'un passé trop vieilli ne porte plus le deuil.

Vois s'écrouler partout les antiques coutumes
Que le torrent du siècle emporte avec fracas.
Ne nourris plus ton cœur de ces regrets posthumes
Dont le siècle vieilli ne fait plus aucun cas.

Indolent troubadour, de la gloire qui passe
Ne peux-tu comme nous dérober un lambeau?
Veux-tu vivre et mourir sans laisser une trace
Et sans rien disputer à l'oubli du tombeau?

### LA RÉPONSE DU POÈTE

Je n'envierai jamais vos luttes incertaines
Et vos nuits sans sommeil.  J'ai préféré toujours
Aux flots parfois grondants l'eau calme des fontaines,
Aux combats sans merci les naïves amours.

Tandis que vous mêlez aux rumeurs des tempêtes
Vos voix tremblantes, moi, comme aux pins de Tibur,
Je ris de l'ouragan qui fait courber vos têtes,
Car mon ciel est formé de soleil et d'azur.

.   .   .   .   .   .   .   .   .   .   .   .   .

Ne vous vantez pas trop de régner sur la foule.
Le souci sur vos fronts a déjà fait son pli,
Et vous n'ignorez pas que le flot qui vous roule
Vous livre sans retour au fleuve de l'oubli.

Quel souffle a pu briser le rameau de Virgile?
Dix mille ans passeront et le nom de Tibur
Rayonnera, lorsque votre barque fragile
Aura déjà sombré sur quelque bord obscur.

Combien d'ambitieux, contemporains d'Horace,
De leur verbe ont couvert ses chants harmonieux?
Hélas! la renommée en a perdu la trace,
Et l'astre de Flaccus brille encor dans les cieux!

Cessez de caresser un espoir si fragile,
Car on a vu le temps si rapide en son cours
Epargnant les accents d'Homère et de Virgile,
Emporter sans merci de superbes discours.

Et rien ne restera de votre œuvre éphémère,
Tandis que de mes chants quelque vers épargné
Peut servir, œuvre utile, à quelque jeune mère
Pour endormir, le soir, son enfant nouveau-né !

(*Sous les Pins.*)

OBSERVATIONS. — Ce poète était-il fait pour la douceur du rivage
ou pour la haute mer?... Quelles qualités différentes supposent l'une et
l'autre vocation poétique?

---

## 57 — Stances imprécatoires à Lawrence

### (Fragment)

Le Temps plus fort que toi t'a couché dans la bière
Et pendant que tu dors dans la nuit des tombeaux
Un peuple grandissant, debout sur ta poussière,
Rêve des jours plus grands et des destins plus beaux.

Il te fallait leurs champs, leurs troupeaux et leurs vies
Et lorsque sur vingt bords tu les eus dispersés,
Alors que triomphait ta rage inassouvie,
Soudain vint le trépas qui te dit: c'est assez !

Pour tes débiles bras la tâche était trop grande;
Un être disparaît, un peuple ne meurt pas.
Qu'il s'appelle Acadie ou se nomme l'Irlande,
Il peut subir l'outrage, il nargue le trépas !

Et plus tard on le voit, malgré les hécatombes
Réunir lentement tous ses tronçons épars,
Et ce sol qui s'était jonché de tant de tombes
Se couvre de berceaux surgis de toutes parts.

A quoi t'a donc servi ce crime si barbare,
Puisque le temps vengeur défait ce que tu fis,
Que l'histoire te somme et te cite à sa barre,
Que les aïeux trahis sont vengés par leurs fils?

Quand d'un peuple au berceau tu dispersais les langes
Et que tu les jetais au gré de tous les vents,
Qui t'eut dit que plus tard, en nombreuses phalanges,
De partout surgiraient les fils des survivants?

Voici qu'autour de toi se groupent tes victimes,
Vrais spectres de ton rêve, ils se dressent partout;
Et, cherchant sur le sol la trace de tes crimes,
Cent vingt mille Acadiens près de toi sont debout.

Des bords les plus déserts, des plus lointaines îles
Où les avaient jetés tes édits inhumains,
Sous le ciel des aïeux rêvant d'autres asiles.
Ils sont venus par bandes et par tous les chemins.

. . . . . . . . . . . .

Ce sol vous appartient, ô frères d'Acadie,
Et la main qui, cruelle, en chassa les vivants,
Et sur vos bourgs déserts promena l'incendie,
Oublia de jeter vos morts aux quatre vents.

Et vous tenez par eux à la terre usurpée;
Ils en sont à jamais les fidèles gardiens,
Et ce ne sera point la ruse ni l'épée
Qui rendra leurs foyers aux martyrs acadiens.

*(Chants du soir.)*

# ALFRED GARNEAU

## (1836-1904)

Timide et artiste. Il s'inspire de lui-même plus que de la nature. Poète de transition entre l'éloquence du vers qui chez nous, alors, s'épuise, et la sobriété calme, plus concise, plus artiste, qui commence.

Œuvre posthume: *Poésies* (1906).

(Voir *Histoire de la Littérature canadienne*, p. 95.)

## 58 — Glas matinal

Mon insomnie a vu naître les clartés grises.
Le vent contre ma vitre, où cette aurore luit,
Souffle les flèches d'eau d'un orage qui fuit.
Un glas encore sanglote aux lointaines églises...

La nue est envolée, et le vent et le bruit.
L'astre commence à poindre, et ce sont des surprises
De rayons; les moineaux alignés sur les frises
Descendent dans la rue où flotte un peu de nuit...

Ils se sont tus, les glas qui jetaient tout à l'heure
Le grand pleur de l'airain jusque sur ma demeure.
O soleil, maintenant tu ris au trépassé!

Soudain, ma pensée entre aux dormants cimetières,
Et j'ai la vision, douce à mon cœur lassé,
De leurs gîtes fleuris aux croix hospitalières...

(*Poésies*).

## 59 — Poète fol

C'est, par les airs, un entassement sombre
De nuages.   Horrible mont !
L'étang joncheux, miroir d'un val profond,
S'est éteint dans un reflet d'ombre.

Comme vite, au jour pâle, vont,
Là-haut, ces vols d'ailes noires sans nombre !
Un éclair heurte une nuée, et sombre !
Et tout le ciel en eau se fond...

Mais le poète a doux martel en tête.
Ses yeux rêveurs ne voient pas la tempête
Ruisseler aux sentiers couverts,

Ni les vents tordre en un chaos les branches.
Enveloppé de foudre aux flammes blanches,
Il cisèle, impassible, un vers.

*(Poésies.)*

## 60 — Devant la grille du cimetière

La tristesse des lieux sourit, l'heure est exquise.
Le couchant s'est chargé des dernières couleurs,
Et devant les tombeaux, que l'ombre idéalise,
Un grand souffle mourant soulève encor les fleurs.

Salut, vallon sacré, notre terre promise !...
Les chemins sous les ifs, que peuplent les pâleurs
Des marbres, sont muets ; dans le fond, une église
Dresse son dôme sombre au milieu des rougeurs.

La lumière au-dessus plane longtemps vermeille...
Sa bêche sur l'épaule, entre les arbres noirs,
Le fossoyeur repasse, il voit la croix qui veille.

Et de loin, comme il fait sans doute tous les soirs,
Cet homme la salue avec un geste immense...
Un chant très doux d'oiseau vole dans le silence.

(*Poésies.*)

---

## 61 — Le bon pauvre

Ah! je sais que la vie est un banquet suave,
          Une longue fête pour vous;
Vos chants toutes les nuits m'éveillent dans ma cave:
          Frères, je ne suis pas jaloux.

Dieu n'a-t-il pas placé sur les cimes sereines
          Le beau cèdre au riche manteau;
Et, le long des torrents, courbé sous leurs haleines,
          Le pâle et frissonnant roseau!

O Christ! devant ton front que les épines ceignent
          Je bénis mon sort et ta loi.
N'as-tu pas dit: "Heureux celui dont les pieds saignent
          "Sur les ronces, derrière moi?"

Mon pauvre cœur, semblable à l'épi qu'on flagelle,
          Reste vide après tant de coups...
Mais que j'aie une larme à mon heure mortelle,
          O Christ, à verser sur tes clous!

(*Poésies.*)

---

OBSERVATIONS. — Après avoir lu ces poèmes choisis d'Alfred Garneau, dites si vous pouvez, avec eux, justifier l'observation préliminaire que nous avons faite de l'auteur.

---

# APOLLINAIRE GINGRAS

## (1847-1935)

La poésie a un peu vieilli comme le poète. Mais elle témoigne encore et de la sensibilité rêveuse, facile de nos humanistes du siècle dernier, et de l'esprit, lui aussi facile, dont ils agrémentaient d'abondants loisirs.

Œuvre: *Au Foyer de mon presbytère* (1881).

(Voir *Histoire de la Littérature canadienne*, p. 96.)

## 62 — Une souris qui n'avait pas la langue dans sa poche

L'étude est commencée: un silence d'église!
On n'entend que l'horloge et le maître qui prise,
Et ce bruit sans éclat, ce bruit savant, confus,
De livres qu'on referme après qu'on les a lus,
De papiers que l'on froisse et de plumes magiques
Dont l'œil à peine suit les courses électriques.
Tout le "Peuple écolier" étudie avec feu...
Quand je dis tout le peuple, il faut s'entendre un peu:
J'excepte les frelons — comme chez les abeilles.
L'un tâche de dormir; l'autre baye aux corneilles,
Ou, laissant à Newton son binôme profond,
Il s'amuse à compter les mouches au plafond.
"Une souris! dit l'un; une souris! regarde...
—Où donc?—Le long du mur; mais au maître prends garde!"
La chose était fort grave et fit sensation —
Tout comme s'il se fût agi d'un gros lion.
Non, non: Victoria, la reine d'Angleterre,
Par la grâce de Dieu "défenseur de la foi",
N'eût pas, en franchissant le seuil du Séminaire,
Causé plus de surprise et produit plus d'émoi.

Une souris! vraiment, la fortune était belle!
    Dans un instant, chez tous nos bons lurons,
        L'importante nouvelle
    Qu'une souris est dans les environs
       Circule à tire-d'aile.
         C'était le cas:
    Une souris, qui n'était pas
       Du tout peureuse,
  Avait poussé sa course aventureuse
Jusqu'au fond de l'étude: à des miettes de pain
L'animal trottinant allait calmant sa faim.
Notre souris, malgré sa taille et son jeune âge,
    Etait sans gêne tout à fait,
    Capable de dire son fait
    A n'importe quel personnage.
A nos joyeux badins elle fit en partant
    Une semonce à bout portant.
L'un d'entre eux la voyant ronde comme une boule,
Osa bien plaisanter son petit embonpoint...
    La jeune souris n'y tint point:
A demi dans son trou la voilà qui se coule,
Et là, leur dit: "Vous tous, gentils sirs, grands badins:
"Et toi qui sur mon compte amuses tes voisins, —
"Et toi qui dors, là-bas — et toi qui te réveilles...
"A mon humble discours prêtez vos deux oreilles.


      "Si j'ai compris,
      "Ma gourmandise,
      "Brillants esprits,
      "Vous scandalise.


"Gruger, c'est mon instinct, pourtant: le Créateur
"Comme tous mes aïeux pour gruger me fit naître.
"Mais si modeste au moins qu'il puisse vous paraître,
"En grugeant j'accomplis avec joie et bonheur
"Mon rôle de souris.  Je le dirai sans peur:

"Il est un être fier, à qui la Providence
"A fait cadeau pourtant d'âme et d'intelligence
"Et qui remplit, ma foi, son rôle un peu plus mal
           "Que n'importe quel animal!
"Le paquet est pour vous, ô messieurs du collège!
"Combien, sortis d'ici, s'en retournent à lège!
"Bien souvent on y passe un, deux, trois, huit, neuf ans,
           "Et l'on a fait... un cours de banc!
"Un exemple tout frais: voyez-moi ce compère,
"Voyez: barricadé derrière un dictionnaire,
"Il badine et se rit des regards vigilants
"Du maître qui le vise et qui fait feu des dents.
"Cet autre ne travaille, hélas! qu'au réfectoire:
"Il a su transformer son pupitre en armoire,
"Et pendant que je prêche il mord dans un bonbon:
"Juste ciel! c'en est trop; et je m'en vais sous terre
"A l'instant loin de vous digérer ma colère!"
"Le seul mets qu'il respecte est sa pauvre leçon!
Elle dit: et laissa tout le monde surpris
           De trouver dans une souris
           Tant de style et tant de science,
           Tant de logique et d'éloquence.
Cette jeune souris dans son pays venait
De remporter, dit-on, sur toutes ses rivales,
           Un prix qui donne du toupet,
Le grand prix du prince de Galles!


Une leçon ressort de tout ce beau caquet:
Ecoliers trop légers! c'est à votre paresse
           Que la souris s'adresse:
Dans l'univers, chaque être a son rôle et sa fin:
Ouvrez les yeux, voyez, lisez dans la nature.
Dieu dit au papillon: Plane sur la verdure;
A l'étoile: Rayonne aux regards du marin.
Il dit aux rêves d'or: Endormez la souffrance;
A l'oiseau: Peuple l'arbre où ton nid se balance.

Il fit, — le poisson pour nager,
La foudre pour détruire,
La souris pour gruger,
La mouche à feu pour reluire,
Et l'écolier, —
Pour étudier.

*(Au Foyer de mon Presbytère.)*

OBSERVATIONS. — 1° Résumez vous-même les leçons de la souris aux écoliers. Ajoutez-y vos commentaires personnels. — 2° Rencontre-t-on souvent l'esprit, l'élégant badinage dans notre poésie canadienne? Valait-il la peine de consigner ici cette pièce de l'abbé Gingras?

---

## 63 — Le vieux calvaire

O vieux calvaire! O sainte solitude!
Doux monument qui bordes le chemin!
Abri du mendiant quand le soleil est rude,
Oh! reconnais un ancien pèlerin.
Tout a changé — vieilli, je voulais dire,
Et bien longtemps je fus absent, je vois:
Mais sur tes murs mon cœur peut encore lire
Le souvenir de mes jours d'autrefois.

Oh! laisse-moi, chère et paisible enceinte,
Oh! laisse-moi m'asseoir quelques instants
Sous ton dôme rêveur où les merles sans crainte
Font, comme au bois, leurs nids depuis longtemps.
Oh! laisse-moi, sous ton toit qui s'écroule,
Te confier, ce soir, quelques soupirs:
Je veux rêver au passé qui s'écoule:
Mon cœur, mon âme ont soif de souvenirs!

\*   \*   \*

C'est à trois pas d'un ravin solitaire,
Borne où finit le village natal.
Au-dessus des lilas, le coq du vieux calvaire
Etale encor son plumage en métal.
Ici, jadis, le soir, dimanche et fête,
De Saint-Antoine et de Saint-Nicolas,
L'on affluait: les gens entraient nu-tête,
S'agenouillaient, et puis priaient tout bas.

Filles, garçons — du plus jeune aux plus grandes —
Tout le canton se faisait pèlerin:
On s'y rendait par deux, on y venait par bandes,
Et le franc rire était à plein chemin.
Mais les propos s'éteignaient à distance,
Chacun soudain se sentait tressaillir;
Car, à travers le feuillage, en silence,
Le Christ semblait nous regarder venir.

Au vieux calvaire encor, quand la nuit tombe,
Quelque vieillard, un bâton à la main,
Vient apprendre à braver le calme de la tombe,
Et l'espoir brille à son front plus serein.
Mais ses pas seuls émeuvent le silence
Qui plane autour du calvaire outragé;
On n'y voit plus la jeunesse ou l'enfance.
Pourquoi? la mode, hélas! en a changé.

Et maintenant, calme et touchant asile,
L'herbe a caché ton seuil devenu vieux:
Le vieux Christ est tout seul sous ton dôme qui brille:
Il semble avoir du chagrin dans les yeux.
— O frais plaisirs! ô gais pèlerinages!
O vrai bonheur! qui remplace aujourd'hui
Le charme pur de ces riants usages?
Le bal, les "jeux", le remords et l'ennui!

Pauvre Calvaire! enceinte désolée!
La main du temps comme nous te flétrit!
Comme le cœur humain, tu vieillis isolée,
Et comme lui, l'amitié te trahit!
Ton vieux plancher sous les pieds craque et plie,
Et sur ton seuil, la ronce, herbe qui mord,
A l'air un peu d'être un mauvais génie
Qui du saint lieu veut défendre l'abord.


On t'abandonne, ô pauvre vieux Calvaire!
On te trahit! — toi, tu n'as pas changé:
Car tu remplis toujours de paix et de mystère
L'urne sans fond de mon cœur affligé.
Oh! bien des fois, à genoux sur tes pierres,
Dans mon jeune âge — âge d'or et de miel!
J'ai murmuré de naïves prières:
Il me semblait que j'étais près du ciel!


Ma vie, alors, était à son aurore:
Trop d'espérance à mon front rayonnait.
Le bonheur n'était pas un mot cide et sonore,
Et l'avenir encor me souriait.
Depuis, ma nef a laissé le rivage...
— Hélas! la vie est semblable à la mer:
Son flot, parfois, caressant sur la plage,
Ecume au large et devient plus amer!


Où sont-ils donc, ces chers amis d'enfance?
Oh! leur départ a bien blessé mon cœur!
Ils dorment! sur leur tombe, une croix en silence
Me dit tout bas: La vie est une fleur!
Fleur éphémère! à peine le feuillage
A-t-il vingt fois couronné les rameaux,
L'homme, isolé dans son pèlerinage,
Ne marche plus qu'à travers des tombeaux!

Pourtant l'exil conserve encor des charmes,
Et le chemin n'est pas encor trop noir:
Car Dieu nous a laissé, pour adoucir nos larmes,
Le souvenir — la prière — et l'espoir.
L'espoir! l'espoir de retrouver bien vite —
Pleins de santé dans les palais de Dieu —
La sœur, le frère, ou l'ami qui nous quitte.
En attendant, charmant Calvaire, adieu!

\* \* \*

Déjà, le soir allume avec mystère
Mille flambeaux superbes et tremblants:
Il semble que le ciel, pour regarder la terre,
Ouvre ses yeux calmes et rayonnants.
Autour de moi comme sur la colline
L'ombre en silence efface les objets;
L'ombre en silence a comblé la ravine,
Voilé le Christ et noyé les bosquets.

Adieu, séjour calme et mélancolique!
Séjour béni, je reviendrai pourtant!
Car les vieux souvenirs sont comme une musique:
En foule, ici, mon âme les entend!
Je reviendrai respirer sous ton dôme,
Comme ce soir, l'oubli des jours amers:
Car je ne sais quel merveilleux arôme,
Venu du ciel, parfume ici les airs!

*(Au Foyer de mon Presbytère.)*

# CHAPITRE III

## LE ROMAN

## PHILIPPE-AUBERT DE GASPÉ

### (1786-1871)

Il fut plutôt conteur que romancier. *Les Anciens Canadiens* valent surtout par ce qu'ils contiennent de la vie du peuple, et aussi par cette sorte de bonhomie dans le style qui retient l'attention. Si nous reproduisons ici la danse des sorciers, ce n'est pas pour la valeur artistique du récit, mais parce que ce récit évoque une de nos légendes les plus populaires du siècle dernier.

Œuvres: *Les Anciens Canadiens* (1863); *Mémoires* (1866).

(Voir *Histoire de la Littérature canadienne*, p. 98-103.)

## 64 — La fête du mai

Dès que les jeunes gens eurent fait leur toilette, ils passèrent de leur chambre dans une de celles qui donnaient sur la cour du manoir, où une scène des plus animées s'offrit à leurs regards. Une centaine d'habitants disséminés çà et là par petits groupes l'encombraient. Leurs longs fusils, leurs cornes à poudre suspendues au cou, leurs casse-tête passés dans la ceinture, la hache dont ils étaient armés, leur donnaient plutôt l'apparence de gens qui se préparaient à une expédition guerrière que celle de paisibles cultivateurs.

De Locheil, que ce spectacle nouveau amusait beaucoup, voulut sortir pour se joindre aux groupes qui entouraient le manoir, mais Jules s'y opposa en lui disant que c'était contre l'étiquette; qu'ils étaient tous censés ignorer ce qui se passait au dehors, où tout était mouvement et activité. Les uns, en effet, étaient occupés à la toilette du mai, d'autres creusaient la fosse profonde dans laquelle il devait être planté, tandis que plusieurs aiguisaient de longs coins pour le consolider. Ce mai était de la simplicité la plus primitive:

c'était un long arbre de sapin ébranché et dépouillé jusqu'à la
partie de sa cime appelée le bouquet : ce bouquet ou touffe de
branches, d'environ trois pieds de longueur, toujours proportionné
néanmoins à la hauteur de l'arbre, avait un aspect très agréable
tant qu'il conserverait sa verdure, mais desséché ensuite par les
grandes chaleurs de l'été, il n'offrait déjà plus en août qu'un objet
d'assez triste apparence.  Un bâton peint en rouge, de six pieds de
longueur, couronné d'une girouette peinte en vert, et orné d'une
grosse boule de même couleur que le bâton, se coulait dans les
interstices des branches du bouquet ; et une fois cloué à l'arbre
complétait le toilette du mai.  Il est aussi nécessaire d'ajouter que
de forts coins de bois, enfoncés dans l'arbre de distance en distance,
en facilitaient l'ascension, et servaient aussi de point d'appui aux
étamperches usitées pour élever le mai.

Un coup de fusil, tiré à la porte principale du manoir, annonça
que tout était prêt.  A ce signal, la famille d'Haberville s'empressa
de se réunir dans le salon, afin de recevoir la députation que cette
détonation faisait attendre.  Le seigneur d'Haberville prit place
sur un grand fauteuil, la seigneuresse s'assit à sa droite et son fils
Jules à sa gauche.  Mon oncle Raoul, debout et appuyé sur son
épée, se plaça en arrière du premier groupe, entre madame Louise
de Beaumont et Blanche assises sur de modestes chaises.  Arché
se tint debout à gauche de la jeune seigneuresse.  Ils étaient à
peine placés que deux vieillards, introduits par le majordome José,
s'avancèrent vers le seigneur d'Haberville, et le saluant avec cette
politesse gracieuse, naturelle aux anciens Canadiens, lui demandèrent la permission de planter un mai devant sa porte.  Cette
permission octroyée, les ambassadeurs se retirèrent et communi-
quèrent à la foule le succès de leur mission.  Tout le monde alors
s'agenouilla pour demander à Dieu de les préserver de tout accident
pendant cette journée.  A l'expiration d'un petit quart d'heure, le
mai s'éleva avec une lenteur majestueuse au-dessus de la foule, pour
dominer ensuite de sa tête verdoyante tous les édifices qui l'envi-
ronnaient : quelques minutes suffirent pour le consolider.

Un second coup de feu annonça une nouvelle ambassade ; les
deux mêmes vieillards, avec leurs fusils au port d'arme et accom-
pagnés de deux des principaux habitants, portant, l'un, sur une

assiette de faïence, un petit gobelet d'une nuance verdâtre de deux pouces de hauteur, et l'autre une bouteille d'eau-de-vie, se présentèrent introduits par l'indispensable José, et prièrent M. d'Haberville de vouloir bien venir recevoir le mai qu'il avait eu la bonté d'accepter. Sur la réponse gracieusement affirmative de leur seigneur, un des vieillards ajouta:

— Plairait-il à notre seigneur d'arroser le mai avant de le noircir?

Et sur ce, il lui présenta un fusil d'une main, et de l'autre un verre d'eau-de-vie.

Nous allons l'arroser ensemble, mes bons amis, dit M. d'Haberville en faisant signe à José qui, se tenant à une distance respectueuse avec quatre verres sur un cabaret remplis de la même liqueur généreuse, s'empressa de la leur offrir. Le seigneur, se levant alors, trinqua avec les quatre députés, avala d'un trait leur verre d'eau-de-vie qu'il déclara excellente, et prenant le fusil, s'achemina vers la porte suivi de tous les assistants. Aussitôt que le seigneur d'Haberville parut sur le seuil de la porte, un jeune homme, montant jusqu'au sommet du mai avec l'agilité d'un écureuil, fit faire trois tours à la girouette en criant: vive le roi! vive le seigneur d'Haberville! Et toute la foule répéta de toute la vigueur de ses poumons: vive le roi! vive le seigneur d'Haberville! Pendant ce temps le jeune gars descendait avec la même agilité en coupant avec un casse-tête, qu'il tira de sa ceinture, tous les coins et jalons du mai.

Dès que le seigneur d'Haberville eut noirci le mai en déchargeant dessus son fusil chargé de poudre, on présenta successivement un fusil à tous les membres de sa famille, ce en commençant par la seigneuresse; et les femmes firent le coup de fusil comme les hommes. Ce fut ensuite un feu de joie bien nourri qui dura une bonne demi-heure. On aurait pu croire le manoir assiégé par l'ennemi. Le malheureux arbre, si blanc avant cette furieuse attaque, semblait avoir été peint subitement en noir: tant était grand le zèle de chacun pour lui faire honneur. En effet, plus il se brûlait de poudre, plus le compliment était supposé flatteur pour celui auquel le mai était présenté...

(*Les Anciens Canadiens.*)

## 65 — La danse des sorciers

(Récit du père José)

Arrivé sur les hauteurs de Saint-Michel, que nous avons passées tantôt, l'endormitoire le prit. Après tout, que se dit mon défunt père, un homme n'est pas un chien, faisons un somme ; ma guevalle et moi nous en trouverons mieux. Si donc qu'il dételle sa guevalle, lui attache les deux pattes de devant avec ses cordeaux et lui dit : tiens, mignonne, voilà de la bonne herbe, tu entends couler le ruisseau ; bon soir.

Comme mon défunt père allait se fourrer sous son cabrouette pour se mettre à l'abri de la rosée, il lui prit fantaisie de s'informer de l'heure. Il regarde donc les trois rois au sud, le chariot au nord et il en conclut qu'il était minuit. C'est l'heure, qu'il se dit, que tout honnête homme doit être couché.

Il lui sembla, cependant, tout à coup, que l'île d'Orléans était tout en feu.[1] Il saute un fossés, s'accote sur une clôture, ouvre de grands yeux, regarde, regarde... Il vit à la fin que des flammes dansaient le long de la grève, comme si tous les fi-follets du Canada, les damnés, s'y fussent donné rendez-vous pour tenir leur sabbat. A force de regarder, ses yeux qui étaient pas mal troublés s'éclaircirent et il vit un drôle de spectacle ; c'était comme des manières d'hommes : une curieuse engeance tout de même, ça avait ben une tête grosse comme un demi-minot, affublé d'un bonnet pointu d'une aulne de long ; puis des bras, des jambes, des pieds et des mains armés de griffes, mais point de corps pour la peine d'en parler. Ils avaient, sous votre respect, mes messieurs, le califourchon fendu jusqu'aux oreilles. Ça n'avait presque pas de chair : c'était quasiment tout en os, comme des esquelettes. Tous ces jolis gas avaient la lèvre supérieure fendue en bec de lièvre, d'où sortait une dent de rhinoféroce d'un bon pied de long comme on en voit, monsieur Arché, dans votre beau livre d'images de l'histoire surnaturelle. Le nez ne vaut guère la peine qu'on en parle : c'était, ni plus ni moins, qu'un

---

(1) Il est bon de se souvenir, pour la vraisemblance du récit, que le héros qui eut cette vision venait de *pintocher* avec des connaissances en passant à la Pointe-Lévis.

long groin de cochon, sous votre respect, qu'ils faisaient jouer à demande, tantôt à droite, tantôt à gauche de leur grande dent : c'était, je suppose, pour l'affiler. J'allais oublier une grande queue, deux fois longue comme celle d'une vache, qui leur pendait dans le dos et qui leur servait, je pense, à chasser les moustiques.

Ce qu'il y avait de drôle, c'est qu'ils n'avaient que trois yeux par couple de fantômes. Ceux qui n'avaient qu'un seul œil au milieu du front, comme ces cyriclopes dont votre oncle le chevalier, M. Jules, qui est un savant, lui, nous lisait dans un gros livre, tout latin comme un bréviaire de curé, qu'il appelle son Vigile ; ceux donc qui n'avaient qu'un seul œil tenaient par la griffe deux acolytes qui avaient ben, eux les damnés, tous leurs yeux. De tous ces yeux sortaient des flammes qui éclairaient l'île d'Orléans comme en plein jour. Ces derniers semblaient avoir de grands égards pour leurs voisins qui étaient, comme qui dirait borgnes : ils les saluaient, s'en rapprochaient, se trémoussaient les bras et les jambes, comme des chrétiens qui font le carré d'un menuette...

Les sorciers paraissaient, cependant, attendre quelque chose, car ils tournaient souvent la tête en arrière ; mon défunt père regarde itou. Qu'est-ce qu'il aperçoit sur le coteau ? un grand diable bâti comme les autres, mais aussi long que le clocher de Saint-Michel, que nous avons passé tout à l'heure. Au lieu de bonnet pointu, il portait un chapeau à trois cornes surmonté d'une épinette en guise de plumet. Il n'avait ben qu'un œil, le gredin qu'il était ; mais ça en valait une douzaine : c'était sans doute le tambour-major du régiment, car il tenait d'une main une marmite deux fois aussi grosse que nos chaudrons à sucre qui tiennent vingt gallons ; et, de l'autre, un battant de cloche qu'il avait volé, je crois, le chien d'hérétique, à quelque église avant la cérémonie du baptême. Il frappe un coup sur la marmite et tous ces insécrables se mettent à rire, à sauter, à se trémousser en branlant la tête du côté de mon défunt père, comme s'ils l'invitaient à venir se divertir avec eux.

Vous attendrez longtemps, mes brebis, pensait, à part lui, mon défunt père, dont les dents claquaient dans la bouche comme un homme qui a les fièvres tremblantes ; vous attendrez longtemps, mes doux agneaux; il y a de la presse de quitter la terre du bon Dieu pour celle des sorciers.

Tout à coup le diable géant entonne une ronde infernale, en s'accompagnant sur la marmite qu'il frappait à coups pressés et redoublés; et tous les diables partent comme des éclairs; si bien, qu'ils ne mettaient pas une minute à faire le tour de l'île. Mon pauvre défunt père était si embêté de tout ce vacarme qu'il ne put retenir que trois couplets de cette belle danse ronde; et la voici:

> C'est notre terre d'Orléans (bis)
> Qu'est le pays des beaux enfants
> Toure-loure;
> Dansons à l'entour
> Toure-loure;
> Dansons à l'entour.

> Venez-y tous en survenants (bis)
> Sorciers, lézards, crapauds, serpents,
> Toure-loure;
> Dansons à l'entour
> Toure-loure;
> Dansons à l'entour.

> Venez-y tous en survenants (bis)
> Impies, athées et mécréants
> Toure-loure;
> Dansons à l'entour
> Toure-loure;
> Dansons à l'entour...

(*Les Anciens Canadiens.*)

OBSERVATIONS. — Quelles remarques vous suggèrent le vocabulaire et la syntaxe du morceau?

---

## 66 — Les deux Papineau

La renommée du jeune Papineau l'avait précédé avant même son entrée au Séminaire de Québec. Tout faisait présager, dès lors, une carrière brillante à cet enfant précoce, passionné pour la lecture, et dont l'esprit était déjà plus orné que la plupart des élèves qui achevaient leur cours d'études.

Papineau jouait rarement avec les enfants de son âge; il lisait pendant une partie des récréations, faisait une partie de dames, d'échecs, ou s'entretenait de littérature, soit avec ses maîtres, soit avec les écoliers des classes supérieures à la sienne. L'opinion générale était qu'il aurait été constamment à la tête de ses classes, s'il n'eût préféré la lecture à l'étude de la langue latine.

Comme il lui était permis, par faveur spéciale, de lire, même pendant l'étude, sans l'agrément des maîtres de salle, il se dépêchait de broder ses devoirs pour se livrer ensuite à son goût favori. Il était redevable de cette indulgence, je crois, en reconnaissance de services importants que son père avait rendus au Séminaire de Québec, ou, peut-être aussi, parce que les supérieurs croyaient, avec raison, que cette faveur ne l'empêcherait pas de faire de brillantes études...

Il existait un grand contraste entre les deux messieurs Papineau. Le père, Joseph Papineau, gros et trapu, n'avait de remarquable que sa tête énorme; ses vêtements même n'étaient pas en harmonie avec le rang qu'il occupait dans la société. Le fils, au contraire, était un bel homme, et irréprochable dans sa toilette, sans être un petit-maître. Son ton et ses manières sont, peut-être, d'une élégance un peu recherchée aux yeux de ceux qui, en rapports journaliers avec la société anglaise, ont contracté des manières plus raides.

Le fils, dans la conversation, et surtout quand il parlait en public, aurait plutôt hésité que de ne pas se servir de l'expression la plus élégante. Le père, au contraire, n'aurait pas substitué un mot plus élégant, au mot propre qu'il avait sur les lèvres, dès qu'il exprimait sa pensée.

La première impression que fit sur moi l'éloquence de M. Joseph Papineau ne s'est jamais effacée de ma mémoire. J'assistais, bien jeune, à une séance de notre parlement, lorsque je vis un membre, aux manières simples, se lever avec lenteur, en tenant dans la main droite un papier dont il venait probablement d'achever la lecture. Ses habits, une grande queue qui lui descendait plus bas que les épaules, quoique la mode en fût passée dans les villes.

tout me fit croire qu'il était un de ces notables que certains comtés de la campagne envoyaient alors pour les représenter dans l'assemblée provinciale. Il parla pendant l'espace d'une demi-heure, et sa parole coula toujours aussi facile, aussi abondante, que les eaux paisibles d'un grand fleuve, tandis que lui-même était aussi immobile que les deux rives qui l'encaissent. J'étais sous l'effet d'un charme inexprimable; je craignais à chaque instant qu'il ne cessât de parler: et chose surprenante je ne comprenais qu'à demi son discours. Le plus grand silence régnait dans la chambre: quant à moi je n'osais respirer. Tout turbulent que j'étais à cet âge, il me semblait que je ne me serais jamais lassé de l'entendre...

(*Mémoires*, ch. IX.)

# ANTOINE GERIN-LAJOIE

## (1824-1882)

L'auteur de *Jean Rivard* est à peine un romancier. Cependant le romancier est plus connu que l'historien qu'il y eut en lui. Le roman *Jean Rivard* est aussi sobre d'imagination et de sentiment que *Dix ans d'Histoire du Canada*. La simplicité rustique des récits, leur saveur de terroir, leur inspiration patriotique firent tout le succès de *Jean Rivard*.

Œuvres: *Jean Rivard* (1862-1864; *Dix ans d'histoire du Canada, 1840-1850.* (1888).

(Voir *Histoire de la Littérature canadienne*, p. 67-68, 103-107.)

## 67 — La sucrerie

Nos défricheurs improvisèrent donc au beau milieu du bosquet une petite cabane temporaire, et après quelques jours employés à compléter leur assortiment de goudrelles ou goudilles, d'auges, casseaux et autres vases nécessaires, dont la plus grande partie avaient été préparés durant les longues veillées de l'hiver, tous deux, un bon matin, par un temps clair et un soleil brillant, s'attaquèrent à leurs deux cents érables.

Jean Rivard, armé de sa hache, pratiquait une légère entaille dans l'écorce et l'aubier de l'arbre, à trois ou quatre pieds du sol, et Pierre, armé de sa gouge, fichait de suite au-dessous de l'entaille la petite goudrelle de bois, de manière à ce qu'elle pût recevoir l'eau sucrée suintant de l'arbre et la laisser tomber goutte à goutte dans l'auge placée directement au-dessous.

Dès les premiers jours, la température étant favorable à l'écoulement de la sève, nos défricheurs purent en recueillir assez pour faire une bonne brassée de sucre. Ce fut un jour de réjouissance. La chaudière lavée fut suspendue à la crémaillière, sur un grand feu alimenté par des éclats de cèdre, puis remplie aux trois quarts de l'eau d'érable destinée à être transformée en sucre. Il ne s'agissait que d'entretenir le feu jusqu'à parfaite ébullition du liquide, d'ajouter de temps en temps à la sève déjà bouillonnante quelques gallons de sève nouvelle, de veiller enfin, avec une attention continue, aux progrès de l'opération : tâche facile et douce pour nos rudes travailleurs.

Ce fut d'abord Pierre Gagnon qui se chargea de ces soins, ayant à initier son jeune maître à tous les détails de l'intéressante industrie.  Aucune des phases de l'opération ne passa inaperçue. Au bout de quelques heures, Pierre Gagnon, allant plonger dans la chaudière une écuelle de bois, vint avec sa gaieté ordinaire la présenter à Jean Rivard, l'invitant à se faire une trempette, en y émiettant du pain, invitation que ce dernier se garda bien de refuser.

Pendant que nos deux sucriers savouraient ainsi leur trempette, la chaudière continuait à bouillir, et l'eau s'épaississait à vue d'œil.  Bientôt Pierre Gagnon, y plongeant de nouveau sa micouenne, l'en retira remplie d'un sirop doré presque aussi épais que le miel.

Puis, vint le tour de la tire.  Notre homme prenant un lit de neige, en couvrit la surface d'une couche de ce sirop devenu presque solide, et qui en se refroidissant forme la délicieuse sucrerie que les Canadiens ont baptisée du nom de tire; sucrerie d'un goût beaucoup plus fin et plus délicat que celle qui se fabrique avec le sirop de canne ordinaire.

La fabrication de la tire qui s'accomplit au moyen de la manipulation de ce sirop refroidi, est presque invariablement une occasion de réjouissance...

Nos défricheurs sucriers durent se contenter pour cette première année d'un pique-nique à deux; mais il va sans dire que Pierre Gagnon fut à lui seul gai comme quatre.

Cependant la chaudière continuait à bouillir,

> Et de la densité suivant les promptes lois,
> La sève qui naguère était au sein du bois,
> En un sucre solide a changé sa substance.

Pierre Gagnon s'aperçut, aux granulations du sirop, que l'opération était à sa fin et il annonça par un hourra qui retentit dans toute la forêt, que le sucre était cuit.  La chaudière fut aussitôt enlevée du brasier et déposée sur des branches de sapin où on le laissa refroidir lentement, tout en agitant et brassant le contenu au moyen d'une palette ou mouvette de bois; puis le sucre fut vidé dans des moules préparés d'avance.

On en fit sortir, quelques moments après, plusieurs beaux pains de sucre, d'un grain pur et clair.

*(Jean Rivard, I.)*

---

## 68 — Pierre Gagnon et Françoise

### LES FRÉQUENTATIONS

En attendant, le vaillant défricheur songeait encore à autre chose. Tout en abattant les arbres, il lui arrivait de cesser quelquefois de chanter pour penser au bonheur dont jouissait son jeune maître depuis l'époque de son mariage. Il se disait que lui aussi, Pierre Gagnon, aurait un jour une compagne qui tiendrait son ménage et l'aiderait dans ses travaux. Jusque-là notre défricheur, sans être tout à fait insensible aux grâces et aux amabilités du beau sexe, n'avait eu aucune sérieuse affaire de cœur. Il s'était contenté de faire étriver toutes les filles de sa connaissance. Celles-ci s'amusaient de ses drôleries, et lorsqu'il devenait trop agaçant, lui ripostaient énergiquement; mais c'est tout ce qui s'ensuivait. Une d'elles cependant, soit que Pierre Gagnon eût montré plus de persistance à la faire endêver, soit qu'il eût laissé échapper en lui parlant quelqu'un de ces mots qui vont droit au cœur des femmes, soit enfin que la conduite ou le courage bien connus de Pierre Gagnon lui eussent inspiré une admiration plus qu'ordinaire, une d'elles s'obstinait à parler de lui et à en dire constamment du bien. C'était Françoise, l'ancienne servante du père Routier, qui avait montré tant d'empressement à suivre Louise dans le canton de Bristol.

A entendre Françoise, Pierre Gagnon n'avait pas son pareil. Il était fin, drôle, amusant; elle allait même jusqu'à le trouver beau, en dépit de la petite vérole dont sa figure était marquée.

Il est vrai que Pierre Gagnon soutenait à qui voulait l'entendre que ces petites cavités qui parsemaient son visage étaient de véritables grains de beauté, et que son père s'était ruiné à le faire graver de cette façon... Trouvez-lui donc un seul défaut! s'écriait souvent Françoise, en s'adressant à Louise. Et celle-ci avait toutes les peines du monde à calmer l'enthousiasme de sa servante.

Pierre Gagnon n'ignorait probablement pas tout à fait les sentiments de Françoise à son égard, mais il feignait de ne pas s'en douter, et se contentait le plus souvent, lorsqu'il l'apercevait de loin, d'entonner le refrain bien connu:

> C'est la belle Françoise,
> Allons gué
> C'est la belle Françoise...

Pierre Gagnon ne chantait pas bien, il avait même la voix un peu discordante, ce qui n'empêchait pas Françoise de se pâmer d'aise en l'écoutant. De même, lorsque le soir, pour se reposer de ses fatigues du jour, il faisait résonner sa bombarbe, c'était pour elle une musique ravissante.

Le véritable amour, l'amour sérieux, profond, a semblé de tout temps incompatible avec la gaîté; et l'on est porté à se demander si celui qui plaisante et rit à tout propos est susceptible d'aimer et d'être aimé. Assez souvent l'amour est accompagné d'un sentiment de tristesse; on va même jusqu'à dire que l'homme le plus spirituel devient stupide quand cette passion s'empare de lui. On pourrait croire d'après cela que Pierre Gagnon n'était pas réellement amoureux, car il est certain qu'il ne manifesta jamais la moindre disposition à la mélancolie. Mais en dépit de toutes les observations des philosophes et de tout ce qu'on pourrait dire au contraire, j'ai toute raison de croire qu'au fond Pierre Gagnon n'était pas insensible à l'amour de Françoise, et que c'est sur elle qu'il portait ses vues, lorsqu'en abattant les arbres de la forêt, il songeait au mariage...

On ne pouvait raisonnablement s'attendre cependant à voir Pierre Gagnon jouer auprès de Françoise le rôle d'un jeune langoureux, trembler en sa présence, ou tomber en syncope au frôlement de sa robe. Notre défricheur approchait de la trentaine, et depuis l'âge de cinq ou six ans, il avait constamment travaillé pour subvenir aux besoins matériels de la vie. Il n'avait pas eu l'ima-

gination faussée ou exaltée par la lecture des romans. La seule
histoire d'amour qu'il eût entendu lire était celle de Don Quichotte
et de la belle Dulcinée, et on peut affirmer qu'elle n'avait pas eu
l'effet de le rendre plus romanesque. Il se représentait une femme,
non comme un ange, une divinité, mais comme une aide, une
compagne de travail, une personne disposée à tenir votre maison,
à vous soigner dans vos maladies, à prendre soin de vos enfants,
lorsque le Bon Dieu vous en donne.

Mais ce qui prouve que l'indifférence de Pierre Gagnon pour
Françoise n'était qu'apparente, c'est qu'il devenait de jour en jour
moins railleur avec elle; il arrivait assez souvent qu'après une
kyrielle de drôleries et une bordée de rires homériques, il s'asseyait
près de Françoise et passait une demi-heure à parler sérieusement...

Lorsque, à l'époque des foins ou de la récolte, Pierre Gagnon
venait donner un coup de main à Jean Rivard, il était rare que
Françoise ne trouvât pas un prétexte d'aller aux champs, aider au
fanage ou à l'engerbage; ce travail devenait un plaisir quand
Pierre Gagnon y prenait part.

Personne, au dire de Françoise, ne fauchait comme Pierre
Gagnon; personne ne savait lier une gerbe de grain comme lui.

On en vint à remarquer que Pierre Gagnon qui, dans les
commencements, s'amusait à jeter des poignées d'herbe à Françoise,
à la faire asseoir sur des chardons, et à la rendre victime de mille
autres espiègleries semblables, cessa peu à peu ces plaisanteries à
son égard. On les vit même quelquefois, durant les heures de
repos, assis l'un à côté de l'autre, sur une veillotte de foin.

Si quelqu'un s'avisait désormais de taquiner Françoise, comme
lui-même avait fait plus d'une fois auparavant, on était sûr que
Pierre Gagnon se rangeait aussitôt du parti de la pauvre fille et
faisait bientôt tourner les rires en sa faveur.

Il ne pouvait plus souffrir que personne cherchât à l'effrayer
au moyen de fantômes ou d'apparitions; il réussit presque à la
persuader qu'il n'existait ni sorciers, ni revenants, ni loups-garous.
Comme le Scapin de Molière, il lui confessa qu'il était le principal
auteur des sortilèges et des visions étranges qui l'avaient tant
épouvantée dans les premières semaines de son séjour à Rivardville.

Quand Pierre Gagnon n'était pas au champ, Françoise passait ses moments de loisir à rêver en silence ou à chercher des trèfles à quatre feuilles.

Mais j'oubliais de dire un fait qui ne manqua pas d'exciter plus d'une fois les gorges chaudes de leurs compagnons et compagnes de travail : c'est qu'on les vit tous deux, dans la saison des fruits, passer le temps de la "repose" à cueillir des fraises, des mûres, des framboises ou des bluets, et, chose extraordinaire, Pierre Gagnon, sous prétexte qu'il n'aimait pas les fruits, donnait tout à Françoise.

Eh bien ! le croira-t-on ? Malgré tous ces témoignages d'intérêt, malgré ces nombreuses marques d'attention et d'amitié, les gens n'étaient pas d'accord sur les sentiments de Pierre Gagnon. Les uns prétendaient qu'il ne voulait que s'amuser aux dépens de Françoise, d'autres soutenaient que son but était tout simplement de "faire manger de l'avoine" au petit Louison Charli qui passait, à tort ou à raison, pour "aller voir" la servante de Jean Rivard. Enfin le plus grand nombre s'obstinaient à dire que Pierre Gagnon ne se marierait jamais.

## LA GRAND'DEMANDE

Mais il était temps que Pierre Gagnon parlât de mariage à Françoise, car son silence intriguait fort la pauvre fille et la tenait dans une incertitude inquiétante.

Elle ne dormait plus sans mettre un miroir sous sa tête afin de voir en rêve celui qui lui était destiné.

Enfin, un jour que Jean Rivard était dans son champ occupé à faire brûler de l'abatis, Pierre Gagnon qui travaillait sur son propre lot laissa un moment tomber sa hache et s'en vint droit à lui.

"Mon bourgeois, dit-il, en essuyant les gouttes de sueur qui coulaient de son front, je suis venu vous parler d'une chose qu'il y a longtemps que je voulais vous en parler. Manquablement que je vas vous surprendre, et que vous allez rire de moi ; mais c'est égal, riez tant que vous voudrez, vous serez toujours mon empereur comme auparavant...

— Qu'est-ce que c'est donc, dit Jean Rivard, dont la curiosité devint un peu excitée par ce préambule ?

— Ça me coûte quasiment d'en parler, mon bourgeois, mais puisque je suis venu pour ça, faut que je vous dise que je pense à me bâtir une petite cabane sur mon lot...

— Et à te marier ensuite, je suppose?

— Eh bien oui, vous l'avez deviné, mon bourgeois; vous allez peut-être me dire que je fais une folie?...

— Au contraire, je ne vois rien là que de très naturel. Tu ne me surprends pas autant que tu parais le croire; je t'avoue même que je soupçonnais un peu depuis quelque temps que tu songeais à cette affaire.

— Tenez, voyez-vous, mon bourgeois, me voilà avec une dizaine d'arpents de terre de défrichés; je vais me bâtir une cabane qui pourra tenir au moins deux personnes; avec l'argent qui me restera, je pense que je pourrai aussi me bâtir une grange dans le courant de l'été. Je suis parti pour faire une assez grosse semence ce printemps, et vous comprenez que si j'avais une femme, ça m'aiderait joliment pour faire le jardinage et engerber, sans compter que ça serait moins ennuyant de travailler deux en jasant que de chanter tout seul en travaillant, comme je fais depuis que j'ai quitté votre service.

— Oui, oui, Pierre, tu as raison: une femme, c'est joliment désennuyant, sans compter, comme tu dis, que ça a bien son utilité. Si j'en juge d'après moi-même, tu ne t'en repentiras jamais d'avoir pris ce parti.

— Mais, il faut que je vous dise avec qui je veux me marier. Vous serez peut-être surpris tout de bon, cette fois-ci. Vous ne vous êtes peut-être pas aperçu que j'avais une blonde. Madame Rivard en a bien quelque doutance, elle; les femmes, voyez-vous, ça s'aperçoit de tout.

— Est-ce que ça serait Françoise, par hasard?

— Eh bien, oui, mon bourgeois, vous l'avez encore deviné; c'est Françoise.

— Je savais bien, d'après ce qu'avait dit ma femme, qu'elle était un peu folle de toi, mais je n'étais pas sûr si tu l'aimais; je croyais même quelquefois que tu en faisais des badinages.

— Ah! pour ça, mon bourgeois, je vous avouerai franchement que je ne suis pas fou de Françoise, comme ce pauvre défunt Don

Quichotte l'était de sa belle Dulcinée; mais je l'aime assez comme ça, et si on est marié ensemble, vous verrez qu'elle n'aura jamais de chagrin avec son Pierre. C'est bien vrai que je l'ai fait étriver quelquefois, mais ce n'était pas par manière de mépris; voyez-vous, il faut bien rire un peu de temps en temps pour se reposer les bras. Si je la faisais enrager, c'est que je savais, voyez-vous, qu'elle n'était pas rancuneuse...

— Quant à cela, je pense en effet qu'elle ne t'en a jamais voulu bien longtemps.

— Puis, tenez, mon empereur, pour vous dire la vérité, je ne suis pas assez gros bourgeois, moi, pour prétendre à un parti comme mademoiselle Louise Routier; je veux me marier suivant mon rang. Je serais bien fou d'aller chercher une criature au loin, pour me faire retaper, tandis que j'en ai une bonne sous la main. Vous comprenez bien que je suis pas sans m'être aperçu que Françoise est une grosse travaillante, une femme entendue dans le ménage, et que c'est, à part de ça, un bon caractère, qui ne voudrait pas faire de peine à un poulet. C'est bien vrai qu'elle ne voudra jamais commencer un ouvrage le vendredi, mais ça ne fait rien, elle commencera le jeudi; et quant aux revenants, j'espère bien qu'une fois mariée, elle n'y pensera plus.

— J'approuve complètement ton choix, mon ami, et je suis sûr que ma femme pensera comme moi, tout en regrettant probablement le départ de Françoise qu'elle ne pourra pas facilement remplacer. Les bonnes filles comme elle ne se rencontrent pas tous les jours.

— Merci, mon bourgeois, et puisque vous m'approuvez, je vous demanderai de me rendre un petit service, ça serait de faire vous-même la grande demande à Françoise, et de vous entendre avec elle et avec madame Rivard pour fixer le jour de notre mariage. J'aimerais, si c'était possible, que ça fût avant les récoltes.

— Bien, bien, comme tu voudras, Pierre; je suis sûr que tout pourra s'arranger pour le mieux.

Après cette importante confidence, Pierre Gagnon regagna son champ d'abatis.

De retour à sa maison, Jean Rivard fit part à sa femme des intentions de son ancien compagnon de travail. Après avoir commenté cet événement d'une manière plus ou moins sérieuse, ils firent venir Françoise.

Eh bien! Françoise, dit Jean Rivard, es-tu toujours disposée à te marier?

— Moi, me marier! s'écria Françoise tout ébahie et croyant que son maître voulait se moquer d'elle, oh! non, jamais; je suis bien comme ça, j'y reste: et elle retourna de suite à sa cuisine avant qu'on pût s'expliquer davantage.

Cependant une fois seule, elle se mit à penser... et quoiqu'elle fût encore loin de soupçonner ce dont il s'agissait, elle s'avança de nouveau vers ses maîtres:

Madame Rivard sait bien, dit-elle, qu'il n'y en a qu'un avec qui je me marierais, et celui-là ne pense pas à moi. Pour les autres, je n'en donnerais pas une coppe.

— Mais si c'était celui-là qui te demanderait en mariage, dit madame Rivard.

— Pierre Gagnon! s'écria Françoise; ah! Jésus Maria! jamais je ne le croirai!...

— C'est pourtant bien le cas, c'est Pierre Gagnon lui-même.

— Sainte bénite! moi, la femme de Pierre Gagnon? Mais êtes-vous sûrs qu'il ne dit pas cela pour rire?

— Il y va si sérieusement que tu peux fixer toi-même le jour de votre mariage.

— Bonne sainte Vierge!... me voilà donc exaucée.

(*Jean Rivard*, II.)

OBSERVATIONS. — 1° Vérité de l'observation, vérité du vocabulaire: pourriez-vous retrouver dans ces pages ces deux qualités? — 2° Plénitude du récit ou abondance sans surcharge: est-ce cela que vous remarquez à la lecture de ce morceau? et est-ce un effet de l'art? — 3° L'esprit populaire: il paraît plus qu'il ne se montre. Le constatez-vous ici?

———————

# JOSEPH MARMETTE

## (1844-1895)

Il est le premier, en date, de nos romanciers qui aient pratiqué le roman historique. Il fut très lu par ses contemporains pour deux raisons: l'une, la plus considérable, tient à l'intérêt qui s'attachait aux personnages qu'il mettait en scène, l'autre, à un certain don qu'il possédait de communiquer la vie aux événements tragiques ou romanesques.

Œuvres principales: *François de Bienville* (1870); *L'Intendant Bigot* (1872); *Le Chevalier de Mornac* (1873).

(Voir *Histoire de la Littérature canadienne*, p. 110.)

## 69 — Un bal chez l'intendant

— Ne disiez-vous pas tantôt, Bérard, fit Bigot en se dirigeant vers les dames, que les bourgeois se plaignent hautement de la taxe que nous leur avons imposée pour l'entretien des casernes?

— Oui, Monsieur. Il en est même qui ne se contentent pas de murmurer, mais qui menacent.

— Ah! bah! qu'importe, pourvu qu'ils payent.

Cette répétition du fameux mot de Mazarin eut un succès fou et fit rire aux éclats les courtisans de Bigot.

— Oui, riez, Messieurs, répondit comme un écho une voix vibrante qui partit de l'extrémité de l'appartement.

Les femmes se retournèrent avec effroi, les hommes avec surprise. Et tous aperçurent à la porte du salon un vieillard qui semblait plutôt un spectre, avec ses joues hâves et ses yeux creusés par la misère.

Derrière lui apparaissait la tête curieuse d'une pâle enfant dont les grands yeux noirs regardaient avec autant de timidité que d'étonnement la brillante réunion qui les frappait.

C'était M. de Rochebrune et sa fille, que le peu de lumière produit par l'éloignement des lustres ne permettait pas de reconnaître à l'endroit reculé où ils se trouvaient tous deux.

— Allez ! continua le vieux militaire d'une voix puissante qui avait plus d'une fois dominé le tumulte des batailles, gaudissez-vous, valets infidèles, car le maître est loin et le peuple que vous volez sans merci, courbe la tête ! Allons ! plus de vergogne, vous êtes ici tout-puissants et le pillage amène l'orgie ! Il fait si bon, n'est-ce pas, pour des roués de votre espèce, s'enivrer à table alors que la famine règne sur la ville entière ! Certes, je conçois que ce raffinement réveille même l'appétit d'un estomac blasé !

Prenez garde, pourtant, mes maîtres ! car de l'escroquerie à la trahison, il n'y a qu'un pas à faire ! Et si le voleur risque au moins sa réputation, l'autre joue sa tête.

Ecoutez ! continua le vieillard, comme saisi d'une subite inspiration. L'ennemi s'avance... j'entends au loin le bruit de son avant-garde qui franchit la frontière... Manquant de vivres et de munitions, nos soldats inférieurs en nombre retraitent pour la première fois... L'Anglais les suit... il s'approche... il arrive... et je vois ses bataillons serrés entourer nos murailles...

Et guidés par un traître, je vois nos ennemis tant de fois vaincus, surprendre et écraser nos frères ! Honte et malheur ! Ce traître, c'est par vous qu'il sera soudoyé !...

Stupéfiés par cette brusque apparition qui pesait sur eux comme un remords, subjugués par cette voix tonnante qui leur jetait si hardiment leurs méfaits à la face, tous, maîtres, femmes et valetaille, avaient écouté sans pouvoir interrompre.

Bigot fut le premier à recouvrer ses esprits.

— Tudieu ! marauds ! cria-t-il aux valets ébahis, ne mettrez-vous pas ce fou furieux à la porte !

— Arrière ! manants ! s'exclama Rochebrune, qui retraversa lentement l'antichambre et sortit du palais suivi de loin par les domestiques qui n'osaient se rapprocher de lui.

Lorsque le plus hardi d'entre eux sortit sa tête au dehors, par la porte entre-bâillée, il vit le vieillard chanceler et s'abattre lourdement sur le dernier degré du perron.

— Au diable, le vieux fou! fit le valet en refermant la porte,
qu'il s'empressa cette fois de verrouiller au dedans.

— A-t-on jamais vu pareille impudence! murmuraient les
invités.

— Bah! ce n'est rien, répartit Bigot.   Seulement j'aurai soin
désormais de placer le lieu de nos réunions hors des approches de
pareils maroufles.   Allons! mesdames, je crois qu'un peu de danse
vous remettra.   Violons! une gavotte!

Et tandis que les premiers accords de l'air demandé roulaient
sous les hauts plafonds de la salle, l'intendant offrait le bras à
Mme Péan avec laquelle il ouvrit le bal.

Quelques instants plus tard, à voir l'entrain des hommes et
la coquetterie des femmes, on n'aurait jamais cru que la colère et
l'effroi venaient de faire trembler cette foule enivrée maintenant
de musique et de danse...

Le bal était fini, et chaudement drapés dans leurs fourrures,
les invités de M. l'Intendant venaient de prendre congé de leur
hôte.

Celui-ci donnait le bras à Mme Péan dont le cou de cygne se
perdait dans le duvet d'une riche pèlerine.   Il la voulait reconduire
jusqu'à sa carriole.

— Mais où sont donc vos domestiques? dit Bigot en sortant
sur le perron.   Je ne les vois point.   Ah! je comprends.   Ces
messieurs sont à faire la noce à la cuisine avec mes serviteurs, leurs
amis.   Car je vois les voitures de ce côté.

En ce moment, la jeune femme poussa un cri terrible.

Elle venait de mettre le pied sur le cadavre de M. de
Rochebrune.

— Valets! des flambeaux! cria l'intendant.

Aussitôt des domestiques sortirent avec des torches.

— Encore cet homme! fit Bigot, qui s'était penché sur le
corps inanimé.

Attirés par les cris et la lumière, de braves bourgeois de
Saint-Roch, qui revenaient de la messe de minuit et s'en retournaient chez eux, entrèrent dans la cour du palais et s'approchèrent

du groupe sur lequel la flamme des torches agitées par le vent jetait d'étranges et vacillantes lueurs.

L'un des valets mit la main à l'endroit du cœur, sur la poitrine de M. de Rochebrune.

— Le vieux est bien mort! dit-il.

— Tant mieux pour lui, grommela Bigot, car cet homme était gênant!

— Mais la petite fille vit, continua le domestique.   Elle respire encore.

— Oh! la pauvrette! dit un homme du peuple en se penchant vers Berthe qu'il enleva dans ses bras; je ne suis pas riche, mais il ne sera jamais dit que Jean Lavigueur aura laissé périr de froid une créature du bon Dieu.

Il perça la foule et s'éloigna avec l'enfant.

— Mon Dieu! fit Mme Péan, que Bigot déposa dans sa voiture, encore pâmée, la pauvre femme, de la peur qu'elle avait éprouvée au contact du cadavre; mon Dieu! je ne dormirai pas de la nuit, c'est bien sûr.

*(L'Intendant Bigot.)*

OBSERVATIONS. — 1° Cette page de Joseph Marmette est attachante. Donnez les raisons de l'intérêt qu'elle vous offre. — 2° Cette page est une scène de mœurs où la psychologie se mêle au récit.   Pourriez-vous le faire voir? Indiquez les mots, les réparties où se montre avec le plus de finesse le sens de l'observation de l'auteur.

---

# LAURE CONAN

## (1845-1924)

Elle alimente sa pensée d'histoire et de psychologie; elle a commencé par la psychologie. Ses romans empruntent à ce double élément de fond leur intérêt principal. La langue qu'écrit Laure Conan se pénètre volontiers d'une émotion sobre; sa prose est moins animée, et quelquefois terne, quand elle raconte l'histoire.

Œuvres principales: *Angéline de Montbrun* (1884); *A l'œuvre et à l'épreuve* (1891); *L'Oublié* (1902); *La Sève Immortelle* (1925).

(Voir *Histoire de la Littérature canadienne*, p. 110-113.)

## 70 — Rêveries: Journal d'Angéline

12 juillet.

J'aime à voir le soleil disparaître à travers les grands arbres de la forêt: la voilà déjà qui dépouille sa parure de lumière pour s'envelopper d'ombre. A l'horizon les nuages pâlissent. On dit beau comme un ciel sans nuages, et pourtant, que les nuages sont beaux lorsqu'ils se teignent des feux du soir! Tantôt en admirant ces groupes aux couleurs éclatantes, je songeais à ce que l'amour de Dieu peut faire de nos peines, puisque la lumière en pénétrant de sombres vapeurs, a fait une merveilleuse parure au firmament.

Lorsqu'il fait beau à la tombée de la nuit, je me promène dans mon beau jardin, ce jardin si délicieux, disait Maurice, que les amoureux seuls y devraient entrer.

C'est charmant d'entendre les oiseaux s'appeler dans les arbres. Avant de regagner leurs nids, il y en a qui viennent boire et se baigner au bord du ruisseau. Ce ruisseau, qui tombe de la montagne avec des airs de torrent, coule ici si doux; c'est plaisir de suivre ses gracieux détours. On dirait qu'il ne peut se résoudre à quitter le jardin; j'aime ce faible bruit parmi les fleurs.

26 juillet.

Longtemps, je me suis arrêtée à regarder la mer toute fine haute et parfaitement calme. C'est beau comme le repos d'un cœur passionné. Pour bouleverser la mer il faut la tempête, mais pour troubler le cœur jusqu'au fond, que faut-il!... Hélas, un rien, une ombre. Parfois, tout agit sur nous, jusqu'à la fumée qui tremble dans l'air, jusqu'à la feuille que le vent emporte. D'où vient cela? n'en est-il pas du sentiment comme de ces fluides puissants et dangereux qui circulent partout, et dont la nature reste un si profond mystère?

Dieu ne donne pas à tous la sensibilité vive et profonde. Ni la douleur, ni l'amour ne vont avant dans bien des cœurs, et le temps y efface les impressions aussi facilement que le flot efface les empreintes sur le sable.

On dit que le cœur le plus profond finit par s'épuiser. Est-ce vrai? Alors c'est une pauvre consolation.

8 septembre.

Comme on reste enfant! Depuis hier je suis folle de regrets, folle de chagrin. Et pourquoi? Parce que le vent a renversé le frêne sous lequel Maurice avait coutume d'aller s'asseoir avec ses livres. J'aimais cet arbre qui l'avait abrité si souvent, alors qu'il m'aimait comme une femme rêve d'être aimée. Que de fois n'y a-t-il pas appuyé sa tête brune et pâle. "De sa nature, l'amour est rêveur", me disait-il parfois.

Cet endroit de la côte, d'où l'on domine la mer, lui plaisait infiniment, et le bruit des vagues l'enchantait. Aussi il y passait souvent de longues heures. Il avait enlevé quelques pouces de l'écorce du frêne, et gravé sur le bois, entre nos initiales, ce vers de Dante:

Amor chi a nullo amato amar perdona.(1)

Amère dérision maintenant! et pourtant ces mots gardaient pour moi un parfum du passé. J'aurais donné bien des choses

_____

(1) L'amour impose à qui est aimé d'aimer en retour.

pour conserver cet arbre consacré par son souvenir. La dernière fois que j'en approchai, une grosse araignée filait sa toile, sur les caractères que sa main a gravés, et cela me fit pleurer. Je crus voir l'indifférence hideuse travaillant au voile de l'oubli. J'enlevai la toile, mais qui relèvera l'arbre tombé, renversé dans toute sa force, dans toute sa sève?

Le cœur se prend à tout, et je ne puis dire ce que j'éprouve, en regardant la côte où je n'aperçois plus ce bel arbre, ce témoin du passé. J'ai fait enlever l'inscription. Lâcheté, mais qu'y faire? Pendant ce temps, il est peut-être très occupé d'une autre.

11 septembre.

Je travaille beaucoup pour les pauvres. Quand mes mains sont ainsi occupées, il me semble que Dieu me pardonne l'amertume de mes pensées, et je maîtrise mieux mes tristesses.

Mais aujourd'hui, je me suis oubliée sur la grève. Debout dans l'angle d'un rocher, le front appuyé sur mes mains, j'ai pleuré librement, sans contrainte, et j'aurais pleuré longtemps sans ce bruit des vagues qui semblait me dire: La vie s'écoule. Chaque flot en emporte un moment.

Misère profonde. Il me faut la pensée de la mort pour supporter la vie. Et suis-je plus à plaindre que beaucoup d'autres? J'ai passé par des chemins si beaux, si doux, et sur la terre il y en a tant qui n'ont jamais connu le bonheur, qui n'ont jamais senti une joie vive.

Que d'existences affreusement accablées, horriblement manquées. Combien qui végètent sans sympathies, sans affections, sans souvenirs. Parmi ceux-là, il y en a qui auraient aimé avec ravissement, mais les circonstances leur ont été contraires. Il leur a fallu vivre avec des natures vulgaires, médiocres, également incapables d'inspirer et de ressentir l'amour.

Combien y en a-t-il qui aiment comme ils voudraient aimer, qui sont aimés comme ils le voudraient être? Infiniment peu. Moi, j'ai eu ce bonheur si rare, si grand; j'ai vécu d'une vie idéale,

intense. Et cette joie divine, je l'expie par d'épouvantables tristesses, par d'inexprimables douleurs.

(*Angéline de Montbrun.*)

OBSERVATIONS. — I° Pour faire de beaux rêves, à l'état de veille, des
rêves artistiques, il faut de la sensibilité, de l'imagination, de la psychologie. Reconnaissez-vous tout cela dans les rêveries de Laure Conan?
2° Commentez la rêverie du 8 septembre. Quel intérêt y trouvez-vous?

---

## 71 — Le prix de la survivance

— Votre pays a sur vous des droits imprescriptibles. Y avez-
vous bien réfléchi, mon fils?

— Oui, mère, et cette pensée m'a troublé, murmura Jean.

— Mais, cette pensée ne vous a pas arrêté!... vous voulez
partir... Sous la terre canadienne pourtant, il y a cinq générations de Tilly. Québec n'était qu'un petit poste perdu dans la
forêt sans bornes, quand votre ancêtre Jean de Tilly vint s'y
établir... Enfant, je me souviens que vous m'interrogiez sur lui.
Sa pauvre maison, avec les étoiles au-dessus, la forêt tout autour,
parlait à votre imagination. C'était vraiment singulier comme
vous vous intéressiez aux pionniers de la Nouvelle-France. Je
voyais que de magnifiques images passaient dans votre petite tête...

Jean les revoyait ces images. Ces robustes cœurs en cendres,
il les sentait vibrer en lui. Il avait si bien cru que les pas de
Champlain avaient laissé sur la terre canadienne une empreinte
que rien n'effacerait jamais.

— C'étaient des hommes, dit-il douloureusement. Pourquoi
faut-il que leur œuvre soit à bas?

— Tout est-il fini?... Faut-il renoncer à l'espoir que, malgré
tout, la race française vivra chez nous?... Notre grande Marie
de l'Incarnation disait: "Le Canada est un pays spécialement gardé
par la Providence". Je le crois, j'ai foi en nos destinées.

Mais, si ceux qui devraient maintenir la religion catholique,
les traditions, la langue, s'en vont, il est sûr que le pays sera
bientôt anglais. Avez-vous réfléchi à votre responsabilité vis-à-vis

de ceux qui vont rester... qui ont tant besoin d'exemples et d'en-
couragements? Votre départ, croyez-moi, aura un mauvais effet.

— Ah! mère, je le crains, dit Jean, se serrant contre elle,
comme lorsqu'il était petit. Mais, c'est bien ma race que je vais
servir là-bas... Et Thérèse... elle est si délicieuse, elle m'aime
tant! Elle aurait voulu faire tous les sacrifices, ne pas m'en
demander un seul. Elle veut que je vous dise qu'elle vous aurait
été la plus tendre, la plus dévouée des filles, mais jamais ses parents
ne consentiront à la laisser ici. Il faut donc que je parte... je ne
puis pas lui déchirer le cœur...

— S'il vous fallait marcher au combat... à la mort... vous
laisseriez-vous arrêter par la pensée de sa douleur, de tout ce qu'elle
souffrirait?... Ni son amour, ni son désespoir ne vous retien-
draient. Vous partiriez... Aujourd'hui, la guerre est finie.
C'est à l'obscur, à l'incessant combat contre les misérables difficultés
de l'existence qu'il faut tout sacrifier... La survivance de notre
race est à ce prix.

Son fils la regardait avec une expression de détresse qui lui
transperçait le cœur. Elle poursuivit:

— Je vous l'ai dit, je ne m'oppose pas à votre mariage, à votre
départ. Ma bénédiction et ma prière vous suivront partout. Mais,
si ma tendresse ne me trompe pas, vous avez l'âme grande, mon fils.
Rien ne vous fera oublier votre patrie... la pauvre terre natale
qui a bu votre sang... vous souffrirez de ne l'avoir plus sous les
pieds... l'avoir abandonnée vous sera un remords. Je comprends,
je ressens profondément votre douleur, mon cher enfant; mais,
toute chose dure et terrible à nos cœurs n'est que le secret de la
bonté de Dieu... Je vous en conjure, avant de vous décider à
partir, examinez bien ce qu'exige le devoir... ce que commande
l'honneur...

Le front appuyé sur ses mains, Jean l'avait écoutée dans un
silence farouche. Pendant quelques minutes, il resta immobile,
puis, il se leva. Ses yeux, restés secs et brillants, se creusèrent
soudain, et, lentement, il dit:

— Vous dites vrai, ma mère, le devoir est ici... je n'ai pas
le droit d'être heureux... je ne partirai pas...

*(La Sève Immortelle.)*

## CHAPITRE IV

# CHRONIQUES — JOURNALISME — ÉLOQUENCE

## P.-J.-O. CHAUVEAU

### (1820-1890)

Il fut romancier, poète, orateur, publiciste, politique, ministre. Il tenait peut-être à la littérature plus qu'à tout le reste. Il exerça par elle sa plus grande influence. Sa réputation d'orateur surpassa toutes les autres qu'il put acquérir. Il savait donner à sa pensée une ampleur et une précision qui firent la force de ses discours.

Œuvres: *Charles Guérin*, roman (1853); *Instruction publique au Canada* (1876); *l'abbé Jean Holmes et ses conférences de Notre-Dame*: étude littéraire et biographique (1876); *Souvenirs et Légendes* (1877); *François-Xavier Garneau, sa vie et ses œuvres* (1883).

(Voir *Histoire de la Littérature canadienne*, p. 34-35; 98; 117-119.)

## 72 — La bataille de Sainte-Foy (1760) [1]

Ce qui s'est passé ici, il y a près d'un siècle, c'était donc, de la part de la brave armée anglaise, commandée par le général Murray, victorieuse une première fois sur le même terrain, c'était un effort suprême pour ne pas se laisser enlever les fruits de sa victoire, pour conserver cette forteresse dont la possession était depuis si longtemps l'objet de ses convoitises, pour maintenir la supériorité lentement et péniblement acquise par plus d'un siècle de luttes cruelles et incessantes, de désastres sans nombre pour les colonies

---

[1] Extrait du discours prononcé le 18 juillet 1855, à l'occasion de la pose de la première pierre du Monument des Braves, à Sainte-Foy, en présence de Sir Edmond Head, gouverneur général du Canada, et du commandant de la *Capricieuse*, corvette française.

anglaises que les bandes canadiennes et les hordes sauvages dévastaient chaque année par le fer et la flamme.

Et c'était de la part des troupes françaises fatiguées, mais non épuisées par une longue marche à la pluie et au tonnerre, c'était un effort également héroïque, pour venger leur défaite et la mort de Montcalm, pour reconquérir ce promontoire qui tient la clef de presque toute l'Amérique, pour prouver qu'ils étaient toujours les soldats d'Oswégo et de Carillon.

Mais, pour les milices canadiennes, c'était encore plus que tout cela: c'était la sépulture définitive ou la résurrection de tout ce qu'elles avaient aimé et vénéré au foyer domestique; c'était l'agonie ou le triomphe de la religion et de la patrie; et, pour ces hommes que le gouvernement qui les abandonnait avait toujours tenus pauvres, et qui, pauvres, venaient encore de perdre le peu qui leur restait, il n'y avait plus que la vie, et la vie elle-même n'était plus rien sans les deux seuls biens qu'ils eussent au monde: la religion et la patrie.

Ce fut donc toute la journée et pendant trois heures surtout, une lutte comme l'histoire nous en montre peu de plus meurtrière, eu égard au nombre des combattants. Plus de trois mille hommes, sur quatorze mille, restèrent sur le champ de bataille. "L'eau et la neige, dit M. Garneau (qui a élevé à ces braves, dans son histoire, un monument plus durable que celui dont nous posons les bases), l'eau et la neige, qui couvraient encore le sol par endroits, étaient rougies du sang que la terre gelée ne pouvait pas boire, et les malheureux blessés nageaient dans des mares livides où l'on enfonçait jusqu'à mi-jambe".

C'était ici, sur le petit espace de terre où nous sommes réunis et où s'élevait le moulin de Dumont, édifice qui dominait la position, c'était entre les grenadiers de la Reine commandés par M. d'Aiguebelle, et les montagnards écossais sous les ordres du colonel Fraser, un combat acharné, qui n'a été égalé depuis que par celui que se livrèrent les Anglais et les Français pour le château d'Hougoumont, ou encore, par celui que ces derniers ont livré contre les Russes pour la prise du Mamelon vert, à Sébastopol. Le moulin fut trois fois pris et repris, et chaque fois, les grenadiers eurent à marcher sous le feu incessant d'une lourde et puissante artillerie.

Bourlamaque, dont le nom, dans toute la guerre, avait figuré à côté de ceux de Montcalm et de Lévis, fut gravement blessé et eut son cheval tué sous lui dans cet endroit même.

C'était, plus loin, entre les milices canadiennes, commandées par M. de Repentigny et par le colonel Rhéaume, et le centre de l'armée anglaise, une lutte non moins héroïque. "L'on voyait, dit encore M. Garneau, les milices charger leurs armes couchées, se relever après les décharges de l'artillerie ennemie, et fusiller les canonniers sur leurs pièces."

Enfin, à la droite, M. de Saint-Luc, avec un parti de Canadiens et de Sauvages, et le colonel Poularier, avec le Royal-Roussillon, culbutaient et tournaient l'aile gauche de l'armée anglaise, la rejetaient sur le centre, qu'ils prenaient en flanc, et décidaient du sort de la journée.

Partout c'était une scène de carnage et de désolation; un ciel lourd et sombre pesait sur la campagne, des torrents de pluie se mêlaient aux flots de sang humain, les éclairs labouraient le ciel comme les feux des deux armées sillonnaient la terre, les éclats de la foudre se mêlaient aux décharges de l'artillerie, aux fanfares guerrières, aux cris des combattants, aux plaintes des mourants, et la nuit, lorsque le silence et l'immobilité eurent remplacé le bruit et le tumulte, à la lueur des éclairs, les innombrables blessés de l'armée française étaient portés à l'Hôpital-Général, au pied du coteau, tandis que l'armée anglaise, rentrée dans les murs, encombrait des siens tous les couvents de la ville.

Le lendemain, on commençait les travaux d'un siège qui fut levé précipitamment, lorsqu'au lieu de la flotte française que nos pères attendaient comme leur dernière ressource, leur dernière planche de salut, ils virent paraître dans la rade une escadre anglaise, qui, par sa seule présence, assura pour toujours la domination britannique sur ces vastes et riches contrées.

OBSERVATIONS. — Appréciez le style de cette description oratoire. Dites quelle sorte d'intérêt vous y trouvez.

## 73 — Portrait de F.-X. Garneau

Intègre, laborieux, économe dans une juste mesure, homme d'intérieur et d'habitudes régulières, modeste mais fier d'une juste et noble fierté; timide en apparence, mais au besoin courageux; doux et confiant d'ordinaire, mais sur certains sujets, très ferme et presque opiniâtre; doué d'un grand talent littéraire et en même temps d'aptitudes pour les affaires, menant de front patiemment et au prix de combats intérieurs dont seul peut-être il pouvait se rendre compte, menant de front, dis-je, des études incessantes de la plus haute portée et un travail assidu d'une nature bien prosaïque; M. Garneau était un homme d'autant plus complet qu'il y avait en lui plus de contrastes, plus d'heureuses antithèses.

Ceux qui ne le connaissaient que par ses ouvrages devaient éprouver quelque désappointement en le voyant pour la première fois. Une certaine hésitation nerveuse, un certain embarras qui n'était pourtant point de la gaucherie et qui n'excluait point une irréprochable urbanité, faisaient que l'on se demandait si c'était bien là l'intrépide défenseur de la nationalité franco-canadienne. Mais dès que, sous son front dénudé, son intelligente figure s'éclairait des reflets de la pensée, dès qu'il s'animait à parler de quelque sujet favori, on reconnaissait l'homme supérieur, et, ce qui est mieux encore, l'homme convaincu qui s'est dévoué à la réalisation d'un noble sujet. Dans ses portraits, sa physionomie pensive, empreinte d'une douce et modeste gravité, fait aussi la même impression. Quoiqu'il fût, d'habitude, plutôt sérieux qu'enjoué, il savait rire avec ses amis d'un bon petit rire plein de bonhomie et de franchise. S'il n'aimait pas les réunions du grand monde, les soirées à prétentions et les dîners fastueux, il se rendait volontiers aux réunions intimes, aux petites parties de cartes, aux réceptions improvisées si fréquentes et si agréables dans la bonne vieille ville de Québec. Ses études, toutefois, ne lui permettaient que rarement ces innocentes distractions. Le temps qui lui restait, ses devoirs officiels accomplis, — et il les remplissait avec exactitude — était consacré d'abord à sa grande œuvre à laquelle, comme on l'a vu, il ne cessa jamais de travailler, à sa correspondance littéraire très étendue et à la lecture de ses auteurs favoris. Nous connaissons ceux de sa jeunesse; dans ses dernières années, c'était surtout Tacite, qu'il lisait dans une excellente traduction, et Thierry, qu'il aimait tant à citer. Quelques promenades sur la terrasse, autour des remparts de la ville, ou bien sur le chemin de Sainte-Foy, quelques visites aux bibliothèques et aux salles de lecture de la Société littéraire et historique, de l'Institut canadien, de l'Université ou du Parlement — rendez-vous des lettrés avec qui il aimait à causer — complétaient sa journée. Assez souvent, surtout dans les dernières années de sa vie, ces promenades se terminaient par une visite à la vieille et historique cathédrale de Notre-Dame, où l'on pouvait l'entrevoir dans la pénombre des nefs les moins fréquentées, incliné dans l'attitude de la plus humble et de la plus ardente prière.

(*Vie et œuvres de F.-X. Garneau.*)

# ARTHUR BUIES

## (1840-1901)

Prince des chroniqueurs canadiens. Arthur Buies a pris tous les tons dans ses chroniques. Ironie légère ou mordante, gaieté, mélancolie, tristesse: il y a de tout cela chez ce bohème de Québec. Et l'on y peut ajouter un souci attentif de l'observation réaliste.

Œuvres principales: *Chroniques, Humeurs et Caprices* (1873); *Chroniques, Voyages* (1875); *Petites Chroniques pour 1877* (1878); *Récits de Voyages* (1890).

(Voir *Histoire de la Littérature canadienne*, p. 122-124.)

## 74 — Québec en 1871

Je porte mes regards à l'est, à l'ouest, au sud, au nord; partout un ciel bas, chargé de nuages, de vents, de brouillards froids, pèse sur des campagnes encore à moitié ensevelies sous la neige. Le souffle furieux du nord-est fait trembler les vitres, onduler les passants, frémir les arbres qui se courbent en sanglotant sous son terrible passage, frissonner la nature entière. Depuis trois semaines, cet horrible enfant du golfe, éclos des mugissements et des tempêtes de l'Atlantique, se précipite en rafales formidables, sans pouvoir l'ébranler, sur le roc où perche la citadelle, et soulève sur le fleuve une plaine d'écume bondissante, aussitôt dispersée dans l'air, aussitôt rejaillissant de l'abîme en fureur: "Ce vent souffle pour faire monter la flotte", disent les Québecquois. Et, en effet, la flotte monte, monte, mais ne s'arrête pas, et nous passe devant le nez, cinglant à toutes voiles vers Montréal.

Ainsi donc, Québec a le nord-est sans la flotte, Montréal a la flotte sans le nord-est; lequel vaut mieux? Mais si Québec n'a pas la flotte, en revanche il a les cancans, et cela dans toutes les saisons de l'année. Voilà le vent qui souffle toujours ici. Oh! les petites histoires, les petits scandales, les grosses bêtises, comme ça pleut! Il n'est pas étonnant que Québec devienne de plus en plus un désert, les gens s'y mangent entre eux. Pauvre vieille capitale!

Le commérage est l'industrie spéciale et perfectionnée de ses matrones. Quelle espèce endiablée! Si encore le cancan n'était que la médisance, mais il faut entendre les fables absurdes, les récits grotesques, imaginés on ne sait par quelles têtes malfaisantes, qui se débitent et sont acceptés comme monnaie ayant cours. C'est une atmosphère d'épingles qui vous rentrent dans la peau de tous les côtés. Vous cherchez un abri et vous croyez le trouver dans une amitié sincère, sympathique, bah! c'est là que vous vous faites écorcher pour la vie. Je connais des gens qui, à proprement parler, ne se quittent pas, qu'on voit presque toujours ensemble, eh bien! c'est afin de ne se rien laisser sur les côtes. Quel appétit les uns des autres, et quel ver rongeur que la langue d'un ami, d'une amie surtout! O Dieu! Aimer tant les femmes et être obligé de les fuir... Les fuir, et où? On ne peut pas faire deux pas dans les rues de Québec sans se rompre les doigts ou se désarticuler la cheville du pied. Tous les faits divers des journaux sont formés de gens aux trois quarts démolis pour avoir cru marcher sur des trottoirs, quand ils n'étaient que sur des tronçons vermoulus qui vous sautent à la figure dès qu'on les touche. Et les chemins, des effondrements. Fuyez quand une voiture passe; sans cela elle vous couvrira, de la tête aux pieds, d'une boue qui ne voudra plus partir. Tout est par trous et bosses; aussi il faut voir les voitures sauter là dedans, essieux et brancards disloqués, chevaux cassant leurs traits, piétons à la recherche des endroits guéables et pourtant, peu d'accidents. C'est fait exprès.

*(Chroniques canadiennes. Humeurs et caprices.)*

OBSERVATIONS. — Comment trouvez-vous cette charge? Et si vous n'êtes pas de Québec, pourriez-vous quand même montrer comment ici l'imagination se mêle aux observations réalistes?

---

## 75 — Tadoussac

Quel étrange, capricieux et pittoresque petit Tadoussac! C'est une miniature dans un cadre colossal; tout y est imprévu. Vous ne voyez d'abord rien qu'un petit quai bâti entre deux caps qui baignent leurs pieds avec grâce dans l'eau tranquille d'une crique grande comme une soucoupe.   Du quai s'élève une colline que vous montez et alors, subitement, se révèle le village placé, on ne sait comment, au milieu d'un fouillis de caps, de ravins, de petites baies qui ont l'air de vous sourire avec bonhomie.   Tout y est calme et doux, et l'on sent comme une espèce de repos se glisser dans l'esprit et le cœur.

Il n'y a pas plus de trente à quarante maisons dans ce village qui n'est plus celui des gens de l'endroit, mais des étrangers qui y ont bâti leurs cottages.   Cela a quinze arpents de longueur tout au plus en ligne droite.   En tournant le chemin, vous arrivez, après quelques pas à peine, au grand hôtel qui s'étale glorieusement au-dessus d'une baie d'un contour harmonieux et irréprochable.   Pas de plus bel endroit pour les bains; une rive discrète, un sable fin, une eau pure, mais glaciale.

L'onde est trompeuse comme la femme; c'est pour cela qu'elle attire.   Séduit par la limpidité attrayante de ces flots qui venaient mourir si amoureusement sur le sable, et brûlant de me reposer de deux jours de voyage fatigant, je me déshabillai à la hâte et me précipitai comme je l'aurais fait dans un bain public de Montréal. Juste ciel! Dieux vengeurs! Je revins à la surface de l'eau comme un homme qui a le tétanos, le corps en deux, les pieds dans les oreilles.   Et quelle tête! comme l'échine d'un porc-épic.   J'étais tout horripilé; l'estomac me rentrait dans le dos et les muscles de mon visage dansaient la gigue.   Une, deux; je me dilatai et je poussai des bras pour regagner la rive; mais j'avais une vingtaine de crampes dans les jambes.   O ma patrie! quel danger tu courus ce jour-là!   Pourtant, par un violent effort et me secouant comme un chêne sous l'orage, je parvins à terre.   Il était temps.   "Fontaine, je ne boirai plus de ton eau", ce qui veut dire "Baie de Tadoussac, tu ne me repinceras plus".   J'arrivai à l'hôtel d'un trait, j'étais furieux; il y avait foule dans le vestibule, et partout, dans les galeries, sur le balcon, des femmes ravissantes qui me riaient au nez.   Ces femmes étaient des Américaines, je leur pardonne; il ne faut rien faire pour empêcher l'annexion.

L'hôtel de Tadoussac est un des plus beaux, des mieux construits, des plus frais et des plus agréables qu'il soit possible

d'imaginer. Ce qui vaut mieux encore que l'hôtel, c'est son intendant, M. Fennall. Quel homme charmant, empressé, heureux de
vous être agréable ! Il voulut me présenter immédiatement aux
infâmes et charmantes créatures qui venaient de se moquer de moi.
Je me laissai faire — je suis faible — et en moins de dix minutes,
j'avais mis sur pied toutes ces belles Yankees qui gelaient depuis
huit jours, et nous étions lancés dans des valses inouïes. Ce fut
une révolution dans l'hôtel. Jusque-là les hôtes et hôtesses y
avaient vécu calmes jusqu'à l'engourdissement.

Tadoussac a cela d'agréable qu'il est très ennuyeux. Il n'y a
pas dans ce petit port isolé sur la rive nord du Saint-Laurent de
divertissement possible que celui de la pêche, à huit ou dix milles
de distance; partout autour de lui une solitude sans issue, et il
faut faire dix lieues pour arriver aux Escoumains, simple poste
établi pour le commerce du bois. Les étrangers qui vont à
Tadoussac n'ont d'autre intention que de se reposer; ce sont des
valétudinaires ou des gens fatigués. Mais ils veulent faire reposer
avec eux leurs femmes et leurs filles, vivantes créatures qui ne
demandent et ne recherchent que le plaisir. C'est par là que leurs
bonnes intentions deviennent mauvaises.

(*Chroniques canadiennes. Humeurs et caprices.*)

---

## 76 — Les Mille-Iles

Il est impossible d'imaginer rien d'aussi pittoresque que ce
groupement fait comme au hasard et cent fois répété d'îlots, de
toute forme et de toute grandeur, qui émergent à travers les flots
dorés, comme des nids remplis de mousse et de sapinage, ruisselants
de fraîcheur et de verdeur, sous un ciel d'azur et de pourpre.

Ces îlots, qui ne sont souvent qu'un rocher au travers duquel
ont poussé quelques sapins, épinettes ou bouleaux, ont pris à loisir,
suivant leur bon plaisir et le plus arbitrairement du monde, toutes
les positions qu'ils ont voulues dans notre grand fleuve, bon et facile
comme un géant, et l'ont forcé à se créer une foule de chenaux qui
courent dans tous les sens, et qui, à chaque instant, apportent
quelque surprise nouvelle au regard enchanté et ravi.

En parcourant leurs multiples dédales, le bateau semble errer comme à l'aventure, ou s'être égaré sans pouvoir retrouver sa route. On perd de vue les deux rives; il n'y a plus de fleuve, pour ainsi dire, mais un fouillis de passes, au milieu desquelles le vapeur s'engage en tournant, contournant, revenant, retournant, comme s'il faisait un jeu de zigzag affolé. Quelquefois il glisse si près des îles qu'on peut jeter un caillou sur leurs rives; d'autres fois, le passage semble positivement arrêté devant soi, lorsque, tout à coup, par un simple mouvement du timonier, le bateau tourne brusquement et de nouveaux aspects se découvrent. C'est une féerie continuelle, un changement à vue et incessant de décors, toujours de plus en plus surprenants...

Parfois, après être sorti vivement d'une passe étroite, on se trouve en présence d'une espèce de petit lac; les îles forment cercle et permettent un instant au fleuve de s'épanouir. Alors, on ne sait plus de quel côté porter les yeux; le regard est sollicité en même temps tout autour de ce cercle de feuillage ensoleillé et de rochers accroupis dans les postures les plus fantastiques. Puis en un clin d'œil, on est sorti de ce petit espace laissé libre pour permettre au fleuve de respirer, et l'on se trouve de nouveau dans le fouillis inextricable des îlots ameutés sur sa route. Le bateau recommence ses mouvements que chaque minute voit changer; il a l'air ahuri, ne plus savoir où aller, et, de guerre lasse, prendre un dernier élan pour en finir. Mais une main sûre le guide. Encore une fois, il a tourné un petit groupe d'îlots qui se dressaient tout droit devant lui, dans une attitude provocatrice, et le voilà qui navigue à l'aise, dans un chenal élargi.

*(Récits de voyage.)*

## 77 — La douceur de revoir Québec (1874)

Mais, au milieu des joies et des transports du retour, j'avais toujours devant moi l'image de Québec, ce cher vieux Québec, dont j'ai tant ri et que j'aime tant, ce bon petit nid qu'on ne quitte jamais tout entier et que l'on retrouve toujours intact au retour.

Seulement cinq semaines après je pus y revenir, et de suite j'allai faire une longue marche sur le chemin de Ste-Foy, cette avenue incomparable où tant de soirs j'avais été promener mes rêves et mes plus douces illusions. Là je rassemblai tous mes souvenirs, et des larmes chaudes comme celles des premiers âges de la vie, des larmes d'une source toute nouvelle, jaillirent de mon âme consolée. Puis je pris la route du Belvédère, je longeai le chemin Saint-Louis et j'arrivai sur la plate-forme ,à l'heure où je pouvais être seul, où le flot des promeneurs ne viendrait pas troubler l'attendrissement de mes pensées.

Ah ! que vous dirai-je, que vous dirai-je, lecteurs, en terminant ce long et douloureux récit pendant lequel plus d'un d'entre vous peut-être a partagé mes cruelles angoisses ? Je restai bien long-temps, bien longtemps sur cette plateforme d'où mon regard em-brassait un si magnifique morceau de la patrie. A cette hauteur, mon âme s'élevait avec le flot de ses innombrables souvenirs, mêlé cette fois à celui des espérances dont le cours semblait s'être si longtemps détourné de moi.

Je revis mon passé disparu, comme si c'était pour la dernière fois ; j'en regardai s'éloigner une à une les ombres muettes qui me quittaient tristement ; il y avait là bien des regards et des sourires qui m'attiraient encore, mais je n'en pouvais, hélas ! retenir un seul : ils s'enfuyaient... et pourtant je les voyais toujours. Oh non, non, chères et douces choses envolées ; il n'y a pas de nuit ni de passé pour le souvenir ; vous êtes toujours vivantes, toujours pré-sentes et vous me resterez quand même. Ce n'est pas moi qui mettrai sur vous le linceul, et le temps ne peut rien dans mon cœur. Ce qui me reste à vivre ne vaut pas ce que j'ai vécu ; je vous suivrai toujours et jamais aucune ombre ne vous dérobera à mes yeux. Toutes, toutes désormais, vous m'êtes chères ; vous à qui je dois mes bonheurs fugitifs, je vous bénis, et vous à qui je dois mes longues angoisses, je vous pardonne. Laissez, laissez au moins la trace de votre fuite pour qu'elle éclaire les tristes années qui me restent ; l'ombre de ce qui fut cher a encore plus de clarté que l'éclat de l'espérance, de même qu'un souvenir heureux vaut souvent plus que le bonheur.

Qu'importe que vous soyez le passé ! Est-ce que des fleurs qui

tombent ne sort pas le germe qui fécondera les plants nouveaux ?
C'est à vous, à vous qui ne pouvez mourir, que je dois le meilleur,
le plus vivant et le plus vrai de moi-même...

O mon pauvre vieux Québec ! je te retrouve donc, toi que je
croyais pouvoir fuir ; je te retrouve avec le parfum, avec le sourire
encore empreint de tout ce que nous avons été l'un pour l'autre
pendant quatre années ; je te retrouve, toi qui n'as pas une rue, pas
une promenade, pas un jardin, pas un bosquet qui ne furent les
confidents de mes solitaires rêveries et de l'épanchement intarissable
de mon âme.   Tu avais eu tout, tout de moi ; je t'avais même engagé
l'avenir et j'avais juré de ne jamais te quitter, en récompense de
ce que tu m'avais inspiré de touchantes et de délicieuses chimères.
Et pourtant, je t'ai raillé, je t'ai bafoué, j'ai redoublé sur toi les
traits et les rires ; l'outrage a été public et mes livres le gardent
tout entier, mais je t'aime, je t'aime.

Rien n'est beau dans le monde comme toi, mon pauvre Québec,
et le monde, je le connais.   L'admiration que tu inspires est
encore bien au-dessous du langage que tu parles au cœur.   L'étranger, qui voit tes débris entourés du cadre majestueux de montagnes
qui s'étendent bien au delà du regard, te contemple encore moins
dans la grandeur prodiguée par la nature que dans les innombrables
souvenirs enfermés dans ton sein.   Tu es vieux, décrépit, tu
fatigues dans ta ceinture de remparts, mais tu as la majesté sainte
des grandes choses que le temps seul, après de longs efforts, parvient
à effacer.   Pour moi, désormais, tu es sacré, et dans toute cette
Amérique si jeune et si fière de sa jeunesse, je n'ai encore rien vu
d'aussi jeune que tes ruines.

                                   (*Chroniques*. Voyages. Vol. II.)


OBSERVATIONS. — 1° Comparez à ce morceau le Québec de 1871
qu'Arthur Buies a décrit un peu plus haut.   Est-ce la distance des années,
ou la différence des états d'âme qui changent le regard ? — 2° Poésie des
paysages, poésie des souvenirs, comment retrouvez-vous tout cela dans les
émotions d'un absent qui revient ?

## 78 — Desperanza (1874)

Je suis né il y a trente ans passés, et depuis lors je suis
orphelin. De ma mère je ne connus que son tombeau, seize ans
plus tard, dans un cimetière abandonné, à mille lieues de l'endroit
où je vis le jour. Ce tombeau était une petite pierre déjà noire,
presque cachée sous la mousse, loin des regards, sans doute oubliée
depuis longtemps. Peut-être seul dans le monde y suis-je venu
pleurer et prier.

Je fus longtemps sans pouvoir retracer son nom gravé dans la
pierre; une inscription presque illisible disait qu'elle était morte à
vingt-six ans, mais rien ne disait qu'elle avait été pleurée. Le ciel
était brûlant, et, cependant, le sol autour de cette pierre solitaire
était humide. Sans doute l'ange de la mort vient de temps en
temps verser des larmes sur les tombes inconnues et y secouer son
aile pleine de la rosée de l'éternité.

Mon père avait amené ma mère dans une lointaine contrée de
l'Amérique du Sud, en me laissant aux soins de quelques bons
parents qui m'ont recueilli. Ainsi, mon berceau fut désert; je
n'eus pas une caresse à cet âge même où le premier regard de
l'enfant est un sourire; je puisai le lait au sein d'une inconnue, et,
depuis, j'ai grandi, isolé au milieu des hommes, ne trouvant rien
qui pût m'attacher, ou qui valût quelque souci, de toutes les choses
que l'homme convoite.

J'ai rencontré cependant quelques affections, mais un destin
impitoyable les brisait à peine formées. Je ne suis pas fait pour
rien de ce qui dure; j'ai été jeté dans la vie comme une feuille
arrachée au palmier du désert et que le vent emporte, sans jamais
lui laisser un coin de terre où se trouve l'abri ou le repos. Ainsi
j'ai parcouru le monde et nulle part, je n'ai pu reposer mon âme
accablée d'amertume; j'ai laissé dans tous les lieux une partie de
moi-même, mais en conservant intact le poids qui pèse sur ma vie
comme la terre sur un cercueil.

Mes amours ont été des orages; il n'est jamais sorti de mon
cœur que des flammes brûlantes qui ravageaient tout ce qu'elles
pouvaient atteindre.

Pourtant un jour, j'ai cru, j'ai voulu aimer... Pour trouver un cœur qui répondît au mien, j'ai fouillé des mondes, j'ai déchiré les voiles du mystère. Maintenant, vaincu, abattu pour toujours, sorti sanglant de cette tempête, je me demande si j'ai seulement aimé. Peut-être que j'aimais, je ne sais trop; mon âme est un abîme où je n'ose plus regarder; il y a dans les natures profondes une vie mystérieuse qui ne se révèle jamais, semblable à ces mondes qui gisent au fond de l'Océan, dans un éternel et sinistre repos. Ô mon Dieu! Cet amour était mon salut peut-être, et j'aurais vécu pour une petite part de ce bonheur commun à tous les hommes. Mais non; la pluie généreuse ruisselle en vain sur le front de l'arbre frappé par la foudre; il ne peut renaître... Bientôt, abandonnant ses rameaux flétris, elle retombe goutte à goutte, silencieuse, désolée, comme les pleurs qu'on verse dans l'abandon.

Seul désormais, et pour toujours rejeté dans la nuit du cœur avec l'amertume de la félicité rêvée et perdue, je ne veux, ni ne désire, ni n'attends plus rien, si ce n'est le repos que la mort seule donne. Le trouverai-je? Peut-être; parce que, déjà, j'ai la quiétude de l'accablement, la tranquillité de l'impuissance reconnue contre laquelle on ne peut se débattre. Mon âme n'est plus qu'un désert sans écho où le vent seul du désespoir souffle, sans même y réveiller une plainte.

(*Chroniques.* Voyages, vol. II.)

# FAUCHER DE SAINT-MAURICE

## (1844-1897)

Il n'a pas la verve piquante d'Arthur Buies. Il est moins spontané. Il se surveille et sa prose y perd quelquefois en naturel, en variété. Sensibilité très délicate, qui aime à se gonfler d'héroïsme. Ses attitudes de mousquetaire n'ont pu défendre toute sa prose contre l'oubli.

Œuvres principales: *De Québec à Mexico* (1866); *A la Brunante* (1874); *Choses et autres* (1874); *De tribord à babord* (1877); *En route* (1888).

(Voir *Histoire de la Littérature canadienne*, p. 120-122.)

## 79 — Au moulin de la meunière

En ce temps-là, je passais ma vie chez Juste Labrèque.

Il n'était pas riche; mais c'était un brave homme qui par-dessus le marché était mon oncle et mon parrain.

Nous jasions de choses et autres et, comme il avait bon jugement et que la gazette n'avait pas encore pénétré dans la paroisse, tout le monde acceptait son avis, sa décision, comme parole d'Evangile.

Il était beau surtout, lorsque la conversation tombait sur l'empereur que le maître d'école, McIntyre, s'obstinait à appeler "Mossieu de Bonaparte". Oh! alors, son dos voûté se redressait, son œil devenait flamme, sa moustache tremblotait, et il m'a toujours semblé que mon oncle, vu comme cela, écrasant de son regard et de sa parole le maître d'école, ressemblait à ce vieux grenadier qui suit l'empereur, s'élançant sur le pont d'Arcole, un drapeau à la main, comme on le voit dans la vieille gravure que le seigneur de Beaumont a dans sa bibliothèque.

Depuis sept ans mon oncle avait été installé par le seigneur meunier en son moulin banal que tu vois là-bas sur la grève. C'était moi qui lui aidais à mettre la farine dans les bluteaux, et cela faisait vraiment plaisir que de travailler auprès du parrain, bien

que ce fût à cœur de jour, car j'étais sûr que Marguerite, bonne
et souriante, me crierait, le soir venu :

— Eh ! comment cela va-t-il, Michel ? Puisqu'on fait de la
farine, il n'est que juste de manger son pain blanc le premier.
Avance ici, et viens-t'en causer auprès de mon rouet.

Marguerite était une petite orpheline que l'oncle Labrèque
avait un jour recueillie dans le chemin du roi. Une vieille men-
diante battait la pauvrette qui ne pouvait plus marcher ; l'oncle lui
offrit alors une piastre française si elle voulait lui céder la petite.

Ce fut marché conclu ; la vieille alla se soûler avec son argent,
et l'orpheline, élevée pieusement par les soins du parrain Juste,
grandit tranquillement loin des mauvais traitements et de la triste
pitié des grandes routes.

Sous les murs du vieux moulin, elle avait retrouvé l'ombre de
sa famille perdue.

La charité que lui fit mon parrain, la pauvre Marguerite me
l'a bien rendue depuis ; car sa voix douce ne ménageait ni les
conseils, ni les bonnes paroles, ni les tendres avis.

A force de l'entendre prendre sur moi son petit ton d'autorité,
j'avais fini par l'aimer avec tant d'ardeur que je l'aurais suivie au
bout du monde, avec mon gilet enfariné, ma petite casquette toute
saupoudrée de poussière de blé, et cela sans sourciller ; car si
Marguerite était affectueuse, belle et toujours de bonne humeur,
elle n'était pas fière du tout, cette fille-là.

Tous les soirs, quand les moulanges avaient été nettoyées, la
farine bien empochée, et le moulin mis en ordre, l'oncle et moi,
nous descendions au premier étage où étaient ses appartements.

Là, mon parrain lisait attentivement quelques vieux livres que
lui prêtait le curé, pendant que le chat, couché sur ses genoux,
filait gravement son ron-ron, les yeux à demi fermés, observant et
cherchant finement à deviner ce que Marguerite et moi pouvions
nous dire si longuement auprès de la fenêtre du pignon qui regarde
le fleuve...

Heureux je l'étais, mon cher Henri, et cela aurait duré toute
ma vie, si les Anglais ne s'étaient pas avisés, vers cette époque,
d'interdire aux Américains le commerce avec la France.

Une déclaration de guerre s'ensuivit; du moins c'est ce que vint nous dire, un bon soir, cette vilaine chouette de maître d'école.

—"C'est les Anglais reconquérir le prétendu Etat-Uni, nous dit-il, dans son français invalide: nos réguliers vont marcher, et l'habit rouge tape fort, sans s'en apercevoir, car c'est le sang pas paraître du tout sur le costume militaire anglais."

Le dimanche suivant, notre curé, M. Raby, nous lut au prône une lettre du grand-vicaire Roux, nous rappelant, au nom de l'évêque, toute la loyauté due à l'Angleterre; les milices allaient être appelées, et c'était donc vrai que peut-être il me faudrait retrousser mes manches de chemise jusqu'au coude, et taper les yeux fermés dans un tas de poitrines humaines, jusqu'à ce qu'à son tour le blanc farinier tombât rouge de sang, et qu'un pied de terre étrangère couvrît ses os rompus et son pauvre corps meurtri, loin du moulin si aimé et si tranquille de Beaumont. Je roulais toutes ces pensées dans mon esprit, jusqu'au jour fixé pour le tirage au sort.

Depuis la réception de la triste nouvelle, Marguerite était devenue encore plus laborieuse que d'habitude. Elle me tricotait des bas de laine, me confectionnait quelques chaudes chemises de flanelle, et faisait ce qu'elle appelait "le trousseau du fiancé de la gloire".

Moi, j'aurais préféré Marguerite à cette dernière. Souvent il me passait par la tête que j'aurais peut-être la chance de mettre la main sur un bon numéro...

Je me rendis tout pensif chez le capitaine Boilard, un bon vieux qui, après m'avoir demandé mon âge, mon nom et m'avoir fait prendre un carré de papier, se concerta un instant avec le docteur qui m'avait examiné des pieds à la tête puis, se tournant vers moi me dit d'un air radieux:

—Tu as fièrement de la chance, mon garçon; tu te trouves être un des premiers à courir à la frontière pour défendre ton pays. Allons, demi-tour à droite! pas accéléré! file! tu as deux jours pour embrasser tes parents.

Demi-tour à droite! pas accéléré! Jamais de la vie personne ne m'avait parlé de ce ton-là! Le rouge m'en vint à la figure.

mais je me rappelai que rien au monde n'était plus poli que le capitaine Boilard, et, surtout en mettant cette familiarité sur le compte de la joie que cela lui faisait de me voir soldat, j'arrivai au moulin.

Je faisais bonne contenance, autant que le permettait mon cœur gonflé; mais Marguerite devina la triste chose en me voyant, et comme elle se mit à pleurer, cela fit déborder tous les yeux, même ceux de l'oncle Juste, dont l'œil était sec, depuis dix-huit ans que sa femme était morte.

Chacun me faisait ses recommandations:

— Tiens-toi les pieds chauds et la tête froide, disait le parrain; c'est le principal, et, en suivant ce conseil tu reviendras au pays, car la maladie tue plus sûrement que la balle.

— C'est toi ôter ton chaîne de montre, insinuait McIntyre, et le mettre dans le poche de ton veste, car ça brille, et les Rangers du Delaware tirer de loin, bien et très juste.

— Oh! me dit tout bas, à l'oreille, Marguerite, ne portez rien de brillant sur vous, Michel; car ça attire la mort. Le seul bijou que je vous permets est celui-ci.

Et elle me glissa au doigt un jonc d'or.

Cela voulait dire qu'elle se fiançait à moi; et, tout embarrassé, je ne pus que me pencher vers la terre, comme si j'avais laissé tomber quelque chose, et tout en faisant semblant de chercher, lui effleurer la main du bout de mes lèvres.

Ces deux jours-là passèrent vite, très vite; car Marguerite et moi, nous nous aimâmes pour le temps perdu.

En mon honneur, le moulin chômait; tous mes amis étaient venus, chacun son tour, me serrer la main et me dire adieu; le curé m'avait envoyé un beau scapulaire; tout le monde dans la paroisse avait pensé au pauvre conscrit, pendant qu'il se sentait si heureux auprès de sa fiancée.

Mais hélas! le matin du terrible jour était venu!

Je sautai dans la chaloupe qui devait me mener à Québec et, prenant courageusement une rame, je lançai un baiser à Marguerite, un coup de chapeau au parrain et, sans détourner la tête.

commençai à nager vigoureusement.   J'étais tout drôle; le chagrin que j'avais, je ne le sentais pas; mon cœur était resté sur la grève. Nous atteignîmes, comme cela, la passe qui sort de la batture pour nous mettre dans le chenal.

Alors, ne pouvant plus y tenir, je tournai la tête.   Marguerite avait disparu: elle était rentrée sans doute pour pleurer plus à son aise.

Seul le moulin me regardait aller; ses grands murs blancs scintillaient au soleil; sa toiture rouge était devenue pourpre à la lumière, et dans le lointain on entendait le grondement de la moulange; car plus il avait de chagrin, plus il travaillait fort, mon oncle Labrèque...

(*A la Brunante.*)

OBSERVATIONS. — Une âme sensible: cela définit Faucher de Saint-Maurice. Retrouvez-vous cette âme dans ce récit? Dites comment l'observation et l'imagination concourent à mettre en valeur cette sensibilité.

# HECTOR FABRE

## (1834-1910)

Il eut de l'esprit; il en mit beaucoup dans ses chroniques. Souvent l'esprit passe: celui de Fabre tantôt s'éteint et tantôt brille encore. Le chroniqueur reste un témoin de certaines choses anciennes dont on aime à s'amuser toujours.

Œuvres: *Chroniques* (1877).

(Voir *Histoire de la Littérature canadienne*, p. 125-127.)

## 80 — Québec en 1866

C'était autrefois une affaire capitale, un événement dans la vie d'un homme, qu'un voyage de Montréal à Québec. Il y pensait longtemps d'avance et, avant de partir, ajoutait un codicille à son testament. On se décide plus vite maintenant à aller en Europe et les malles sont plus tôt prêtes. La famille éplorée allait reconduire au port le hardi voyageur; on lui faisait des recommandations touchantes, des adieux émouvants; on se jetait à l'eau pour lui serrer une dernière fois la main.

Le voyage se faisait en goélette. Parfois, au bout de huit jours de vents contraires et de navigation en arrière, on apercevait encore le toit de la maison paternelle et le mouchoir agité en signe d'adieu par une main infatigable: heureux si la barque ne faisait pas naufrage sur l'île Sainte-Hélène ou n'allait pas se perdre dans les îles de Boucherville.

Le lac Saint-Pierre était redouté à l'égal de la mer. On lui prêtait une humeur d'océan; on lui attribuait des naufrages dont il était innocent. Régulièrement, en le traversant, les estomacs sensibles avaient le mal de mer.

Le voyage durait parfois quinze jours. Les gens qui faisaient le trajet à pied vous dépassaient sans allonger le pas.

Aux goélettes succédèrent les bateaux à vapeur, qui n'allaient guère mieux. Il fallait les faire remorquer par des chevaux pour qu'ils pussent remonter le Pied-du-Courant. Ils arrivaient essoufflés.

Plus tard, les bateaux devinrent meilleurs, mais il fallut, par patriotisme, continuer à voyager dans ceux qui n'allaient pas. Les bons appartenaient à des Anglais, les mauvais à des Canadiens, et le prix de passage sur ceux-ci n'en était que plus cher. N'importe! on n'hésitait pas: on laissait les bureaucrates voyager à l'aise, et l'on montait, le cœur joyeux, le corps résigné, à bord du *Charlevoix*, du *Patriote* ou du *Trois-Rivières*...

Québec avait, à cette époque, un renom d'hospitalité, d'amabilité qu'il a conservé, quoique nos mœurs aient perdu de leur entrain. Aussitôt qu'on signalait un étranger à l'horizon, une partie de la population se portait à sa rencontre. Les uns s'occupaient de ses malles, les autres lui offraient leur voiture ou le débarrassaient de sa canne, de son chapeau, de ses enfants. C'était à qui l'aurait le premier. On l'invitait à dîner, à se promener, à se fixer dans nos murs, à prendre une femme sans dot. Et du premier jour au dernier, il s'amusait, il engraissait. De retour à Montréal, on lui trouvait dix livres de plus et un entrain, une gaieté qu'on ne lui avait pas connus. Il ne se faisait pas répéter deux fois une invitation et se plaignait du sérieux de ses concitoyens. Le printemps suivant, il reprenait à petit bruit la route de Québec et allait, dans la capitale, se dégourdir de son hiver.

L'hospitalité québecquoise, de nos jours encore, a cela de particulier qu'elle n'attend pas pour s'offrir que le temps soit passé de l'accepter. Elle est spontanée, aimable, pressante. Dès l'arrivée, les invitations pleuvent, les portes s'ouvrent et les plats sont sur la table. En abordant les étrangers, on ne leur dit pas comme ailleurs:

— Tiens! vous voilà, vous arrivez! Quand partez-vous?

.    .    .    .    .    .    .    .    .    .    .    .    .

Québec, le vieux Québec, le Québec d'en dedans les murs, est avant tout une ville aristocratique. Il n'est pas permis de se loger

dans les faubourgs sans sortir de ce qu'on appelle *la société*; il faut
ne pas franchir les fortifications, limites sociales aussi bien que
militaires, ou aller hors barrières.   Une fois qu'on a émigré dans
le faubourg, on ne rentre jamais complètement en ville; on repasse
la porte Saint-Jean, mais les portes des salons vous restent fermées.
Ne pas être de la société! châtiment terrible, peine infamante à
laquelle une femme bien née préférera toujours la gêne, le pain
sec...

A Québec, le premier luxe est d'avoir chevaux et voiture.   Il y
a tant de côtes que l'on se lasse d'aller à pied toute sa vie; et puis,
les promenades hors de la ville sont si belles!   Cependant, autant
que possible, le monde élégant se promène dans la rue Saint-Jean
Il se forme parfois l'hiver un long cortège d'équipages qui sta-
tionnent à la porte Saint-Jean, pendant que le défilé se fait lentement.   C'est un grand embarras de voitures, mais un gracieux
spectacle.   Les piétons seuls en souffrent: ceux d'entre eux que
l'on écrase reçoivent de prompts secours dans les excellentes phar-
macies qui abondent sur le parcours ordinaire du *Tandem Club*...

La rue Saint-Jean n'est point une voie romaine ou un boulevard.   On y circule à l'aise, quand on est seul.   Les trottoirs sont
grands comme des gants sept et quart.   Le rôle des flâneurs y est
particulièrement difficile à tenir, car lorsqu'ils s'y rencontrent
plusieurs à la fois, il y a encombrement et la circulation est arrêtée.

Il me semble que la rue Saint-Jean devrait être réservée aux
piétons.   Elle est juste assez large pour cela.   On ne serait plus
exposé à sentir sur son pied le pas d'un cheval.   Les promeneurs
et les promeneuses circuleraient de long en large.   Ce serait comme
une vaste salle, comme un immense passage en plein air.   On
mettrait des chaises au coin de la rue.   Un murmure de voix
s'élèverait d'un bout à l'autre de la voie; des places voisines, on
entendrait le bruit des conversations...

La rue Saint-Jean a d'admirables succursales où les promeneurs
sont à l'aise: la Plate-forme, le Jardin du Gouverneur, l'Esplanade.

La Plate-forme est le rendez-vous habituel des flâneurs.   C'est
là que les gens vont s'ouvrir l'appétit et digérer les bons dîners.
A toute heure de la journée, il y a quelqu'un, un oisif qui se

chauffe au soleil ou un penseur qui rafraîchit à la brise son front
brûlant.   On s'y rencontre le matin, on s'y retrouve le soir; les
conversations s'ajournent de jour en jour; on reprend le lendemain
le fil du dialogue interrompu la veille.   Vous ne connaissez pas
l'adresse d'un avocat, employé, médecin ou journaliste à qui vous
avez affaire, et vous dédaignez de demander au *Directory* un vil
renseignement: allez sur la Plate-forme; tôt ou tard il y viendra.
Les avocats, dossier sous le bras, cravate blanche au vent, y
font une courte et imposante apparition avant l'ouverture du
tribunal; les médecins y envoient les convalescents, guérison garantie, et les maris leurs femmes quand elles s'ennuient, guérison
également garantie; les employés y oublient l'heure du bureau;
enfin, les journalistes s'y félicitent de leurs articles, préparent en
commun la polémique qui doit passionner leurs adhérents res-
pectifs, s'entr'aident fraternellement en se fournissant des armes
les uns contre les autres.   C'est aussi sur la Plate-forme que les
veuves de trente ans retrouvent des maris, non pas ceux qu'elles
ont perdus, d'autres, de meilleurs!

                                                    (*Chroniques.*)

OBSERVATIONS. — Comparez ce Québec de Fabre à celui d'Arthur
Buies, le Québec de 1871 et celui de 1874.  A quels traits reconnaissez-vous
la même ville?  Pour quelles raisons ne reconnaissez-vous pas le même
chroniqueur?

# NAPOLÉON LEGENDRE

## (1841-1907)

Il aima Québec et toutes ses rumeurs. Il s'en fit l'écho. Sa chronique est presque toujours émue. Il y avait un poète dans ce prosateur. Et tous deux se complaisent dans le spectacle des humbles choses.

Œuvres principales: *Echos de Québec*, 2 vols (1877); *Perce-Neige*, poésies (1886).

(Voir *Histoire de la Littérature canadienne*, p. 127-128.)

## 81 — L'encan

L'huissier, avec des bottes sales, monta sur une table et s'adressa à nous comme un candidat à ses électeurs:

— Messieurs, la vente va commencer tout de suite: les conditions sont: *cash,* pas de crédit; et dépêchez-vous de me donner des *bids,* car j'ai deux autres *engagements* c'te matinée! Le premier article que nous allons offrir, messieurs, est une huche, presque toute neuve. A combien la huche?

Le mobilier était distribué dans les deux chambres de devant: la troisième était vide; quant à la quatrième, la mise à l'enchère du premier objet me permit de voir ce qu'elle contenait; car aux dernières paroles de l'huissier, la porte s'entre-bâilla doucement, et la tête pâle d'un enfant de cinq ou six ans se montra par l'ouverture.

D'abord, je ne vis que cela, car cette chambre était un cabinet noir; mais peu à peu, la porte s'ouvrit davantage et je pus distinguer tout l'intérieur.

Je puis vous raconter cela aujourd'hui, car douze mois se sont déjà passés depuis lors; et, dans douze mois, les larmes se sèchent et les sentiments s'émoussent. Mais je vous assure que, ce jour-là, j'aurais mieux aimé ne pas avoir vu.

Dans un coin du cabinet, sur un grabat, était étendu un homme jeune encore, mais brisé par la maladie et les privations. Près de lui, sa femme était assise sur une chaise de bois, et tenait un petit enfant sur ses genoux. Deux autres enfants, un peu plus âgés, dont l'un avait ouvert la porte, se tenaient près du lit, les yeux rouges. Tout ce monde avait pleuré et pleurait encore; mais ce n'est pourtant pas cela qui me fit le plus de peine.

Ce qui était le plus navrant, c'était de voir le petit s'amuser et rire en cherchant à prendre les larmes qui coulaient lentement sur les joues de sa mère. Ce rire du bébé, au milieu de l'affliction de toute cette famille, avait quelque chose de poignant. Pauvre chéri, au moins il ne comprenait pas ce qu'il faisait et jusqu'à quel point son rire était cruel. Hélas! combien de personnes raisonnables affichent aussi une joie inconvenante en présence d'une douleur qui aurait droit à plus de sympathie! Combien de dames riches vont, en grande toilette, et couvertes de bijoux, porter leur obole au pauvre qui meurt de faim dans sa mansarde!

La huche fut adjugée, pour une somme insignifiante, à un homme qui n'en avait pas besoin, et qui ne l'achetait, disait-il, que pour rendre service.

C'était un premier déchirement dans la famille; car cette humble huche, qui sait quels souvenirs elle renfermait? Comme ses possesseurs, elle venait, sans doute, de quelque campagne voisine; elle avait été la première pièce du ménage; combien de bouches ses flancs généreux n'avaient-ils pas nourries, jusqu'au jour où, comme tout le reste, la famine l'avait atteinte? De quels petits drames intimes n'avait-elle pas été témoin? Quels pleurs n'avait-elle pas vu couler? — Pleurs de joie ou de tristesse, car c'est dans les larmes que tous nos sentiments viennent se fondre et se mêler.

On mit successivement à l'enchère la table autour de laquelle la petite famille s'était si souvent réunie, après une journée laborieuse, pour le repas du soir; les chaises de bois qui avaient guidé tour à tour les pas encore mal assurés de chacun des enfants; les chaises, ces objets qui peuvent faire tant de choses, qui servent de tables, de maisons, de voitures et même de coursiers fringants ou rétifs!

On vendit encore une petite armoire vitrée à deux compartiments, dont l'un contenait le linge et l'autre la vaisselle ébréchée; le tiroir du milieu renfermait un contrat de mariage et deux lettres très précieusement conservées, feuilles légères qui avaient surnagé sur le gouffre où s'étaient englouties une à une les illusions d'autrefois.

Puis, passèrent tour à tour, sous les yeux profanes et indifférents de ce petit public, vingt autres objets dont chacun était lié intimement à cette vie intérieure que la main de la justice venait ainsi disséquer toute palpitante encore : un pauvre violon, criard, affreux, mais admirable aux oreilles des enfants qui avaient confiance en lui quand le père le faisait grincer ; un livre à gravures coloriées, qui ne s'ouvrait que dans les grandes occasions ; la pendule qui avait marqué toutes les phases de cette vie, courant rapidement sur les minutes joyeuses et lentement sur les heures tristes ; silencieuse maintenant, car elle ne sonnait plus depuis que la maladie et l'insomnie étaient venues s'asseoir au chevet du lit.

Enfin, la voix de l'huissier s'arrêta ; tout ce que la loi peut saisir avait été vendu, et, au chiffre que j'avais noté, le produit ne dut pas couvrir plus de la moitié des frais. Une voiture, qui stationnait à la porte, transporta les meubles les plus lourds ; quant au reste, chacun emporta sous son bras ce qu'il avait acheté.

Une demi-heure après, il ne restait plus, dans cette maison naguère souriante et chaude, que l'horreur et le froid des murs et des planchers dégarnis et souillés. Je me trompe, il restait encore la maladie et le désespoir, qui sont peut-être allés, le lendemain, élire domicile dans la chambre somptueuse du propriétaire dont la cupidité venait, aujourd'hui, de commettre cette infamie. Car, il ne faut pas s'y tromper, après la justice des hommes, il y a encore, et heureusement, la justice de Dieu.

(*Echos de Québec*, II.)

OBSERVATIONS. — Scènes douloureuses. Quels détails vous touchent le plus dans ce récit ? et pourquoi ?

# JULES-PAUL TARDIVEL

## (1851-1905)

Pionnier du journalisme indépendant et catholique. Il eut la passion de la vérité, et aussi de ses idées personnelles; pour elles il savait déplaire et non sans satisfaction. Il s'exprimait avec franchise. Langue claire, droite, d'ordinaire sans éclat, où l'ironie savait se loger.

Œuvres: *Mélanges*, 3 vols (1887-1903) ; *La situation religieuse aux Etats-Unis* (1900) ; *Pour la Patrie, roman* (1895).

(Voir *Histoire de la Littérature canadienne*, p. 129-131.)

## 82 — Le rôle du journal

Le journaliste a une terrible responsabilité devant Dieu et les hommes. Il exerce un pouvoir presque sans bornes. Il parle, tous les jours, à des milliers de lecteurs dont il forme imperceptiblement l'esprit et le cœur.

Beaucoup se font illusion sur l'importance du rôle que joue la presse dans la société moderne. Un grand nombre croient sincèrement ne lire les journaux que par passe-temps, ou pour se renseigner sur les affaires commerciales, qui n'ont d'autres idées que celles qu'ils puisent dans quelque feuille de trottoir. Ils y cherchent les nouvelles, les renseignements, et ils y trouvent leurs opinions et leurs préjugés.

L'eau qui tombe goutte à goutte finit par user la pierre la plus dure. Le journal, lu aujourd'hui, lu demain, lu tous les jours, réussit à graver son image dans l'esprit le plus paresseux.

Il est absolument faux de dire que tel journal n'a pas d'influence. Il n'y a pas de feuille périodique, si mal imprimée, si mal rédigée qu'elle soit, qui n'ait sa part d'influence pour le bien ou pour le mal, qui ne creuse son sillon dans le champ des intelligences.

La presse façonne les peuples à son image, surtout si elle est mauvaise. Le peuple le plus religieux du monde, le plus soumis à l'autorité, qui ne lirait que de mauvais journaux, deviendrait, au bout de trente ans, un peuple d'impies et de révoltés. Humainement parlant, il n'y a pas de prédication qui tienne contre la mauvaise presse. Que disons-nous, grand Dieu, les miracles même n'y tiennent pas! Ne croyez-vous pas que Lourdes, la Salette et Paray-le-Monial auraient converti la France, sans les mauvais journaux?

Avons-nous besoin de dire que, pour être bon, le journal doit être catholique, et que plus une feuille s'éloigne de la vraie doctrine, plus elle est mauvaise? L'indifférentisme n'est pas plus permis en journalisme qu'en politique. La parole de Notre-Seigneur: "Celui qui n'est pas avec moi est contre moi, et celui qui ne ramasse point répand", s'adresse indistinctement à tous les hommes.

Est-il nécessaire qu'un journal, pour être bon, parle sans cesse de religion? Non, mais il doit toujours être prêt à la défendre, il doit réfuter les erreurs qui se produisent dans la mauvaise presse, à la tribune, au parlement, dans les livres. Il doit apprécier les événements au point de vue de la justice éternelle, et ne jamais faire appel aux préjugés ni aux mauvaises passions, ne jamais trahir la vérité lorsqu'elle est attaquée, ne jamais transiger sur les principes immuables. Le mensonge, les propos scandaleux, les grivoiseries, lui sont rigoureusement interdits.

Les journaux "purement scientifiques", "purement littéraires", "purement politiques", "purement d'affaires" sont mauvais, ou plutôt impossibles. Car il est impossible, et si c'était possible, il ne serait pas permis d'exclure toute idée de Dieu de la science, de la littérature, de la politique et des affaires. Une science athée, une littérature athée, une politique athée, des affaires athées, voilà le hideux rêve des philosophes modernes.

Il faut que l'homme de science, l'homme d'Etat, le littérateur et le négociant tiennent compte de Dieu. Ce sont là des vérités élémentaires. Qu'ils sont nombreux, cependant, ceux qui les ignorent ou qui agissent comme s'ils les ignoraient! Pour notre

part, nous voulons donner le bon exemple en les pratiquant rigou
reusement nous-même.

(*Mélanges*, I.)

OBSERVATIONS. — "Ils y cherchent (dans les journaux) les nouvelles,
les renseignements, et ils y trouvent leurs opinions et leurs préjugés." —
Que pensez-vous de cette affirmation?

## 83 — La presse catholique

Plusieurs personnes, parfaitement sincères et bien intention-
nées, voient d'un très mauvais œil la presse catholique et les luttes
qu'elle est obligée de soutenir pour la défense des saines doctrines
et pour repousser les attaques plus ou moins perfides et déguisées
des ennemis de l'Eglise. Ces personnes affirment que ce n'est pas
aux laïques à intervenir dans les questions où la religion est intéressée, que le clergé doit seul défendre l'Eglise, et que les journalistes ne devraient s'occuper que des affaires purement matérielles,
ne devraient traiter, dans leurs colonnes, que des questions de
finance, de voies ferrées, de canaux, d'agriculture, etc.

Cette objection est spécieuse, nous en convenons, et comme
nous l'entendons souvent formuler, il est à propos, croyons-nous,
de la réfuter.

D'abord, il y a presse catholique et presse catholique, comme
il y a fagot et fagot. Il peut y avoir des journaux qui se disent
catholiques et qui ne le soient pas du tout; qui ne défendent l'Eglise
que pour l'exploiter à leur profit personnel ou au profit de leurs
amis. De tels journaux seraient fort nuisibles à la cause de la
religion.

Mais les journalistes vraiment catholiques, qui travaillent sans
arrière-pensée pour la cause de Dieu, qui n'ont d'autre ambition
que d'étendre le règne de Jésus-Christ, font une œuvre méritoire.

S'il n'y avait pas de mauvaise presse, s'il n'y avait pas de
journaux qui combattent les doctrines de l'Eglise, qui cherchent à
émousser la foi, qui donnent une importance excessive aux affaires
matérielles, qui jettent la confusion et le doute dans les esprits, il
n'y aurait peut-être pas besoin de la presse catholique, car la

prédication du clergé suffirait pour la direction des fidèles. Mais étant donné les journaux imbus d'erreur et de fausses doctrines, qui répandent chaque jour le poison subtil des idées dites modernes lesquelles sont aussi vieilles que le paganisme; étant donné les feuilles qui prêchent sans cesse l'affranchissement de l'Etat des lois de Dieu, qui proclament ouvertement que l'Eglise n'a absolument rien à voir dans le gouvernement des peuples, que le pouvoir civil est au-dessus du pouvoir religieux, que l'électeur, le député et le ministre ne doivent, comme tels, aucun compte de leur conduite au Tout-Puissant; étant donné cette presse perverse, il faut de toute nécessité une presse franchement et hardiment catholique, qui affirme avec courage et constance les principes chrétiens, en dehors desquels les sociétés ne peuvent trouver ni sécurité, ni paix, ni bonheur, ni même une prospérité matérielle vraiment durable.

Mais encore, dira-t-on, il faut que cette presse catholique soit entre les mains du clergé, car les laïques n'ont pas la mission de conduire l'Eglise.

Sans doute, le clergé a le droit d'écrire dans les journaux, et nous serions les derniers à le lui contester. Mais il arrive souvent que dans les luttes quotidiennes de la presse, ceux qui y prennent part reçoivent de terribles horions, se voient attaquer de la manière la plus déloyale. Un prêtre, qui a charge d'âmes surtout, ne voudrait pas toujours s'exposer aux calomnies des ennemis de l'Eglise, de crainte de compromettre son ministère. Mais un laïque peut se mettre au blanc sans inconvénient; il recevra de rudes coups, mais l'Eglise, mais le clergé n'en seront pas atteints. C'est pourquoi le rôle de journaliste catholique convient surtout au laïque. Certes, le laïque ne doit pas trop se fier à ses propres lumières; il doit étudier beaucoup, il doit surtout consulter souvent des théologiens dont la doctrine est sûre et qui puissent lui indiquer clairement où est le vrai et où est le faux. Ainsi éclairé, le journaliste laïque ne doit pas craindre de marcher résolument en avant sans s'inquiéter des clameurs qui s'élèvent contre lui de toutes parts.

(*Mélanges.*)

OBSERVATIONS. — Etablissez, d'après cette page, la définition et le domaine de la presse catholique.

## 84 — Nos gloires nationales

Notre pays est fécond en "gloires nationales": il y en a des centaines et des centaines; chaque jour on en découvre une autre. Ça pousse comme des champignons, dans une nuit, et sur n'importe quel terrain. Et j'ai bien peur que la plupart de nos gloires ne vivent que ce que vivent les champignons, fort peu de temps.

Ce que nous appelons gloires nationales est connu en France sous l'appellation plus modeste d' "illustrations". Il y a une foule énorme d'illustrations françaises; elles couvrent la mer immense dont l'une des rives est la médiocrité et l'autre l'imbécillité. Mais, proportion gardée, nous avons, je crois, plus de gloires nationales que la France n'a d'illustrations.

Chose certaine, c'est que le mot gloire nationale est de beaucoup préférable à illustration. Cela ronfle plus et arrondit mieux une phrase.

La province d'Ontario n'a qu'une seule gloire nationale: c'est Hanlan, le rameur. Mais aussi quelle gloire!

Le pays aux gloires nationales par excellence, c'est la province de Québec. Sur cet heureux coin de terre, il faut faire bien peu de choses pour mériter le titre de gloire nationale. Quelques sonnets, des vers quelconques, un roman ou deux, un récit de voyage, un drame plus ou moins dramatique, cela suffit, avec beaucoup de réclame dans les journaux et de nombreux coups de grosse caisse, pour fabriquer une gloire littéraire.

La grammaire, le bon sens, la logique, les connaissances, les idées, tout cela n'entre pas nécessairement dans la composition d'une gloire littéraire.

La politique fournit aussi un grand nombre de gloires nationales, et de belles. Les principes, la probité, l'honneur, le caractère, le talent ne constituent pas toujours la base d'une gloire politique. Loin de là, hélas! Je connais tel homme qui possède toutes ces qualités au plus haut degré, qui a joué un rôle important dans notre province et qui, cependant, n'est pas une gloire politique. Il lui manque un je ne sais quoi, un quelque chose qui ne se définit pas, mais qui se sent.

Vous pouvez être un hâbleur, un blagueur, un farceur, un traître, un naïf; vous pouvez vous entourer de toutes sortes de gens; vous pouvez suinter l'égoïsme et l'ingratitude par tous les pores; vous pouvez être un écervelé, une machine à parler, un fat, un calembouriste; vous pouvez être n'importe quoi, et cependant vous placer au nombre de nos gloires politiques. Il s'agit seulement de connaître la manière de s'y prendre. Si vous me demandez quelle est cette manière, je vous avouerai franchement que je n'en sais rien. Je n'ai jamais pu sonder le mystère qui entoure la plupart de nos gloires politiques. Pourquoi un tel est-il ministre ou député? Pourquoi tel autre aspire-t-il à le devenir? Voilà des problèmes que je me suis souvent posés, depuis plus de huit ans, sans pouvoir jamais les résoudre. On en trouvera peut-être la solution dans "le jeu de nos institutions parlementaires", pour employer une phrase sacramentelle. Si quelqu'un veut pénétrer dans ce dédale, qu'il y aille! Pour moi, je ne m'y risquerai pas. Je me contente d'admirer nos innombrables gloires nationales, tant littéraires que politiques.

(*Mélanges*, I.)

OBSERVATIONS. — Que pensez-vous de cette satire? Est-ce la nature humaine autant qu'un travers canadien qui la peut justifier?

# ADOLPHE ROUTHIER

## (1839-1920)

Il occupa une grande place dans la vie littéraire de son temps. Il aima l'éloquence. La sienne était faite d'une chaleur qui émanait des accents de son verbe autant et plus parfois que de la pensée ou du sentiment. Le temps a refroidi ces pages oratoires. On retrouve dans les autres les qualités durables ou fragiles que la pensée reçoit de l'imagination et de la sensibilité.

Œuvres principales: *Causeries du dimanche* (1871); *A travers l'Europe*, 2 vol. (1881-1883); *A travers l'Espagne* (1889); *Québec et Lévis* (1900); *le Centurion* (1909); *De l'homme à Dieu* (1913); *Conférences et Discours*, 2 vols (1890, 1905).

(Voir *Histoire de la Littérature canadienne*, p. 133-135; 146-147.)

## 85 — Notre littérature en 1870

Ceux qui se disputent l'honneur d'être les pères de la littérature canadienne ont évidemment trop bonne opinion de leur fille. S'ils la considéraient de plus près, ils n'en réclameraient pas si haut la paternité. C'est une assez jolie fille, je l'admets, et quoique très faible encore, il y a lieu d'espérer qu'elle vivra. Mais elle est bien fluette et ses traits ne sont pas très distingués. Sa figure a quelque chose de commun, que l'on se rappelle toujours avoir vu quelque part. Elle peut avoir des charmes pour ses parents; mais elle est bien loin d'être ce qu'on appelle une beauté. Elle manque de couleur, d'expression, de nerf et de vie. Cependant, je suis de ceux qui croient qu'elle grandira parce qu'elle est de bonne race. Elle est fière et digne et ce n'est pas elle qui voudrait se traîner dans la fange où l'on voit éclore tant de romans et de vaudevilles français. Elle est profondément religieuse et sa voix n'insulte pas Dieu, ni la religion.

Je puis affirmer la chose sans restriction; car les insulteurs de la religion, dans notre pays, sont rares, et comme la plupart ne savent pas la grammaire, il ne peut pas être question d'eux quand je parle de littérature. Ce qui distingue notre littérature, c'est son amour du beau et du vrai. Le beau c'est le laid, n'est pas sa devise. Elle est un art et non pas un métier. Nos écrivains sont, à peu d'exceptions près, des poètes et non des machinistes. Nous n'avons pas pour les culs-de-jatte, les bossus, les courtisanes et toutes les autres laideurs physiques et morales, ce goût particulier que nourrissent Victor Hugo, Eugène Sue, A. Dumas, Théophile Gauthier et bien d'autres.

Elle possède le fond; il faut lui donner la forme. Or, son défaut capital c'est de manquer d'étude.

Elle n'a pas assez de connaissances, et l'esprit de ses maîtres n'est pas suffisamment meublé. J'en connais qui phrasent très bien, et qui n'ont aucune érudition. Or, ceux-là pourront faire une bonne page, jamais un bon livre.

Mais tout jeune qu'elle soit, la littérature canadienne est pleine de promesses et nous aurons droit d'en être fiers, quand elle sera parvenue à maturité.

(*Les Guêpes canadiennes*, Portraits et Pastels littéraires.)

OBSERVATIONS. — 1° La littérature canadienne de 1870 était déjà une assez jolie fille, au témoignage d'Adolphe Routhier qui la courtisait. De quoi était donc faite sa beauté douteuse? Pourriez-vous justifier par des faits littéraires les jugements du critique? — 2° "C'est une assez jolie fille, disait Routhier de la littérature canadienne en 1870; et quoique très faible encore, il y a lieu d'espérer qu'elle vivra. Mais elle est bien fluette et ses traits ne sont pas très distingués. Sa figure a quelque chose de commun, que l'on se rappelle toujours avoir vu quelque part." Commentez ce jugement.

---

## 86 — L'aube sur Jérusalem

Mais bientôt les blancheurs de l'aube se teignirent de rose et se nuancèrent d'orange.

Le ciel déplia sa robe d'azur, et en trempa la frange dans le sang de Moab. Tout l'horizon rougit; puis il s'enflamma, et la terre réveillée par l'incendie entonna la joyeuse chanson de la vie, pendant que le ciel poursuivait son éternel hosanna en l'honneur de la Divinité.

L'Homme-Dieu reprit son ascension, et arriva bientôt au sommet de la montagne. A sa gauche, au loin, la clarté matinale lui montra les murs de sa ville natale, et les champs des bergers qui l'avaient adoré dans son berceau.

Devant lui, toute la Ville-Sainte, la ville des villes, déploya ses murailles crénelées, ses bastions formidables et ses hautes tours. Il n'en était séparé que par la tranchée profonde du Cédron, qui allait se joindre au sombre ravin de la Géhenne.

Au sommet du mont Sion, il apercevait dressant leurs têtes, comme des sœurs jumelles en deuil, les tours du palais de David, et la coupole de son tombeau. Plus près, au-dessus des murailles, les rayons de l'aurore caressaient les admirables portiques de Salomon, et donnaient des reflets roses aux blanches colonnades de marbre. Les frontons s'étageaient au-desus des frontons dans les clartés du matin, et le dôme du Saint-des-Saints couvrait les vastes édifices du Temple comme une couronne d'or et de pierres précieuses.

*(Le Centurion.)*

---

## 87 — Eloge de Christophe Colomb
## (Exorde)

L'homme est un grain de poussière sur lequel Dieu a soufflé, et que ce souffle emporte vers la lumière, à travers les espaces sans bornes et les siècles sans nombre. Grâce à ce souffle qui l'anime, il est mouvement et vie, et il s'agite dans la plénitude de sa liberté; mais Dieu le mène dans la plénitude de son autorité.

Entre cette poussière libre et ce souffle dominateur, il semble qu'il doive y avoir un antagonisme tel que ces deux forces ne puissent exister en même temps? Mais non, ce dualisme n'exclut pas l'harmonie, et la résultante de ces deux forces actives est l'accomplissement des décrets providentiels.

L'humanité ressemble à l'Océan et les vagues humaines sont aussi libres que celles de la mer, mais, comme celles-ci, elles concourent dans la liberté de leurs mouvements à la réalisation du plan divin.

Voyez-les, ces grandes vagues de l'Atlantique, que vous avez un jour traversé. Au gré des vents et des courants elles vont, elles viennent, elles s'en retournent; elles courent à l'Est, à l'Ouest, au Nord, au Sud; elles se soulèvent, elles se creusent, elles s'apaisent, elles s'endorment, elles chantent, elles se plaignent, elles mugissent, elle s'ameutent, elles se révoltent contre les navires qui les sillonnent, elles les secouent violemment, quelquefois elles les engloutissent; enfin, elles usent et abusent de leur liberté! Et cependant, elles n'en remplissent pas moins en définitive la fin que le Créateur leur a assignée.

Elles ne franchissent pas leurs rivages. Sous les rayons du soleil elles se vaporisent et remontent vers le ciel, d'où elles sont descendues, pour former les arrosoirs de la terre; elles fécondent le sol et les germes qui y sont déposés; elles alimentent les fleuves et les rivières; elles pavent les grandes voies de communications des peuples.

Eh bien! mesdames et messieurs, il en est de même des flots humains. Ils sont rarement stationnaires, et le spectacle de leurs mouvements est plus intéressant encore à contempler que celui des grandes commotions de l'Océan; mais ils n'échappent pas à l'empire du Dieu qui les a animés de son souffle, et, consciemment ou inconsciemment, ils concourent à l'exécution de ses desseins.

Dans cet équilibre harmonique des forces divines et humaines, les grands hommes sont comme des pouvoirs moteurs entre les mains de la Providence; mais il en est qui sont prédestinés à des missions spéciales, qu'elle appelle à son heure, qu'elle assiste visiblement, dont elle assure le succès, et dont elle consacre définitivement la gloire.

C'est à ces élus de Dieu que le monde doit ses progrès et ses grandeurs. Mais c'est au prix de luttes et de souffrances infinies qu'ils arrivent au succès, et la gloire est tellement lente à venir que c'est presque toujours sur leurs tombeaux qu'elle vient déposer ses couronnes.

Quand au-dessus du niveau commun, un homme de génie se lève et adresse à la foule des paroles qu'elle n'a pas l'habitude d'entendre, la grande majorité des hommes, qui est la médiocrité, s'insurge.

"C'est un rêveur, dit-elle; c'est un utopiste orgueilleux; comment peut-il prétendre avoir découvert ce que tant de grands hommes n'ont pu trouver avant lui?"

Alors, si ce génie, dont la sensibilité excessive est à la fois la force et la faiblesse, la souffrance et la félicité, si ce génie n'a pas une énergie blindée d'un triple airain, il tombe victime de l'envie, et le monde ne connaîtra pas les œuvres admirables qu'il aurait pu produire.

Mais si ce génie a la volonté patiente et opiniâtre nécessaire aux grandes œuvres, s'il croit à la mission que Dieu lui a confiée, et s'il est docile à la voix de sa conscience qui lui crie "en avant", il finit par triompher...

Hélas! messieurs, non seulement les lauriers de la gloire ne fleurissent le plus souvent que sur les tombeaux; mais les tombes elles-mêmes gisent quelquefois ignorées et solitaires pendant des siècles, tant la terre qui les a reçues est ingrate!

Messieurs, il est un homme qui a traversé toutes les phases douloureuses que je viens de décrire, qui a passé sur terre comme un prodige, il y a 400 ans, qui a doublé le monde et que le monde a oublié, mais que le soleil de la gloire inonde aujourd'hui de ses rayons les plus éclatants! Son nom retentit d'un bout du monde à l'autre au milieu des fêtes civiles et religieuses les plus grandioses, et des millions de voix acclament à l'envi le grand découvreur de l'Amérique, l'immortel Christophe Colomb.

(*Conférences et Discours*. Eloge de Christophe Colomb.)

OBSERVATIONS. — Dites donc quelles sont les qualités et les défauts certains de cet exorde. — Si les pensées et les images y offrent quelque intérêt, est-ce en fonction du sujet à traiter ou pour elles-mêmes?

---

## 88 — Le mystère de l'au-delà

Dans le siècle où nous vivons plus qu'à aucune autre époque, l'homme fait de grands efforts pour se débarrasser de ce qu'il appelle "l'Au-delà"; mais c'est en vain; il arrive toujours une époque dans son existence où l'étude de ce mystérieux inconnu devient pour lui un tourment.

Plus il en détourne sa pensée plus elle y revient; et ce qu'il demande avant tout à la science moderne, c'est de lui démontrer qu'il n'y a pas d'autre vie.

Certes, la science moderne fait de son mieux pour arriver à cette démonstration; mais pour peu qu'elle soit de bonne foi, elle est bien forcée d'avouer de temps en temps qu'elle n'en sait rien.

Et le tourment subsiste. Il grandit à mesure que les années s'accumulent et que le terme de la vie approche.

Que ses espérances soient comblées ou qu'elles soient déçues, qu'il se dégoûte de l'existence ou qu'il s'y cramponne, l'homme voit inévitablement approcher le jour fatal du dernier départ pour le dernier voyage. Tout lui dit que ce monde est un lieu d'exil, et que cette vie n'est qu'un commencement.

Mais où donc est la Patrie, si la terre est un exil? Et quel est ce voyage qui commence à la tombe, et dont le terme est enveloppé d'insondables mystères?

C'est la grande question, non pas du jour, mais de tous les jours et de tous les âges. C'est la question qui absorbe toutes les autres, qui intéresse tous les hommes et qui est pour eux tous le grand mystère, s'ils n'ont pas recours à l'enseignement religieux pour le résoudre.

Car ceux qui sortent de ce monde n'y reviennent jamais pour nous apprendre ce qu'il y a par delà le tombeau; et l'esprit humain a beau se vanter de ses conquêtes, il n'a jamais pu arracher son secret à la mort. Il y a là des ténèbres que ses yeux et ses instruments d'optique sont impuissants à pénétrer...

Interrogez les savants qui prétendent tout savoir, et demandez-leur ce que devient l'homme après sa mort. Tous les vrais savants, ceux qui ont le respect de la vérité et le souci de leur réputation, vous répondront: "Nous n'en savons rien".

Ils l'ont pourtant bien étudiée, cette nature humaine à laquelle ils appartiennent. Ils l'ont bien des fois disséqué, analysé, dissout, ce corps matériel qui vivait hier, et qui est mort tout à coup. Pendant qu'il vivait, ils en ont compté les pulsations et les souffles, les nerfs et les muscles, les cellules et les atomes; et maintenant

qu'il est mort, ils en ont défait pièce à pièce toute l'admirable
mécanique, espérant toujours y découvrir le principe qui le faisait
vivre, le verbe qui le faisait parler, l'esprit qui pensait en lui.

Vains efforts. La matière transformée, volatilisée, débris,
atome, gaz, est restée muette. Ni le scalpel, ni la cornue n'ont pu
lui arracher son secret, et le livre de vie est resté scellé.

Sans doute, les savants pourront vous décrire le travail de
décomposition du corps. Ils vous diront que les éléments qui le
composent entrent en fermentation, se dissolvent et se volatilisent
selon les lois chimiques. Ils vous diront que les gaz, les acides et
les sels qui s'en dégagent rentrent dans le tourbillon vital, et vont
former d'autres corps, bruts ou organisés.

Mais l'âme, que devient-elle? Aucun d'eux ne pourra vous le
dire. Et pourquoi la science est-elle impuissante à résoudre ce
grand problème? Parce que la science humaine ne connaît que
la nature, et que ce problème est en dehors et au-dessus de la nature.

(*Conférences et Discours*, II, Dieu dans l'enseignement.)

# WILFRID LAURIER

## (1841-1919)

Il valait mieux l'entendre que le lire. Il avait des dons personnels de séduction qu'on ne retrouve pas assez dans sa prose écrite. Il fut plutôt parlementaire qu'académique. Il excellait en Chambre. On rencontre dans les meilleures pages de son œuvre oratoire une belle élévation de pensée, jointe à une grande finesse d'observation.

Œuvres principales dans *Wilfrid Laurier à la tribune* (1890).

(Voir *Histoire de la Littérature canadienne*, p. 144-146.)

## 89 — Notre glorieuse histoire

Ce n'est pas à vous, Français, qui avez le culte ardent, passionné de la patrie ; ce n'est pas à vous pour qui chaque parcelle du sol de la patrie est sacrée ; ce n'est pas à vous, dis-je, que j'ai à m'en expliquer ; vous me comprendrez si je vous dis sans déguisement :

J'aime la France qui nous a donné la vie ; j'aime l'Angleterre qui nous a donné la liberté ; mais la première place dans mon cœur est pour le Canada, ma patrie, ma terre natale.

Certes, mes yeux ne se lassent pas de contempler ce Paris si plein de merveilles ; Paris, la Ville-Lumière, comme Victor Hugo l'a appelée avec tant de vérité, la plus belle sans contredit de toutes les villes ; mais Paris avec toutes ses beautés, ne parle pas à mon âme comme le rocher de Québec.

Vous en conviendrez avec moi, messieurs, le sentiment national d'un pays n'a de valeur que par l'orgueil qu'il sait inspirer à ses enfants.

Eh bien ! nous l'avons, nous Canadiens, cet orgueil de notre pays.

Nous sommes fiers de son histoire, et, certes, c'est une histoire glorieuse. Je n'ai pas besoin de vous le rappeler, messieurs ; vous le savez comme moi, mieux que moi, la France et l'Angleterre ont rempli le monde moderne de leurs guerres; la lutte commencée entre les rois de France et d'Angleterre pour l'interprétation de la loi salique s'est continuée presque sans relâche, à travers les âges, jusqu'à notre époque. Cette lutte, elle se projeta même au delà des mers, et lorsque les deux nations prirent pied en Amérique, bien qu'elles eussent chacune devant soi l'espace sans bornes de tout un continent vierge, elles se disputèrent avec rage les misérables huttes qui formèrent leurs premiers établissements. Cette lutte, elle se termina par la perte du Canada pour la France.

Et cependant jamais les armées françaises ne brillèrent de plus d'éclat que dans ces immortelles campagnes qui furent conduites par le marquis de Montcalm pour la défense de la colonie.

Montcalm! je viens de prononcer le nom de l'un des plus braves soldats de la France, en même temps que l'un des plus heureux. Il ne perdit qu'une seule bataille, mais elle fut fatale. Le 13 septembre 1759, le général Wolfe, le commandant des forces anglaises, après s'être longtemps épuisé en inutiles efforts, parvenait à poster son armée sur les plaines d'Abraham, sous les murs mêmes de Québec. Le marquis de Montcalm sortit immédiatement de ses remparts pour lui donner l'assaut et le repousser sur ses vaisseaux, avant qu'il eût le temps de se fortifier; mais la fortune ne répondit pas à son appel. La victoire, qui lui avait été invariablement fidèle, abandonna ses drapeaux. Cette bataille, qui eut des conséquences immenses, est sans contredit une des plus dramatiques de l'histoire. Les deux généraux y perdirent la vie. Wolfe tomba la poitrine traversée par une balle, rendant grâces à Dieu de ce que ses yeux se fermaient sur la victoire de son armée. Montcalm fut emporté mourant du champ de bataille, lui aussi rendant grâces à Dieu de ce que ses yeux ne verraient pas la reddition de Québec. Le lendemain, en effet, les couleurs d'Angleterre flottaient sur la citadelle, Montcalm rendait à Dieu son âme vaillante, et son corps était déposé dans une excavation qu'un éclat de mitraille avait creusée dans la chapelle du couvent des Dames Ursulines. Jamais soldat n'eut de tombe plus glorieuse ni plus digne de lui.

Cette bataille, dont l'enjeu avait été Québec, ne fut pas la dernière. Pendant l'hiver, le chevalier de Lévis, qui avait succédé

au marquis de Montcalm, était parvenu après des efforts inouïs
à rassembler une petite armée, et aux premiers jours du printemps,
avec une vaillance dont l'audace même étonne, il vint à son tour
assiéger le vainqueur dans la ville conquise.   Le général Murray,
renouvelant la tactique de Montcalm l'automne précédent, sortit de
la ville pour lui livrer bataille.   Les deux armées se rencontrèrent
de nouveau sur le même champ de bataille.   Elles se battirent tout
un jour.   Une fois encore la victoire fut fidèle aux armes de France.

Le chevalier de Lévis, un des plus beaux, un des plus braves,
un des plus habiles que cette terre pourtant fertile en soldats ait
jamais produits, refoula son adversaire dans les murs de Québec
et mit immédiatement le siège devant la ville.   Alors se passa un
fait dont vous comprendrez la poignante intensité si vous vous
rappelez Waterloo lorsque le cri: Voici Grouchy ! circula dans
l'armée, et qu'au lieu de Grouchy, attendu avec tant d'anxiété,
les Prussiens débouchèrent sur le champ de bataille.      En
1760, cinquante-cinq ans plus tôt, sur le promontoire de
Québec, quelque chose de semblable arriva.   Dans les deux
camps il y avait la même conviction, c'est que la victoire
appartiendrait à celle des deux armées qui la première rece-
vrait des secours d'Europe.   Elles étaient toutes deux dans
l'attente.  Tout à coup une voile fut signalée à l'horizon.. Il se fit
une trêve dans les hostilités.   Les assiégés du haut de leurs remparts, les assiégeants du haut de leurs travaux d'attaque, dans un
silence d'une indicible émotion, attendaient les yeux tournés vers
la mer.   Cette voile, d'où venait-elle, de France ou d'Angleterre?
Un cri de triomphe partit des remparts, c'était une voile anglaise.
Le chevalier de Lévis leva le siège et se retira à Montréal où
assiégé à son tour, après une résistance glorieuse, réduit à la dernière extrémité, ayant vainement attendu des secours que le roi de
France ne songeait même pas à lui envoyer, il dut traiter avec
l'ennemi, mais ayant auparavant brûlé ses drapeaux pour ne pas
les rendre.   C'était la fin de la domination française en Amérique.

Il restait 60,000 colons.   Qu'allaient-ils devenir?   La réponse
à cette question, vous l'avez déjà donnée, monsieur Cochery.   Nous
sommes aujourd'hui près de deux millions, nous avons conservé
notre langue, nos institutions, notre religion.   Vivant côte-à-côte

avec une population britannique, nous formons avec eux une nation.
Tous les droits qu'ils ont, nous les avons; ce qu'ils sont, nous le
sommes.   Tous ensemble nous sommes la nation canadienne.

(Discours prononcé à Paris, 2 août 1897.)

## 90 — Notre Patrie, c'est le Canada

Nous sommes canadiens-français, mais notre patrie n'est pas
confinée au territoire ombragé par la citadelle de Québec: notre
patrie, c'est le Canada, c'est tout ce que couvre le drapeau britannique sur le continent américain, les terres fertiles qui bordent la
baie Fundy, la vallée du Saint-Laurent, la région des grands lacs,
les prairies de l'ouest, les montagnes Rocheuses, les terres que
baigne cet océan célèbre où les brises sont aussi douces que les
brises de la Méditerranée.   Nos compatriotes ne sont pas seulement
ceux dans les veines de qui coule le sang de la France, ce sont tous
ceux, quelle que soit leur race, ou leur langue, que le sort de la
guerre, les accidents de la fortune ou leur propre choix ont amenés
parmi nous et qui reconnaissent la suzeraineté de la couronne
britannique.   Quant à moi, je le proclame hautement, voilà mes
compatriotes, je suis Canadien.

Mais je l'ai dit ailleurs, et j'ai plus de plaisir à le répéter ici
ce soir, entre tous mes compatriotes, la première place dans mon
cœur est pour ceux dans les veines de qui coule le sang de mes
propres veines.   Je n'hésite pas à dire cependant que les droits de
mes compatriotes d'autres races me sont aussi chers, aussi sacrés
que les droits de ma propre race, et si le malheur voulait qu'ils
fussent jamais attaqués, je les défendrais avec autant d'énergie et
de vigueur que les droits de ma propre race.   Je dis *moi*, ne devrais-
je pas dire vous, nous tous?   Oui, nous sommes trop fils de la
France. de cette généreuse nation qui a tant de fois donné son sang
pour défendre les faibles, les opprimés, pour n'être pas prêts en
tout temps, nous aussi, à défendre les droits de nos compatriotes
de nationalités différentes, à l'égal des nôtres.   Ce que je réclame

pour nous, c'est une part égale de soleil, de justice et de liberté: cette part, nous l'avons, nous l'avons ample, et ce que nous réclamons pour nous, nous sommes anxieux de l'accorder aux autres.

Quant à moi, je ne veux pas que les Canadiens français dominent sur personne et je ne veux pas que personne domine sur eux. Justice égale, droits égaux. Il est écrit que les sables des mers sont comptés, que pas un cheveu de notre tête ne tombe sans la permission d'une providence éternelle, éternellement sage. N'est-il pas permis de croire, lorsque dans la bataille suprême livrée sur les plaines d'Abraham, le sort des armes tourna contre nous; n'est-il pas permis de croire qu'il entrait dans les desseins de la Providence que les deux races jusque-là ennemies vécussent désormais en paix et en harmonie sur ce continent, et désormais ne fissent plus qu'une seule nation? C'est là l'idée qui a été la source inspiratrice de la Confédération. Quand les provinces britanniques furent unies sous la même constitution, l'espérance maintenant avouée était de donner à tous les éléments épars qui s'y trouvaient le même idéal national, d'offrir au monde le spectacle d'une nation diverse dans ses origines, conservant dans tous ses groupes le respect des traditions de famille et de race, mais donnant désormais à tous une unique et même aspiration.

(*Sir Wilfrid Laurier à la tribune.* Discours sur le rôle de la race français en Amérique (1889.)

OBSERVATIONS. — Pourriez-vous extraire de cette page une définition satisfaisante du patriotisme canadien? Justifiez votre définition.

## LA POÉSIE

---

## CHARLES GILL

### (1871-1918)

Tête et âme d'artiste. Il eut toujours la nostalgie d'une beauté lointaine, très haute, si haute qu'il put rarement la saisir. Rarement il lui donna la forme qu'il avait rêvée. Il rêva d'épopée. Ses poèmes épiques s'envolent d'un élan souvent brisé. Il est, au surplus, capable de grâce légère.

Œuvre: *Le Cap Eternité* (1919).

(Voir *Histoire de la Littérature canadienne*, p. 160-161.)

### 91 — Le cap Eternité
### (Fragments)

Fronton vertigineux dont un monde est le temple,
C'est à l'éternité que ce cap fait songer;
Laisse en face de lui l'heure se prolonger
Silencieusement, ô mon âme, et contemple!

Défiant le calcul, au sein du fleuve obscur
Il plonge; le miroir est digne de l'image.
Et quand le vent s'endort au large, le nuage
Couronne son front libre au pays de l'azur.
Le plomb du nautonier à sa base s'égare,
Et d'en bas, bien souvent, notre regard se perd
En cherchant son sommet familier de l'éclair;
C'est pourquoi le passant étonné le compare

A la mystérieuse et noire éternité.
Témoin pétrifié des premiers jours du monde,
Il était sous le ciel avant l'humanité,
Car plus mystérieux que dans la nuit de l'onde
Où sa base s'enfonce, il plonge dans le temps;
Et le savant pensif qui marque nos instants,
N'a pu compter son âge à l'aune des années.


Il a vu s'accomplir de sombres destinées.
Rien n'a modifié son redoutable aspect.
Il a vu tout changer, pendant qu'il échappait
A la terrestre loi des choses périssables.
Il a vu tout changer, tout naître et tout mourir,
Et tout renaître encore, et vivre, et se flétrir:
Les grands pins et le lierre à ses flancs formidables.
Et, dans le tourbillon des siècles emportés,
Les générations, leurs sanglots et leurs rires,
Les faibles et les forts, les bourgs et les cités,
Les royaumes obscurs et les puissants empires!


        .     .     .     .     .     .     .     .     .     .


Combien de soirs sont morts, combien d'aubes sont nées
Sur son front dédaigneux des terrestres années?
Combien de fois encore l'Océan va blêmir,
Combien de soirs silencieux vont s'endormir
Sur ce front dont l'orgueil dominera les âges
De plus haut qu'il ne règne au milieu des nuages?
Quand sur le sol laurentien seront passés
Des jours dont le calcul nous entraîne au vertige;
Sur les sables mouvants quand seront effacés
Notre éphémère empreinte et nos derniers vestiges;
Quand nous aurons été par d'autres remplacés,
Et quand à leur déclin, le vent des cimetières
Aura sur d'autres morts roulé d'autres poussières;
Plus loin dans l'avenir, peuples ensevelis,
Quand le linceul du temps vous aura dans ses plis;

Après votre néant, quand d'autres millénaires
Sur d'autres vanités tendront d'autres oublis,
Le Cap sera debout sur les eaux solitaires,
Debout sur les débris des nations altières ;
Le Cap Eternité dressé sur l'Infini
Sera debout dans son armure de granit.

. . . . . . . . . .

Que verra-t-il, dans l'avenir mystérieux ?
Quels déclins ! Mais aussi quels essors merveilleux
D'audace et de calcul, quel art, quelle magie,
Quelles éclosions de patient génie,
Et quels profonds secrets conquis sur l'inconnu.

. . . . . . . . . . .

Sphinx des passés perdus, il pose à l'avenir
Le problème infini du temps et de l'espace.
Il contemple au zénith l'Eternel face à face,
Et son terrible nom lui peut seul convenir.

Dans le déclin des jours, il projette son ombre
Qui tourne en s'allongeant au loin sur le flot sombre ;
Depuis midi jusqu'aux ultimes feux du soir,
Sur l'onde fugitive il marque l'heure en noir
Et compte la naissance et la mort des années.
Pour quel monde inquiet, quelles races damnées,
Pour quels hôtes grinçants, pour quels spectres maudits,
Pour quels vieux prisonniers de l'infernal abîme,
Cette horloge implacable, éternelle et sublime,
Marque-t-elle l'essor des âges infinis !

Celui qui le premier l'a nommé sur la terre,
Avait de l'être humain mesuré le cercueil.
Et, plus haut que l'essor de notre immense orgueil,
Habitué son rêve à la pleine lumière !

Est-ce toi, vieux Champlain?... Non! la postérité
Demande vainement à l'histoire incomplète,
Quel apôtre, quel preux, quel sublime poète
Devant tant de grandeur a dit: Eternité!

*(Le Cap Eternité.)*

OBSERVATIONS. — Le poète veut justifier le nom donné au cap
Eternité. Par quels procédés essaie-t-il de donner l'impression d'une durée
éternelle?

---

## 92 — Chanson

Les aigles ont des ailes
Pour enivrer d'azur leurs libres majestés;
Pour mettre plus de feu céleste en leurs prunelles
Et pour régner en paix dans les immensités,
Les aigles ont des ailes!

Les anges ont des ailes
Pour planer au chevet des enfants endormis;
Pour emporter, du fond des splendeurs éternelles,
Des auréoles d'or à leurs petits amis,
Les anges ont des ailes!

Les âmes ont des ailes
Dans l'essor infini, pour immortaliser
L'éphémère frisson de nos amours mortelles;
Après l'adieu suprême, le dernier baiser,
Les âmes ont des ailes!

*(Le Cap Eternité.)*

---

# EMILE NELLIGAN
## (1882-1941)

Le plus lyrique, le plus désespéré. Il a trouvé pour exprimer sa vie qui pleure et qui sombre des accents qui émeuvent profondément. Poésie d'une âme à la fois jeune et lasse, où l'art, qui imite, se fait déjà personnel.
Œuvre dans *Emile Nelligan et son œuvre* (1903).

(Voir *Histoire de la Littérature canadienne*, p. 161-162.)

## 93 — Le vaisseau d'or

Ce fut un grand Vaisseau taillé dans l'or massif:
Ses mâts touchaient l'azur, sur des mers inconnues;
La Cyprine d'amour, cheveux épars, chairs nues,
S'étalait à sa proue, au soleil excessif.

Mais il vint une nuit frapper le grand écueil
Dans l'océan trompeur où chantait la Sirène,
Et le naufrage horrible inclina sa carène
Aux profondeurs du Gouffre, immuable cercueil.

Ce fut un Vaisseau d'or, dont les flancs diaphanes
Révélaient des trésors que les marins profanes,
Dégoût, Haine et Névrose, entre eux ont disputé.

Que reste-t-il de lui dans la tempête brève?
Qu'est devenu mon cœur, navire déserté?
Hélas! Il a sombré dans l'abîme du Rêve!...

(*Œuvres.*)

OBSERVATIONS. — Expliquer le symbolisme de ce sonnet, et apprécier sa valeur littéraire.

## 94 — Devant deux portraits de ma mère

Ma mère, que je l'aime en ce portrait ancien,
Peint aux jours glorieux qu'elle était jeune fille,
Le front couleur de lys et le regard qui brille
Comme un éblouissant miroir vénitien !

Ma mère que voici n'est plus du tout la même ;
Les rides ont creusé le beau marbre frontal ;
Elle a perdu l'éclat du temps sentimental
Où son hymen chanta comme un rose poème.

Aujourd'hui je compare, et j'en suis triste aussi,
Ce front nimbé de joie et ce front de souci,
Soleil d'or, brouillard dense au couchant des années.

Mais, mystère de cœur qui ne peut s'éclairer !
Comment puis-je sourire à ces lèvres fanées ?
Au portrait qui sourit, comment puis-je pleurer ?

*(Œuvres.)*

---

## 95 — Les communiantes

Calmes, elles s'en vont, défilant aux allées
De la chapelle en fleurs, et je les suis des yeux,
Religieusement joignant mes doigts pieux,
Plein de l'ardent regret des ferveurs en allées.

Voici qu'elles se sont toutes agenouillées
Au mystique repas qui leur descend des cieux,
Devant l'autel piqué de flamboiements joyeux
Et d'une floraison de fleurs immaculées.

Leur séraphique ardeur fut si lente à finir
Que tout à l'heure encore, à les voir revenir
De l'agape céleste au divin réfectoire.

Je crus qu'elles allaient vraiment prendre l'essor,
Comme si, se glissant sous leurs voiles de gloire,
Un ange leur avait posé des ailes d'or.

*(Œuvres.)*

---

## 96 — Sérénade triste

Comme des larmes d'or qui de mon cœur s'égouttent,
Feuilles de mes bonheurs, vous tombez toutes, toutes.

Vous tombez au jardin de rêve où je m'en vais,
Où je vais, les cheveux au vent des jours mauvais.

Vous tombez de l'intime arbre blanc, abattues,
Çà et là, n'importe où, dans l'allée aux statues.

Couleurs des jours anciens, de mes robes d'enfant,
Quand les grands vents d'automne ont sonné l'olifant.

Et vous tombez toujours, mêlant vos agonies,
Vous tombez, mariant, pâles, vos harmonies.

Vous avez chu dans l'aube au sillon des chemins ;
Vous pleurez de mes yeux, vous tombez de mes mains.

Comme des larmes d'or qui de mon cœur s'égouttent,
Dans mes vingt ans déserts vous tombez toutes, toutes.

*(Œuvres.)*

## 97 — La romance du vin

Tout se mêle en un vif éclat de gaîté verte.
O le beau soir de mai ! Tous les oiseaux en chœur,
Ainsi que les espoirs naguères à mon cœur
Modulent leur prélude à ma croisée ouverte.

O le beau soir de mai ! le joyeux soir de mai !
Un orgue au loin éclate en froides mélopées ;
Et les rayons, ainsi que de pourpres épées,
Percent le cœur du jour qui se meurt parfumé.

Je suis gai ! je suis gai ! Dans le cristal qui chante,
Verse, verse le vin ! verse encore et toujours,
Que je puisse oublier la tristesse des jours,
Dans le dédain que j'ai de la foule méchante !

Je sui gai ! je suis gai ! Vive le vin et l'Art !...
J'ai le rêve de faire aussi des vers célèbres,
Des vers qui gémiront les musiques funèbres
Des vents d'automne au loin passant dans le brouillard.

C'est le règne du rire amer et de la rage
De se savoir poète et l'objet du mépris,
De se savoir un cœur et de n'être compris
Que par le clair de lune et les grands soirs d'orage !

Femmes ! je bois à vous qui riez du chemin
Où l'Idéal m'appelle en ouvrant ses bras roses ;
Je bois à vous surtout, hommes aux fronts moroses
Qui dédaignez ma vie et repoussez ma main !

Pendant que tout l'azur s'étoile dans la gloire,
Et qu'un hymne s'entonne au renouveau doré,
Sur le jour expirant je n'ai donc pas pleuré,
Moi qui marche à tâtons dans ma jeunesse noire !

Je suis gai! je suis gai! Vive le soir de mai!
Je suis follement gai, sans être pourtant ivre!...
Serait-ce que je suis enfin heureux de vivre;
Enfin mon cœur est-il guéri d'avoir aimé?

Les cloches ont chanté; le vent du soir odore...
Et pendant que le vin ruisselle à joyeux flots,
Je suis si gai, si gai, dans mon rire sonore,
Oh! si gai, que j'ai peur d'éclater en sanglots!

*(Œuvres.)*

OBSERVATIONS. — Après avoir lu *Sérénade triste* et *Romance du vin*,
dites où vous trouvez plus profonde, plus poignante la tristesse de Nelligan:
dans le rire ou dans les sanglots?

# ALBERT LOZEAU

## (1878-1924)

Il s'est cherché à travers la souffrance. Et il s'est raconté en des vers qui tour à tour jaillissent de la tête et du cœur. Capable de ciseler la pensée ou le rêve; capable aussi de les livrer en strophes fluides, moins artistiques. D'ordinaire, il s'applique à accroître par l'harmonie des mots celle du rêve ou de la pensée.

Œuvres principales: *L'Ame Solitaire* (1907); *le Miroir des jours* (1912); *Lauriers et Feuilles d'érable* (1916). En prose: *Billets du soir*, 3 séries.

(Voir *Histoire de la Littérature canadienne*, p. 162-164.)

## 98 — La poussière du jour

La poussière de l'heure et la cendre du jour
En un brouillard léger flottent au crépuscule.
Un lambeau de soleil au lointain du ciel brûle,
Et l'on voit s'effacer les clochers d'alentour.

La poussière du jour et la cendre de l'heure
Montent, comme au-dessus d'un invisible feu,
Et dans le clair de lune adorablement bleu
Planent au gré du vent dont l'air frais nous effleure.

La poussière de l'heure et la cendre du jour
Retombent sur nos cœurs comme une pluie amère,
Car dans le jour fuyant et dans l'heure éphémère
Combien n'ont-ils pas mis d'espérance et d'amour!

La poussière du jour et la cendre de l'heure
Contiennent nos soupirs, nos vœux et nos chansons;
A chaque heure envolée, un peu nous périssons,
Et devant cette mort incessante, je pleure

La poussière du jour et la cendre de l'heure...

*(Le Miroir des jours.)*

## 99 — Erable rouge

Dans le vent qui les tord les érables se plaignent,
Et j'en sais un, là-bas, dont tous les rameaux saignent!

Il est dans la montagne, auprès d'un chêne vieux,
Sur le bord d'un chemin sombre et silencieux.

L'écarlate s'épand et le rubis s'écoule
De sa large ramure au bruit frais d'eau qui coule.

Il n'est qu'une blessure où, magnifiquement,
Le rayon qui pénètre allume un flamboiement!

Le bel arbre! On dirait que sa cime qui bouge
A trempé dans les feux mourants du soleil rouge!

Sur le feuillage d'or au sol brun s'amassant,
Par instant, il échappe une feuille de sang.

Et quand le soir éteint l'éclat de chaque chose,
L'ombre qui l'enveloppe en devient toute rose!

La lune bleue et blanche au lointain émergeant,
Dans la nuit vaste et pure y verse une eau d'argent.

Et c'est une splendeur claire que rien n'égale,
Sous le soleil penchant ou la nuit automnale!

*(Le Miroir des jours.)*

———————

## 100 — Solitude

Solitude du cœur, silence de la chambre,
Calme du soir autour de la lampe qui luit,
Pendant que sur les toits la neige de décembre
Scintille au clair de lune épandu dans la nuit...

Monotonie exquise, intimité de l'heure
Que rythme également l'horloge au bruit léger, —
Voix si paisible et si douce que la demeure
Familière l'entend toujours sans y songer...

Possession de soi, plénitude de l'être,
Recueillement profond et sommeil du désir...
Douceur d'avoir sa part du ciel à la fenêtre,
Et de ne pas rêver qu'ailleurs est le plaisir!

Heureuse solitude! Onde fraîche où se baigne
L'âme enfiévrée et triste et lasse infiniment,
Où le cœur qu'a meurtri l'existence, et qui saigne,
Embaume sa blessure ardente, en la fermant...

(*Le Miroir des jours.*)

OBSERVATIONS. — 1° Décrivez, d'après ce poème, le bienfait de la solitude. — 2° N'y a-t-il ici que des raisons d'ordre sentimental qui montrent le bienfait de la solitude? Quels vers définissent des raisons d'ordre plus profond?

---

## 101 — Vanité

Aux feux de mon esprit qui s'allume dans l'ombre,
Je me regarde vivre avec étonnement:
Une fierté triomphe en ma stature sombre,
Et je suis comme un roi promis au firmament!

J'ai des chants de victoire au cœur, je me célèbre!
Comme autrefois David devant l'arche a dansé,
J'élève un hymne d'or à ma propre ténèbre,
Et d'un éclair divin je me sens traversé!

Je suis mon seul amour. Je suis grand. Je suis digne.
S'il est quelqu'un meilleur, c'est qu'il existe un Dieu!
Et mon être est marqué, comme l'élu, d'un signe
Tel qu'on en voit la nuit briller dans le ciel bleu!

Vanité! Vanité! — Ta poussière superbe
Qui s'aime et se contemple, un vent l'emportera!
Et, comme après l'été splendide le brin d'herbe,
Ton corps, ton pauvre corps lentement pourrira !

Vanité des beaux yeux et vanité des lèvres,
Et vanité des mains où l'on s'est caressé!
Que restera-t-il donc des frissons et des fièvres
Quand l'agonie horrible et longue aura passé?

La terre confondra dans une même fange
L'humble et celui qui fut de son âme orgueilleux,
Et rien n'apparaîtra sur leurs tombes d'étrange;
Ils dormiront égaux et pareils sous les cieux.

Vanité! Vanité! — Courbe ton front que dresse
Plus haut que ton destin l'ambitieux désir!
La mort, de toutes parts, avidement te presse,
Le néant d'où tu sors cherche à te ressaisir!

Cris de gloire perdus, qu'on peut à peine entendre
Dans la sourde rumeur que fait l'humanité,
Vous montez d'une bouche où reste un goût de cendre,
Vous n'êtes qu'un vain bruit par lui-même écouté!

Vanité! — Tout s'éteint, tout expire et tout passe,
L'astre dans sa clarté, le monde en son orgueil!
Et l'homme, qui remplit de tumulte l'espace,
Mesure sa grandeur aux planches du cercueil!

(*Le Miroir des jours.*)

OBSERVATIONS. — Exaltation, humiliation de l'orgueil.  Avec quel
art le poète utilise les antithèses et les contrastes?

———————

# GONZALVE DESAULNIERS

## (1863-1934)

Il eût voulu être Lamartine. Il lui prit du moins son âme amie des bois et des flots. Il rêva comme lui au bord des grèves et sous les arbres. Et il mit dans ses strophes une tendresse, une harmonie verbale, qui font sa poésie douce et molle; elles ne la font pas assez originale.

Œuvre: *Les Bois qui chantent* (1930).

## 102 — Les voix du golfe
### (Fragments)

Le flot montait, couvrant les récifs, enlaçant
De ses varechs le pied des falaises, poussant
Dans son ascension très lente les gabares
Dont les flancs endormis roulaient sur leurs amarres;
Les côtes peu à peu s'effaçaient comme si,
Affluant vers les bords du golfe rétréci,
Lasse d'avoir depuis l'aurore autour du globe,
Ourlé sur tous les caps les pans verts de sa robe,
Sur nos plages sans fin que son poids fait gémir,
La mer, la vaste mer, s'allongeait pour dormir.
Nous nous assîmes sur la berge, l'âme prise
Par les clartés, par les senteurs et par la brise.
Les alanguissements du flot passaient en nous,
Une lueur de rêve au fond de ses yeux doux
Tremblait et la faisait muette, et ses paupières
Par instants s'abaissaient sous le jeu des lumières.
Tant de calme venu des monts silencieux,
Des îles, des rochers, des forêts et des cieux
L'enveloppait; tant de paix sereine et profonde
Tombait du firmament, — comme d'une rotonde
Quand le jour dans les ors des verrières se fond
Tombe un rayonnement mélancolique et blond, —
Que cédant au frisson mystérieux des choses,
Mêlant ses cheveux noirs aux ambiances roses,
Elle pencha son front sur mon épaule.

Au loin,
De son dos velouté quelque énorme marsouin,
Rayant d'un trait d'argent la ligne mauve et bleue,
Eclaboussait l'azur du revers de sa queue
Puis replongeait dans les tranquilles profondeurs.

. . . . . . . . . .

Alors, ses yeux ravis s'en furent au delà
Des lourds escarpements de la nue, et voilà
Que tout à coup l'oreille ouverte aux rythmes vagues,
J'entendis que chantaient tout près de moi les vagues:
Chacune me jetait en déferlant son mot
Dans ce colloque étroit de la terre et du flot.
Oh! qui pourra jamais en traits ineffaçables,
Sur la page mouvante et fragile des sables
Fixer les rimes d'or du poème éternel
Que dit le vent, qu'écrit la mer, que fait le ciel!

Toutes les voix du golfe un moment revenues,
Celle qui sort des rocs ou qui descend des nues,
Celle qui passe, au gré des matins et des soirs,
Sur les flots bleus, sur les flots gris, sur les flots noirs,
Dont les inflexions sonores ou voilées
Font les esprits sereins ou les âmes troublées;
La voix qui glisse au ras des ondes doucement,
Ou qui galope au bout des voiles brusquement;
Sur les mers en délire ou les mers en ivresse,
Celle qui gronde ainsi que celle qui caresse;
La voix qui vient du fond des temps irrévolus,
Faite de tous les bruits des siècles révolus:
Toutes, toutes courant sur l'énorme estuaire,
Dans le fléchissement du jour crépusculaire,
Comme des sons de harpe éclatèrent.

*(Les Bois qui chantent.)*

———————

# JEAN CHARBONNEAU
## (1875-    )

Il vise très haut. Il est philosophe. Il monte parfois plus haut qu'il ne voit.
Et pourtant il est poète; et les images abondent; elles colorent les idées et les
précisent. Mais il arrive que le lecteur n'aperçoit que l'image... Il est ravi quand
il y découvre l'idée.

Œuvres principales: *Les Blessures* (1912); *l'Age de Sang* (1921); *les Prédestinées* (1923); *l'Ombre dans le Miroir* (1924); *la Flamme ardente* (1928).

(Voir *Histoire de la Littérature canadienne*, p. 164-165.)

## 103 — Sisyphe

### (Fragments)

Sisyphe, constructeur d'immortelles Chimères!
Bâtisseur de palais d'argile! Illuminé!
Toi qui mêlas ton sang à tes larmes amères,
O fier Titan à ton Destin abandonné,

Un éternel tourment assaille ta pensée:
Dompter la Vie et vaincre — illusion! — la Mort.
Ivresse du génie, et jamais exaucée,
Que du sommet des monts ton âme espère encor.

Oui, le Temps accomplit son œuvre millénaire,
Et lorsqu'il a fauché partout en tourbillon,
L'humanité comme jadis se régénère,
Et creuse de nouveau son fertile sillon.

Mais tu n'as pas changé la forme de ton rêve,
O Sisyphe, symbole en qui s'est reflété
L'image d'un désir qui jamais ne s'achève,
Et qui se poursuivra pendant l'éternité.

Car à tous les instants douloureux de ta vie
Où tu roules ton formidable et lourd rocher,
Jamais de ton chemin ta course ne dévie:
Sans cesse un astre naît que tu sembles toucher.

Ta force porte en elle une divine essence:
Tu conçus le projet depuis longtemps mûri,
De réduire la Vie à ta toute-puissance,
Et d'enchaîner la Mort, un jour, au pilori.

. . . . . . . . . . . . . .

### III

Sisyphe va tenter de bâtir, pierre à pierre,
L'enceinte d'un donjon et les créneaux des tours
Qui doivent dominer les plaines de la terre,
Et dont resplendiront les superbes contours.

Un rocher monstrueux que de ses mains il roule,
Et qu'à ses muscles forts lentement il soumet,
Ebranle le sentier dont le sable s'écroule...
Il monte, haletant, vers le divin sommet.

Mais, d'un coup, un pouvoir supérieur l'arrête,
Et l'a précipité dans l'abîme sans fond,
A cette heure où ses mains devaient toucher le faîte.
Alors, se dressant sur lui-même, d'un bond,

Semblable à ce coursier fougueux que rien ne dompte,
Accablé du fardeau dont s'alourdit son corps,
Le torse ruisselant de sueur, il remonte,
Car sa ténacité centuple ses efforts.

Nul ne mettra de terme à l'œuvre commencée;
Et des siècles nombreux devant lui passeront:
Sisyphe, sans faiblir, poursuivra sa pensée...
Car une flamme ardente auréole son front.

(*La Flamme ardente.*)

# ALBERT FERLAND
## (1872-1943)

Il est le poète de nos bois. Il les chante; il les décrit; il nous montre leur parure; il leur prête une âme pieuse. — L'inspiration du poète est inégale, et se termine aux prochains horizons.

Œuvres principales: *Mélodies poétiques* (1893); Le Canada chanté: *les Horizons* (1908), *l'Ame des Bois* (1909), *le Terroir* (1909).

(Voir *Histoire de la Littérature canadienne*, p. 165.)

## 104 — Prière des bois du Nord
### (Fragment)

O toi qui nous a mis sans nombre à l'horizon,
De soleil altérés, de terre vierge avides,
Sois béni! le matin blanchit les Laurentides,
Se révèle au pays de l'ours et du bison,
O toi qui nous a mis sans nombre à l'horizon!

Sois béni dans la paix des vertes solitudes
Où les bois, nos aïeux, se sont enracinés,
Où les pruches, les pins et les cèdres sont nés,
Dédaigneux de l'assaut tenace des vents rudes;
Sois béni dans la paix des vertes solitudes!

A Toi, qui nous a faits, l'hommage des sapins,
Immobiles rêveurs groupés dans la savane,
Arbres noirs, dont jamais le rameau ne se fane,
Quand l'automne fait choir l'orgueil des bois chagrins;
A Toi, qui nous a faits, l'hommage des sapins!

A Toi, qui nous a faits, l'hommage des érables,
Des érables pourprés et des érables d'or,
Dont les feuilles, mourant des morsures du nord,
Se parent pour l'adieu de teintes innombrables;
A Toi, qui nous a faits, l'hommage des érables!

A Toi, qui nous a faits, l'hommage des bouleaux,
Si menus et si blancs parmi les souches grises,
**Bouleaux sveltes,** bouleaux tremblant aux moindres brises,
D'une grêle blancheur éclairant les ruisseaux ;
A Toi, qui nous a faits, l'hommage des bouleaux !

Sois loué, **Toi** qui fais le cèdre aux branches fines,
Les cèdres pleins d'odeur, amis des fonds bourbeux,
Les cèdres effilés, penchés sur les lacs bleus,
Et les hêtres fourchus, amoureux des collines ;
Sois loué, Toi qui fais le cèdre aux branches fines !

Sois loué, Toi qui fais le pin sombre et géant,
Le pin vêtu de nuit, conquérant des falaises,
Les saules tourmentés, les ifs et les mélèzes,
Le tremble au vert léger, le frêne au bois pliant ;
Sois loué, Toi qui fais le pin sombre et géant !

. . . . . . . . . . . . . .

(Le Canada chanté: *Les Horizons*.)

## 105 — Aux arbres de chez nous

O le vert lumineux des feuilles que vous faites,
Arbres puissants des monts, des grèves, des marais,
Quand Mai revient sourire aux austères forêts,
Et fait chanter l'Amour dans la terre où vous êtes ;
O le vert lumineux des feuilles que vous faites ;

C'est bien, les Arbres bons, soyez verts, soyez beaux !
Votre œuvre est grande, et l'homme avec amour l'accueille ;
Feuillez, feuillez, feuillez, gloire à l'arbre qui feuille
Pour la source et les nids, pour l'homme et les troupeaux !
Feuillez, Arbres feuillant, splendeur des renouveaux !

Aimez notre pays, Pins noirs et beaux Erables.
Peuplez la plaine.  Altiers et forts, gardez les eaux.
Sans vous nos lacs géants se feraient misérables,
Et les jours n'auraient plus le miroir des ruisseaux.
Aimez notre pays, Pins noirs et beaux Erables.

Vivez chez nous, vivez, vivez, Arbres vivants !
Frangez d'un vert profond la fuite des prairies ;
Faites des fleurs, semez votre âme aux quatre vents ;
Toujours aimés, soyez sans fin dans ma patrie ;
Vivez chez nous, vivez, vivez, Arbres vivants !

(Le Canada chanté: *l'Ame des Bois*.)

OBSERVATIONS. — La poésie des bois: elle est dans la beauté des
formes et dans la vie de l'arbre. Est-ce cela que vous apercevez dans les
deux poèmes d'Albert Ferland que vous venez de lire?

---

## 106 — Berceuse atœna

Le vent souffle sur le fleuve Youkron
et mon époux poursuit le renne sur
les monts Koyoukon.
Xami. Xami, dors, mon petit!

Ballade des Atœnas (Alaska).

*A ma femme.*

En rafales, l'Hiver déchaîne
Ses vents hurleurs sur le Youkron,
Et, seul, dans la forêt lointaine
Qui longe les monts Koyoukon,
Mon cher époux chasse le renne.

Xami, Xami, dors doucement ;
Xami, Xami, dors, mon enfant !

J'ai brisé ma hache de pierre.
Bientôt je n'aurai plus de bois.
Les jours gris traînent leur lumière.
L'arbre se fend sous les cieux froids.
J'ai brisé ma hache de pierre...

Xami, Xami, dors doucement !
Xami, Xami, dors, mon enfant !

Ah! le soleil a fui la terre!
Et nous disons, hommes du Nord,
Que sa chaleur est prisonnière
Dans la loge du grand Castor.
Ah! le soleil a fui la terre!

Xami, Xami, dors doucement;
Xami, Xami, dors, mon enfant!

Depuis longtemps la cache est vide.
Mes yeux, tournés vers les buissons,
Ne voient plus les corbeaux avides
Couvrir l'échafaud aux poissons.
Depuis longtemps la cache est vide.

Xami, Xami, dors doucement;
Xami, Xami, dors, mon enfant!

Mon petit, j'ai le cœur en peine!
Que fait-il donc si loin de nous
Kouskokrala, chasseur de rennes?
Ah! qu'il est longtemps, mon époux!...
Mon petit, j'ai le cœur en peine!...

Xami, Xami, dors doucement;
Xami, Xami, dors, mon enfant!

En rafales, l'Hiver déchaîne
Ses vents hurlants sur le Youkron,
Et, seul, dans la forêt lointaine
Qui longe les monts Koyoukon,
Mon cher époux chasse le renne.

Xami, Xami, dors doucement;
Xami, Xami, dors, mon enfant!

(Le Canada chanté: *Le Terroir*.)

# NÉRÉE BEAUCHEMIN

## (1850-1931)

A 47 ans il fit sonner *la Cloche de Louisbourg*. Et longtemps on ne l'entendit plus chanter. Le poète se recueillait; il regardait aussi, et avec quelle affection, sa petite patrie. Et il réapparut sur le tard avec des poèmes souvent plus beaux, où s'insèrent des mots plus précis; l'émotion, encore discrète, y est plus profonde.

Œuvres: *Floraisons matutinales* (1897); *Patrie intime* (1928).

(Voir *Histoire de la Littérature canadienne*, p. 166-167.))

## 107 — La cloche de Louisbourg

Cette vieille cloche d'église,
Qu'une gloire en larmes encor
Blasonne, brode et fleurdelise,
Rutile à nos yeux comme l'or.

On lit le nom de la marraine,
En traits fleuronnés, sur l'airain.
Un nom de sainte, un nom de reine,
Et puis le prénom du parrain.

C'est une pieuse relique:
On peut la baiser à genoux;
Elle est française et catholique
Comme les cloches de chez nous.

Jadis ses pures sonneries
Ont mené les processions,
Les cortèges, les théories
Des premières communions.

Bien des fois pendant la nuitée,
Par les grands coups du vent d'avril,
Elle a signalé la jetée
Aux pauvres pêcheurs en péril.

A présent, le soir, sur les vagues,
Le marin qui rôde par là
Croit ouïr des carillons vagues,
Tinter l'*Ave maris stella*.

Elle fut bénite. Elle est ointe.
Souvent, dans l'antique beffroi,
Aux Fêtes-Dieu, sa voix s'est jointe
Au canon des vaisseaux du Roy.

Les boulets l'ont égratignée,
Mais ces balafres et ces chocs
L'ont pour jamais damasquinée
Comme l'acier des vieux estocs.

Oh! c'était le cœur de la France,
Qui battait à grands coups alors
Dans la triomphale cadence
Du grave bronze aux longs accords!

O cloche, c'est l'écho sonore
Des sombres âges glorieux
Qui soupire et sanglote encore
Dans ton silence harmonieux!

En nos cœurs tes branles magiques,
Dolents et rêveurs, font vibrer
Des souvenances nostalgiques,
Douces à nous faire pleurer.

*(Floraisons matutinales.)*

OBSERVATIONS. — 1° "Petit poème qui touche à la grandeur", a-t-on dit de *La Cloche de Louisbourg*. Commentez ce jugement. — 2° La cloche est maintenant silencieuse au musée du château Ramesay, à Montréal. Trois sortes de "souvenances nostalgiques" qu'elle évoque encore. Lesquelles? — 3° Son "silence harmonieux". En quoi consiste cette harmonie. Le poète y a-t-il ajouté, ici, celle des vers?

## 108 — Fleurs d'aurore

Comme au printemps de l'autre année,
Au mois des fleurs, après les froids,
Par quelque belle matinée,
Nous irons encore sous bois.

Nous y verrons les mêmes choses,
Le même glorieux réveil,
Et les mêmes métamorphoses
De tout ce qui vit au soleil.

Nous y verrons les grands squelettes
Des arbres gris ressusciter,
Et les yeux clos des violettes
A la lumière palpiter.

Sous le clair feuillage vert tendre,
Les tourterelles des buissons,
Ce jour-là, nous feront entendre
Leurs lentes et nobles chansons.

Ensemble nous irons encore
Cueillir dans les prés, au matin,
De ces bouquets couleur d'aurore
Qui fleurent la rose et le thym.

Nous y boirons l'odeur subtile,
Les capiteux aromes blonds
Que, dans l'air tiède et pur, distille
La flore chaude des vallons.

Radieux, secouant le givre
Et les frimas de l'an dernier,
Nos chers espoirs pourront revivre
Au bon vieux soleil printanier.

En attendant que tout renaisse,
Que tout aime et revive un jour,
Laisse nos rêves, ô jeunesse,
S'envoler vers tes bois d'amour !

Chère idylle, tes primevères
Eclosent en toutes saisons;
Elles narguent les froids sévères
Et percent la neige à foison.

Eternel renouveau, tes sèves
Montent même aux cœurs refroidis,
Et tes capiteuses fleurs brèves
Nous grisent comme au temps jadis.

Oh ! oui, nous cuillerons encore,
Aussi frais que l'autre matin,
Ces fins bouquets couleur d'aurore
Qui fleurent la rose et le thym.

                                   (*Floraisons matutinales.*)

OBSERVATIONS. — 1° Etudiez les images et le vocabulaire de ce poème, l'un des plus gracieux de l'œuvre de Beauchemin. Montrez-en la justesse et l'à-propos. — 2° Quel symbolisme le poète a-t-il dégagé du renouveau du printemps?

---

## 109 — Rose d'automne

Aux branches que l'air rouille et que le gel mordore,
Comme par un prodige inouï du soleil,
Avec plus de langueur et plus de charme encore,
Les roses du parterre ouvrent leur cœur vermeil.

Dans sa corbeille d'or, août cueillit les dernières:
Les pétales de pourpre ont jonché le gazon.
Mais voici que, soudain, les touffes printanières
Embaument les matins de l'arrière-saison.

Les bosquets sont ravis, le ciel même s'étonne
De voir, sur le rosier qui ne veut pas mourir,
Malgré le vent, la pluie et le givre d'automne,
Les boutons, tout gonflés d'un sang rouge, fleurir.

En ces fleurs que le soir mélancolique étale,
C'est l'âme des printemps fanés qui, pour un jour,
Remonte, et de corolle en corolle s'exhale,
Comme soupirs de rêve et sourires d'amour.

Tardives floraisons du jardin qui décline,
Vous avez la douceur exquise et le parfum
Des anciens souvenirs, si doux malgré l'épine
De l'illusion morte et du bonheur défunt.

*(Patrie intime.)*

---

## 110 — Ma lointaine aïeule

Par un temps de demoiselle,
Sur la frêle caravelle,
Mon aïeule maternelle.
Pour l'autre côté de l'Eau,
Prit la mer à Saint-Malo.

Son chapelet dans sa poche,
Quelques sous dans la sacoche,
Elle arrivait, par le coche,
Sans parure et sans bijou,
D'un petit bourg de l'Anjou.

Devant l'autel de la Vierge,
Ayant fait brûler le cierge
Que la Chandeleur asperge,
Sans que le cœur lui manquât,
La terrienne s'embarqua.

Femme de par Dieu voulue,
Par le Roy première élue,
Au couchant, elle salue
Ce lointain mystérieux,
Qui n'est plus terre ni cieux.

Et tandis que son œil plonge
Dans l'azur vague, elle songe
Au bon ami de Saintonge,
Qui, depuis un siècle, attend
La blonde qu'il aime tant.

De la patrie angevine,
Où la menthe et l'aubépine
Embaument val et colline,
La brise emporte un brin
De l'amoureux romarin.

Par un temps de demoiselle,
Un matin dans la chapelle,
Sous le poêle de dentelle,
Au balustre des époux,
On vit le couple à genoux.

Depuis cent et cent années,
Sur la tige des lignées,
Aux branches nouvelles nées,
Fleurit, comme au premier jour,
Fleur de France, fleur d'amour.

O mon cœur, jamais n'oublie
Le cher lien qui te lie,
Par-dessus la mer jolie,
Aux bons pays, aux doux lieux,
D'où sont venus les Aïeux.

*(Patrie intime.)*

## 111 — Crépuscule rustique

La profondeur du ciel occidental s'est teinte
D'un jaune paille mûre et feuillage rouillé,
Et, tant que la lueur claire n'est pas éteinte
Le regard qui se lève est tout émerveillé.

Les nuances d'or clair semblent toutes nouvelles.
Le champ céleste ondule et se creuse en sillons,
Comme un chaume, où reluit le safran des javelles
Qu'une brise éparpille, et roule en gerbillons.

Chargé des meules d'ambre, où luit, par intervalle,
Le reflet des rayons amortis du soleil,
Le nuage, d'espace en espace, dévale,
Traîne, s'enfonce, plonge à l'horizon vermeil.

Mais l'ombre, lentement, traverse la campagne,
Et glisse, à vol léger, au fond des plaines d'or.
Septembre, glorieux, derrière la montagne,
A roulé, pour la nuit, le char de Messidor.

*(Patrie intime.)*

# BLANCHE LAMONTAGNE
## (1889-        )

Elle chante la terre, ses habitants, leur âme. Chant multiple où ne se renouvelle pas toujours assez l'inspiration. Celle-ci, d'ailleurs, très délicate et touchante, soutenue de visions pittoresques. Mais l'émotion parfois voile trop des regards qui ne sont plus assez aigus. La Gaspésie doit à cette poétesse son meilleur cantique.

Œuvres principales: *Visions gaspésiennes* (1917); *Par nos champs et nos rives* (1917); *La Vieille Maison* (1920); *les Trois Lyres* (1923); *Ma Gaspésie* (1928). — En prose: *Récits et Légendes* (1922); *Un cœur fidèle*, roman (1924).

(Voir *Histoire de la Littérature canadienne*, p. 167-168.)

## 112 — Le soir tombait...

Le soir tombait au loin; la nature apaisée,
Dans un riant silence, attendait le sommeil.
Tout bruit s'était éteint; la terre reposée,
Semblait boire à grands flots l'or du couchant vermeil.
Et la brise du soir qui venait des montagnes,
Mêlait l'odeur des bois à l'odeur des grands foins,
Dont la blonde moisson inondait les campagnes;
   Le soir tombait, au loin...

Assis près de leur seuil, en ce soir pacifique,
Un couple d' "habitants" causait à demi-voix.
Elle, avait la douceur des aïeules antiques,
Et lui, le pur profil des colons d'autrefois.
Leur visage, ce champ labouré par la vie,
Portait le sceau sacré des chagrins et du deuil.
Ils causaient dans la paix de l'ombre épanouie,
   Assis près de leur seuil...

Dans les mêmes sillons, leurs bras et leur pensée
S'étaient usés, tendus vers le même devoir;
Par leur commun effort, la plaine ensemencée,
Avait fait, chaque été, leur joie et leur espoir.

Leurs yeux s'étaient ouverts aux mêmes éclaircies,
Et leurs cœurs réchauffés dans les mêmes rayons;
Leur dos s'était courbé, leurs mains s'étaient noircies
          Dans les mêmes sillons!...

"Je t'aimerai toujours, dit l'homme aux yeux limpides,
"Tout l'or de ma jeunesse est encore dans mon cœur!
"Il n'est pas de regrets dans le pli de mes rides,
"Et mon fidèle amour est demeuré vainqueur!
"Depuis que Dieu bénit notre union chrétienne,
"Une immuable joie illumine mes jours!...
"Je n'ai pas retiré ma main de dans la tienne:
          "Je t'aimerai toujours!"

                    (*Par nos Champs et nos Rives.*)

OBSERVATIONS.—Dans les mêmes sillons, leurs bras et leur pensée
          S'étaient usés, tendus vers le même devoir.

En vous inspirant de ces deux vers, faites vous-même le tableau de deux
vies confondues dans un même amour et un même labeur.

--------

## 113 — La vieille tante

C'était une très vieille fille à tête blanche,
Aux longs cils clignotants, aux lèvres sans couleur,
Qui parlait en posant les deux mains sur ses hanches,
Et dont le rire sourd n'avait plus de chaleur.

Née au temps où les morts se parlaient sur les grèves,
Où les gais "fi-follets" dansaient au fil de l'eau,
Sa mémoire gardait les contes et les rêves
Dont cet âge naïf entoura son berceau...

Elle connaissait maints secrets, maintes tisanes,
Et s'épeurait des bruits que le vent fait dehors;
Elle savait choisir les herbes des savanes,
Et craignait les "quêteux" "car ils jetaient des sorts"...

Souvent, nous l'avons vue au reflet de la lampe,
Frileuse, et redoutant les grands froids de l'hiver,
Avec son vieux bonnet de laine sur la tempe,
Lire en faisant tourner les pages à l'envers !...

Cependant, nous l'aimions, et, dans notre tendresse,
Survivent à jamais, en regrets enchantés,
Les récits dont elle a charmé notre jeunesse,
Et les airs d'autrefois qu'elle nous a chantés !...

*(Par nos Champs et nos Rives.)*

## 114 — La fileuse à la fenêtre
### (Fragments)

### I

C'était là que, le front tout nimbé de lumière,
Cependant que le lin séchait aux soliveaux,
Elle filait, filait ses écheveaux,
Mon aïeule, la belle et robuste fermière.

C'était dans l'embrasure du châssis
Qui donne sur la route attirante et lointaine,
Bordée à l'infini de charmille hautaine,
— Et dans la chaise où tant des miens se sont assis —

Qu'elle filait.  Au sein de la maison rustique
Elle régnait.  Son front s'auréolait de jour,
Et son visage avait des rayons tout autour,
Comme ces fronts de saints dans un vitrail antique...

Comme la femme dont nous parle l'Evangile,
Elle semait du lin, élevait des brebis,
Fauchait les épis murs, reprisait des habits,
Et le rouet tournait sous sa main très agile...

Et des enfants nombreux jouaient à ses côtés
— Robustesse de fils, grâce blonde de fille —
Elle était, jeune femme et mère de famille,
Comme une vigne rose où croissent les Etés!...


## II

Et la fileuse ancienne,
— Rou, rou, filons la laine! —
Disait à son rouet:
"Voici le jour, n'es-tu pas prêt?
"—Rou, rou, rou, rou, filons la laine!

"Dans un grand chemin non battu,
"Où l'hiver grondera peut-être,
"Mon homme ira bûcher le hêtre:
"Il faudra qu'il soit bien vêtu...

"Déjà l'automne, à perdre haleine,
"—Rou, rou, filons la laine!
"Souffle sur le champ refroidi,
"Et le vieux sol est engourdi:
"—Rou, rou, rou, rou, filons la laine!

"Hélas! entends-tu par moments
"Grincer les portes de l'étable,
"Et le nordet si redoutable
"Courir dans les ravalements?...

"La neige couvrira la plaine,
"—Rou, rou, filons la laine!
"Bientôt nos toits deviendront blancs,
"Et les troupeaux seront tremblants;
"—Rou, rou, rou, rou, filons la laine!...

"Déjà le ciel s'endeuille un peu.
"Voici la saison des veillées,
"Des écheveaux, des quenouillées,
"Et des longs soirs auprès du feu...

"Mais de bonheur mon âme est pleine,
"Rou, rou, filons la laine !...
"Mon bien-aimé m'aime toujours,
"Comme autrefois sont nos amours...
"—Rou, rou, rou, rou, filons la laine !...

.   .         .     .         .   .   .   .   .   .   .

## III

Mais un jour la mort apparut,
Entr'ouvrant son aile glacée ;
La fileuse ancienne mourut,
L'écheveau tomba de sa main lassée.

Et le rouet abandonné,
Depuis lors immobile,
N'a plus tourné
Sous la main habile.

Car celle qui l'aimait, jadis,
L'aïeule aux doigts tendres et lestes,
S'en est allée au paradis
Tourner les quenouilles célestes.

Les saints anges — esprits subtils —
Surent bientôt la reconnaître,
—"Souvent, bien souvent, dirent-ils,
"Nous l'avons vue à sa fenêtre.

"Elle filait soir et matin...
"Que son geste était doux et sa grâce posée !...
"Que nous aimions, à l'heure où le soleil s'éteint,
"Ecouter la chanson de sa blonde fusée !...

Et la Vierge dit à son tour :
—"J'aime cette fileuse ancienne.
"Je l'aimais pour l'amour
"Dont sa vie était pleine...

"Le bruit de ses fuseaux
"Et de sa quenouillée
"Montait comme des voix d'oiseaux,
"Sous la feuillée...

Et la Vierge dit doucement :
—"Toi qui filais si tendrement
"Des habits et des langes,
"Viens filer éternellement
"Pour habiller les anges !"

Et maintenant assise en la clarté du ciel,
Dans les rayonnements du matin éternel,
Elle file le lin d'une divine toile,
Sur un rouet que Dieu fit avec une étoile !...

(*La Vieille Maison.*)

OBSERVATIONS. — 1° Par quels procédés l'auteur a-t-il, tout le long
du poème, idéalisé la rustique fileuse ? — 2° Pourquoi s'est-il servi tour
à tour de vers de mesures différentes ? — 3° Faites, d'après ce poème, un
tableau de la vie champêtre.

# ENGLEBERT GALLÈZE
## (Lionel Léveillé)
## (1875-    )

D'ordinaire l'inspiration est courte; mais chargée des fortes odeurs du terroir. Beaucoup de scènes rustiques que le poëte décrit avec une précision pittoresque. Sur tout cela, à fleur de sol, une pensée sobre.

Œuvres: *Les Chemins de l'âme* (1910); *La claire Fontaine* (1913); *Chante, rossignol, chante* (1925); *Vers la Lumière* (1931).

(Voir *Histoire de la Littérature canadienne*, p. 168-169.)

## 115 — Le galant

Dans le rang du "Petit Brûlé",
Ce gaillard si bien attelé
C'est quelque monsieur du Grand Monde?
Non, c'est Pierre à Paul Charpentier,
Hier revenu du chantier;
C'est Pierrot qui va voir sa blonde.

Dans son buggy neuf, planté droit,
Il trône, content comme un roi,
Un beau sourire sur la bouche.
Baptiste et Joson, ses rivaux,
Ne feront plus tant leurs farauds,
Avec leurs petites barouches.

Il voit Simonette aux yeux bleus,
Venant à lui, la joue en feu,
Timide et si douce, lui dire:
"Monsieur Pierrot est toujours bin?"
Et tendre sa petite main
Avec son plus gentil sourire.

Puis, très simple et sans apparats,
Venant lui taper sur le bras,
Le bonhomme, toujours aimable:
"Comment est-ce qu'y va, Pierrot?
Dépose donc ton galureau.
Mets-tu ta jument à l'étable?"

A l'écurie ou dans la cour,
Que le vieux Nicolas, toujours,
Lui donne la meilleure place;
Chez Simonette à peine entré,
Qu'il paraisse le préféré,
Les gas d'en haut, ça les agace.

Pierrot songe orgueilleusement
Que Simonette, en ce moment,
L'attend à sa fenêtre ouverte;
Et piaf! avec un bruit joyeux,
Piaf! sur le chemin caillouteux,
L'emporte sa voiture alerte.

Le soir est très doux. En son vol,
La mouche-à-feu dore le sol
De fugitives étincelles.
Des parfums alanguissent l'air.
Et la lune, au bord du ciel clair,
Sourit dans les feuilles nouvelles.

Partout les cris-cris des grillons
Se répondent dans le gazon,
Mais Pierrot n'est pas un poète;
De rêver il n'a pas le temps:
Toutes les splendeurs du printemps,
Qu'est-ce? à côté de Simonette.

(*Les Chemins de l'Ame.*)

## 116 — **Derniers sacrements**

Drelin ! Drelin ! Drelin ! sur la route poudreuse
Que bordent le chardon, le trèfle et le sainfoin,
Tel le frisson discret d'une âme douloureuse,
Courent des sons menus... Drelin ! Drelin ! Drelin !

Drelin ! Drelin ! Drelin ! Sur chaque fleur champêtre,
Sur tout le sable et tous les cailloux du chemin,
Sur tous les grains semés, sur tous les petits êtres
Qui peuplent le gazon, Drelin ! Drelin ! Drelin !

Drelin ! Drelin ! Drelin ! Devant vos maisonnettes
Accourez, paysans aux yeux bons et sereins.
Ecoutez ! sans répit la petite clochette
Clamer: "C'est le bon Dieu !" Drelin ! Drelin ! Drelin !

C'est le curé de Berdochette
Et Pierre, son petit servant,
Qui vont chez la mère Olivette
Porter les derniers sacrements.

Vous savez, la petite vieille
Marchant à petits pas pressés,
Leste et vive comme une abeille,
Malgré ses soixante ans passés.

Celle qu'on voyait, les dimanches,
Dans le premier banc, près du chœur,
Hochant toujours sa tête blanche,
Prier avec tant de ferveur.

Elle semblait si bien portante,
— Aurait-on dit? — le mois dernier,
Aux noces chez José Laplante,
Quand Jean-Pierre s'est marié.

Bonnes gens ignorant l'envie,
Malgré vos peines, vos labeurs,
Vous tous qui chérissez la vie,
Priez pour celle qui se meurt.


Drelin ! Drelin ! Drelin ! Sur la route poudreuse
Que bordent le chardon, le trèfle et le sainfoin,
Tel le frisson discret d'une âme douloureuse,
Courent les sons menus... Drelin ! Drelin ! Drelin !

*(Derniers Sacrements.)*


OBSERVATIONS. — Après la lecture de ces deux pièces, pourriez-vous justifier, en quelque mesure, l'apprécia+ion préliminaire que nous avons faite de l'auteur ?

# ALPHONSE DESILETS
## (1888-    )

Nul n'a plus désiré être poète. Il y tâche, il y réussit souvent. Il essaie de faire surgir du terroir la poésie; mais il arrive que le terroir parfois fleurit en prose. Sur lui plane quand même le rêve du poète, qui est fait du plus fervent patriotisme

Œuvres principales: *Heures poétiques* (1910); *Mon Pays, mes Amours* (1913) *Dans la brise du terroir* (1922)

(Voir *Histoire de la Littérature canadienne*, p. 169.)

## 117 — Feuilles mortes

Les feuilles mortes sont les rêves
Qu'ont fait les arbres autrefois:
Il en est des longues, des brèves,
Mais toutes ont la même voix.

Toutes les feuilles autrefois
Etaient vertes. claires, dorées;
Mais aujourd'hui, parmi les bois,
Les feuilles sont décolorées.

Et, vertes, claires ou dorées,
Les feuilles qui chantaient d'espoir
Taisent leurs chansons adorées
Et pleurent dans le vent du soir.

Car, les feuilles n'ont plus d'espoir;
L'été menteur s'est moqué d'elles
Elles gisent dans l'humus noir;
Les feuilles mortes n'ont plus d'ailes.

L'été menteur s'est moqué d'elles.
En leur promettant de longs jours;
Toutes les feuilles étaient belles,
Toutes sont mortes sans amours.

L'automne abrège leurs beaux jours;
Elles ont pris toutes les teintes
Avant de mourir pour toujours,
Et leurs couleurs se sont éteintes.

Elles ont pris toutes les teintes,
Violet, doré, rose ou brun...
Mais leurs voix sont des glas qui tintent
Au fond des bois pour les défunts.

Violets, dorés, roses, bruns,
Tous les plus beaux rêves s'achèvent
Et tombent dans l'oubli commun...
Les feuilles sont nos rêves!

*(Dans la brise du terroir.)*

---

## 118 — Prière des terriens

C'est avec des mains rudes et couleur de terre
Que nous venons vers toi, Seigneur, ô notre Père!
Mais, que nos fronts soient teints de glèbe et de sueurs,
Que notre dos voûté dise le poids des peines
Que nous ont fait souffrir les tâches quotidiennes,
Nous restons confiants puisque tu vois les cœurs.

Nos femmes, nos enfants sont venus dans tes temples
Et tandis que les yeux de notre foi contemplent
Le resplendissement de ton Mystère saint,
Nous tombons à tes pieds et nous courbons la tête
Pour que tu gardes nos moissons de la tempête
Et défendes nos cœurs du noir respect humain.

Pour payer l'usufruit de la terre féconde
Nous t'apportons nos cœurs que ta lumière inonde.
Et nous te bénissons, Seigneur, à deux genoux,
Pour l'onde fructifiante et régénératrice
Que, paternellement, de ta main bienfaitrice,
Tu répands chaque jour sur nos champs et sur nous!

*(Mon Pays, mes Amours).*

# ALFRED Des ROCHERS
## (1901-      )

Il a renouvelé notre poésie du terroir; il lui a fait reprendre avec les choses un contact plus précis. Réaliste et lyrique. Il chante ce qu'il voit plus encore que ce qu'il rêve. Capable d'ailleurs de survoler le réel, ou d'exprimer de sa conscience ce qu'elle contient de plus intime, de plus profond.

Œuvres: *L'Offrande aux Vierges folles* (1929); *A l'ombre de l'Orford* (1930).

(Voir *Histoire de la Littérature canadienne*, p. 177-179.)

## 119 — Rondel d'automne

Le ciel est gris, le vent est froid, la terre est rousse;
L'automne est revenu par septembre apporté,
Et les arbres, devant la mort du bel été,
Pleurent des larmes d'or et de sang sur la mousse.

Cherchant pour leurs ébats une plage plus douce,
Les outardes, au sud, s'en vont d'un vol pointé;
Le ciel est gris, le vent est froid, la terre est rousse;
L'automne est revenu par septembre apporté.

Mon misérable cœur a l'aspect de la brousse:
Chassés par le vent froid de la réalité,
Mes rêves les plus chers un par un l'ont quitté,
Et sur l'arbre d'amour se meurt l'ultime pousse.
Le ciel est gris, le vent est froid, la terre est rousse.

(*L'Offrande aux Vierges folles.*)

---

## 120 — Un Angélus au loin

Un angélus au loin tinte ses derniers coups;
Une odeur d'abatis flotte dans l'atmosphère;
Dans les pâtis, le cou tendu vers la barrière,
D'un air désespéré meuglent les grands bœufs roux.

Les moissonneurs très las regagnent leur chaumière
D'un pas lourd, en traînant les pieds sur les cailloux;
Cependant l'un d'entre eux fredonne un chant bien doux,
Un chant d'amour que la brise porte à sa "chère"...

Là-bas, à l'occident teint d'écarlate et d'or,
Le soleil, sur un lit de nuages, s'endort,
Tandis que la "brunante" à l'est étend ses voiles;

Les oiseaux ont cessé leur gazouillis charmant;
Seul, fixant son œil terne aux naissantes étoiles,
Le hibou, roi des nuits, ulule tristement.

*(L'Offrande aux Vierges folles.)*

## 121 — City-Hotel

Le sac au dos, vêtus d'un rouge mackinaw,
Le jarret musculeux étranglé dans la botte,
Les "shantymen" partants s'offrent une ribote,
Avant d'aller passer l'hiver à Malvina.

Dans le bar, aux vitraux orange et pimbina,
Un rayon de soleil oblique, qui clignote,
Dore les appui-corps nickelés, où s'accote
En pleurant, un gaillard que le gin chagrina.

Les vieux ont le ton haut et le rire sonore,
Et chantent des refrains grassouillets de folklore;
Mais un nouveau, trouvant ce bruit intimidant,

S'imagine le camp isolé des Van Dyke,
Et sirote un demi-schooner, en regardant
Les danseuses sourire aux affiches de laque.

*(A l'ombre de l'Orford.)*

## 122 — Le souper

Les bûcherons lassés sont revenus au camp,
Et se lavent, à même un demi-tonneau sale,
Qui, près de la chaudière à boire et la timbale,
Juche sur un trépied verdâtre et trébuchant.

Malgré l'ampleur du crépuscule coruscant,
L'ombre jusqu'à mi-corps dans la pièce s'étale,
Où la clarté du soir pénètre, horizontale,
Par l'unique fenêtre oblongue du couchant.

La manche retroussée, et couvert de farine,
Le cuisinier s'agite au fond de la cantine
Qu'éclairent les reflets d'un "coleman" blafard;

Et parmi l'assemblée aux gestes économes,
Des senteurs de sapins et de fèves au lard
Se mêlent au relent âcre qui sourd des hommes.

*(A l'ombre de l'Orford.)*

---

## 123 — La boucherie

Pressentant que sur lui plane l'heure fatale,
L'Yorkshire dont le groin se retrousse en sabot,
Evite le garçon, d'un brusque soubresaut,
Et piétine énervé le pesat de sa stalle.

Il éternue un grognement parmi la bale,
Quand un câble brûlant se serre sur sa peau.
Ses oreilles, qu'il courbe en cuillères à pot,
Surplombent ses yeux bruns où la frayeur s'étale.

On le traîne au grand jour de soleil ébloui;
Et le porc sent le sol se dérober sous lui,
Lorsque la lame au cœur lui pénètre: il s'affaisse

Puis se dresse et son rauque appel, alors qu'il meurt,
Répand sur la campagne une telle tristesse,
Qu'un hurlement de chien se mêle à sa clameur.

*(A l'ombre de l'Orford.)*

OBSERVATIONS. — 1° "Réaliste et lyrique". Pourriez-vous, après la lecture des poèmes qui précèdent, justifier cette appréciation que l'on a pu faire de l'auteur. — 2° Montrez, dans ces poèmes, le contact précis que prend avec les choses, la poésie du terroir.

---

## 124 — Je suis un fils déchu

Je suis un fils déchu de race surhumaine,
Race de violents, de forts, de hasardeux,
Et j'ai le mal du pays neuf, que je tiens d'eux,
Quand viennent les jours gris que septembre ramène.

Tout le passé brutal de ces coureurs des bois:
Chasseurs, trappeurs, scieurs de long, flotteurs de cages,
Marchands aventuriers ou travailleurs à gages,
M'ordonne d'émigrer par en haut pour cinq mois.

Et je rêve d'aller comme allaient les ancêtres:
J'entends pleurer en moi les grands espaces blancs,
Qu'ils parcouraient, nimbés de souffles d'ouragans,
Et j'abhorre comme eux la contrainte des maîtres.

Quand s'abattait sur eux l'orage des fléaux,
Ils maudissaient le val, ils maudissaient la plaine,
Ils maudissaient les loups qui les privaient de laine:
Leurs malédictions engourdissaient leurs maux.

Mais quand le souvenir de l'épouse lointaine
Secouait brusquement les sites devant eux,
Du revers de leur manche ils s'essuyaient les yeux
Et leur bouche entonnait: "A la claire fontaine"...

Ils l'ont si bien redite aux échos des forêts,
Cette chanson naïve où le rossignol chante,
Sur la plus haute branche, une chanson touchante,
Qu'elle se mêle à mes pensers les plus secrets:

Si je courbe le dos sous d'invisibles charges,
Dans l'âcre brouhaha de départs oppressants,
Et si, devant l'obstacle ou le lien, je sens
Le frisson batailleur qui crispait leurs poings larges;

Si d'eux, qui n'ont jamais connu le désespoir,
Qui sont morts en rêvant d'asservir la nature,
Je tiens ce maladif instinct de l'aventure,
Dont je suis quelquefois tout envoûté, le soir:

Par nos ans sans vigueur, je suis comme le hêtre
Dont la sève a tari sans qu'il soit dépouillé,
Et c'est de désirs morts que je suis enfeuillé,
Quand je rêve d'aller comme allait mon ancêtre;

Mais les mots indistincts que profère ma voix
Sont encore: un rosier, une source, un branchage,
Un chêne, un rossignol parmi le clair feuillage,
Et comme au temps de mon aïeul, coureur des bois,

Ma joie ou ma douleur chantent le paysage.

                          (*A l'ombre de l'Orford.*)

———

# EMILE CODERRE

## (1893-        )

Il aima toujours le réel, celui-là surtout qui est pitoyable. Un jour il voulut en exprimer la plus rustique et la plus ironique poésie. Il s'écouta parler seul. Avec des mots paysans, il fit des tableaux crus d'humaine misère. Emile Coderre devint Jean Narrache.

Œuvres: *Les Signes sur le Sable* (1922); *Quand j'parl' tout seul*, par Jean Narrache (1932).

(Voir *Histoire de la Littérature canadienne*, p. 176.)

## 125 — L'orgue de barbarie

Dans la rue, un joueur d'orgue s'est arrêté;
C'est un vieux mendiant, et sa main qui tremblote
Tourne la manivelle en triturant les notes
D'un vieil air d'opéra cent mille fois chanté.

Il regarde un à un, sombres, mélancoliques,
Les passants qui s'en vont en détournant les yeux.
L'orgue joue en grinçant: "Eléonore, adieu!"
Puis, le vieillard s'éloigne en traînant sa musique.

Le voilà qui s'installe à quelques pas plus loin.
L'orgue gémit encor la chanson du "Trouvère",
Et le joueur attend, musicien de misère,
Qu'on lui jette les sous dont il a tant besoin.

...“Eléonore, adieu!”   La vieille main débile
Se crispe, ankylosée à force de souffrir...
L'orgue pleure toujours: "Je vais bientôt mourir!"
Mais personne ne jette un sou dans la sébile.

Tandis qu'on s'enfuyait aux notes du vieil air,
Délaissant le joueur et sa "boîte à musique",
Moi, je le comparais (l'idée est fantastique)
A nous les inconnus, à nous, faiseurs de vers.

Mendiants nous aussi, nous errons dans la vie
En jetant aux passants la chanson de nos cœurs;
La foule nous écoute avec un air moqueur,
Puis s'en va, dédaignant nos musiques ravies.

...Ne chantons plus l'Amour! Quel ennuyeux refrain!
Voilà bien des mille ans que ce duo se chante!
Nous sommes les derniers qu'un si vieil air enchante,
On rit de nous déjà: que serait-ce demain?

Votre époque est passée, ô Laure! ô Béatrice!
On se moque de vous, Pétrarque, Alligheri!
Et les seules chansons dont personne ne rit
Sont celles du plaisir, de l'or, des bénéfices, —

...A quoi bon plaisanter? mon rire sonne faux
En ce monde où l'argent est le dieu qu'on proclame.
Frères, chantons encore la chanson de nos âmes,
Méprisés si l'on veut, mendiants s'il le faut!

*(Les Signes sur le Sable.)*

---

## 126 — Les deux orphelines

J'été voir "Les deux Orphelines"
Au théâtr' Saint-Denis, l'autre soir.
Tout l'monde pleurait.  Bonté divine!
C'qui s'en est mouillé des mouchoirs!

Dans les log's, y'avait un' gross' dame
qu'avait l'air d'être au désespoir.
Ell' sanglotait, c'te pauvre femme,
Ell' pleurait comme un arrosoir.

J'me disais: "Faut qu'ell' soit ben tendre,
pis qu'elle ait d'la pitié plein l'cœur
pour brailler comm' ça, à entendre
un' pièc' qu'est jouée par des acteurs."

"Ça doit être un' femm' charitable
qui cherch' toujours à soulager
les pauvres yâb's, les misérables
qu'ont frett' pis qu'ont pas d'quoi manger."

J'pensais à ça après la pièce
en sortant d'la sall' pour partir.
Pis, j'me suis dit: "Tiens, faut que j'reste
à la port' pour la voir sortir".

Dehors, y'avait deux pauv' p'tit's filles
en p'tit's rob's minc's comm' du papier.
Leurs bas étaient tout en guenilles;
y'avaient mêm' pas d'claqu's dans les pieds.

Ell's grelottaient, ces pauvr's p'tit's chouettes!
Ell's nous d'mandaient la charité
En montrant leurs p'tit's mains violettes.
Ah! c'tait ben d'la vraie pauvreté!

Chacun leu z'a donné quelqu's cennes.
C'est pas eux-autr's, les pauvr's enfants,
qu'auront les bras chargés d'étrennes
à Noël pis au Jour de l'An.

V'là-t-i pas qu'la gross' dam' s'amène,
les yeux encore en pâmoison
d'avoir pleuré comme un' Madeleine;
Les p'tit's y d'mand'nt comm' de raison:

"La charité, s'ous plaît, madame"!
d'un' voix qui faisait mal au cœur.
Au lieu d'leu donner, la gross' femme
leur répond du haut d'sa grandeur:

"Allez-vous-en, mes p'tit's voleuses!
Vous avez pas hont' de quêter!
Si vous vous sauvez pas, mes gueuses,
moé, j'm'en vais vous faire arrêter!"

Le mond' c'est comm' ça! La misère,
en pièc', ça les fait pleurnicher;
mais quand c'est vrai, c't'une autre affaire!
...La vie, c'est ben mal emmanché!

*(Quand j'parl' tout seul.)*

OBSERVATIONS. — 1° Poète de la misère: il en cherche le spectacle; il la regarde, il la chante. Qualités de son regard et de ses chants. — 2° Y a-t-il à la fois de la vérité et du pessimisme dans les deux poèmes que vous venez de lire°

# PAUL MORIN
## (1889-    )

C'est un peintre et un émailleur: son vers rutile.  C'est un poète: son vers chante.  Il aime la couleur.  Les images, qui se mêlent au rêve ou à la pensée, en multiplient la force ou la grâce.  Mais l'art quelquefois devient artifice.

Œuvres principales: *Le Paon d'émail* (1911) ; *Poèmes de cendre et d'or* (1922). En prose: *les Sources de l'œuvre de Henry Wadsworth Longfellow* (1912).

(Voir *Histoire de la Littérature canadienne*, p. 170-171.)

## 127 — Chios

O la vive langueur des soirs d'Anatolie !
L'Asie, à l'horizon, étend sa grève d'or,
Le flot d'émail étreint l'archipel qui s'endort
En ses bras caressants d'améthyste polie.

Les jardins d'orangers, lourds de mélancolie,
De terrasse en terrasse étagent leur décor ;
Au pied du promontoire, illuminée encor,
La mer déferle, court, murmure et se replie.

Des pêcheurs levantins et des bateliers grecs,
Aiguayant leurs filets des joncs et des varechs,
Animent de leurs voix le havre qui se dore ;

Et j'aime, tout ému du rythme de leur chant,
Contempler, comme Homère, Ion et Métrodore,
S'effeuillant sur Chios les lilas du couchant...

(*Le Paon d'émail.*)

## 128 — Thalatta

Au changeant Poseidon, à la belle Amphitrite,
Je voue, humble pêcheur du pays dorien,
Cette conque, trésor du golfe Ikarien,
Qu'hier j'ai refusée à l'ami Théocrite.

Que les dieux de la mer m'en donnent le mérite,
Je pourrais la vendre à l'archonte athénien...
Mais, des rites d'Hellas fidèle gardien,
Je la jette au flot bleu sans que ma main hésite;

Car la sonore voix de la spire d'émail
Pleure éternellement les jardins de corail
Où, sur un lit baigné de cristal et de moire,

Les algues, l'anémone, et le vert romarin
Mêlent leurs fleurs de nacre à la pourpre nageoire
De l'hippocampe d'or et du vif paon marin.

(*Le Paon d'émail.*)

## 129 — Lagune

Venez-vous? le croissant miroite sur Fusine,
Sous les doigts violets et soyeux de la nuit
Le vitrail d'or de la chapelle sarrasine
S'est éteint lentement... Venez-vous? Votre ennui
Enlacera, pour plaire à la blanche madone
Dont le reflet moiré tremble dans le canal,
Aux fleurs du romarin l'algue et la belladone...
Le gondolier allume et suspend son fanal
A l'éperon ouvré qu'argentera la vague;
Il nous murmurera quelque belle chanson
De sa voix de velours, mélancolique et vague:
*La Dogaresse amoureuse de l'Echanson,*

Ou bien des *ottave* de Bertholde et du Tasse...
Je serai le Guerrier tendre qui bercera
Votre langueur ardente, inconsolable et lasse;
Vous serez une infante en robe nacarat...
Et nous écouterons — pendant que la lagune
Mystérieuse, calme et proche, mêlera
Aux parfums des jardins fleurissant sous la lune,
Ainsi qu'un innombrable et furtif encensoir,
L'âpre arome marin des eaux vénitiennes —
Tinter, carillons bleus et fluides du soir,
Les campanes lunaires et magiciennes.

*(Le Paon d'émail.)*

---

## 130 — Le Paon royal

Quelque vieux jardinier, à l'âme orientale,
Donna le nom sonore et fier de paon royal
A l'œillet odorant, dont chaque lourd pétale
S'irise de velours, de flamme et de métal.

Or, je connais l'ardent et mauve héliotrope
Dont l'arome fougueux fait défaillir les sens
Des chauds sérails d'Asie aux doux jardins d'Europe,
Les roses de Mossoul et les jasmins persans,

Les soucis d'or, qu'avait à son front Orcavelle
La nuit qu'elle mourut d'entendre un rossignol,
L'écarlate aloès, que sur sa caravelle
Don Pizarre apporta vers le ciel espagnol,

Le lys tigré de vert qui croît dans Samarcande,
Le chrysanthème roux, l'hélianthe de feu,
L'hyacinthe étoilant les prés blonds de Hollande,
La tulipe de jaspe et l'hortensia bleu...

Mais j'aime surtout voir étinceler dans l'ombre
La coupe transparente en fragile cristal
Où fleurit, violent, voluptueux et sombre,
Sur sa tige d'émail, le pourpre paon royal.

*(Le Paon d'émail.)*

---

## 131 — Palerme

Trop de musique, trop de livres, trop d'encens !
J'ouvris ma fenêtre sur la nuit finissante,
Une brise, varech et fleurs, tiède et puissante,
Alanguissait la rue étroite et sans passants ;

Sveltes et bleus comme des minarets persans
Des cyprès s'argentaient dans l'ombre décroissante,
On entendait une fontaine bruissante...
Et soudain, derrière les dômes pâlissants,

Je vis, plus douce que la molle transparence
De ces matins de perle où tremble un ciel de France,
Surgir, sur les jardins de jade et les toits d'or,

Comme une vague parfumée et purpurine,
L'aube de flamme rose où sommeillait encor
L'émail sicilien de Palerme marine.

*(Poèmes de cendre et d'or.)*

---

## 132 — Les dieux s'en vont . . .

### LA MER

La somptueuse nef d'or, de chêne et d'émail,
Messagère de deuil ou porteuse de joie,
Dont l'aurique laissait traîner ses glands de soie
Parmi l'algue de pourpre et la fleur de corail,

O pêcheur étonné qui hâles ton trémail,
Tu ne la verras plus, sur la mer qui flamboie,
Passer, comme un splendide et lourd oiseau de proie,
Avec un guerrier blond, rêveur au gouvernail;

De monstrueux vaisseaux, empanachés de flamme,
Sans voile frémissante et sans rythmique rame,
Au tumulte marin mêlent leur cri cinglant,

Et sous la moire verte où glissent les carènes,
Creusant dans l'eau mouvante un sillage sanglant,
Des hélices d'acier mutilent les sirènes.

*(Poèmes de cendre et d'or.)*

OBSERVATIONS. — 1° Evocations par l'image, le mot et le rythme.
Précisez vos impressions. — 2° Après avoir lu les poèmes qui précèdent,
pouvez-vous justifier l'appréciation préliminaire: "C'est un peintre et un
émailleur: son vers rutile; c'est un poète: son vers chante".

# GUY DELAHAIE

## (1888-    )

Symboles; harmonies verbales; et aussi harmonies brèves des pensées ou des sentiments. Dans ce mystère symbolique, le poète s'est complu, sans s'y attarder. Puis il s'est évanoui aux marges envahissantes des pages rares.

Œuvres: *Les Phases* (1910); *Mignonne, allons voir si la Rose* (1912).

(Voir *Histoire de la Littérature canadienne*, p. 171.)

## 133 — Tryptique exquis
### QUINTESSENCES

### I

#### QUINTESSENCE DU COEUR BLESSÉ

*Félicité*

Aimer pour en souffrir, n'en rien dire;
Et souffrir pour aimer, le cacher;
Croire à l'indifférence et sourire;

Se façonner un cœur, le détruire,
Pour aller ensuite le chercher
Dans son néant, le prendre et l'étreindre;

Ne plus rien espérer, mais tout craindre,
Puis un jour, plus abattu, toucher
Une main que l'on a cru nous plaindre.

### II

#### QUINTESSENCE DE L'INTELLIGENCE BLESSÉE

*Pressentiment*

Toute chair que l'esprit vampirode
Par ses enthousiastes sorties
Vers un excelsior qui corrode,

Donne aux fougues du corps leur exode,
Et les yeux se font perles serties
Entre chatons de désespérance,

Mais le regard de l'intelligence
S'aiguise de leurs forces parties,
Et le pressentiment prend naissance.

### III

QUINTESSENCE DU COEUR ET DE L'INTELLIGENCE BLESSÉS

*Dédain*

Partout la haine brait son excès,
Et l'impuissante raison déclame
Sur l'œuvre pour elle sans accès.

Il a lui quelque part un succès;
Eteins la lueur, *pecus* infâme,
Eteins, ton néant sera plus doux.

.    .    .    .    .    .    .    .

La meute a des espoirs vraiment fous!

.    .    .    .    .    .    .

L'Homme se gîte tout en son âme:
Il y a l'Idéal, contre tous.

(*Les Phases.*)

---

## 134 — Tryptique harmonieux

BERCEUSES

### I

*Musique*

Le langage d'une âme vibrante
S'épanouit en désirs bleuis
Eclos sous une main délirante.

Les notes voltigent, conquérantes
Des espoirs et des songes enfuis,
Pour leur prodiguer toute caresse.

Elles s'effilent en dard, se dressent,
Bondissent, vont mourir enfouies
Sous les soupirs blancs qui les oppressent.

## II

*On dirait que là-haut*

Le regard trop profond qu'il lui prit,
Votre œil le remet tel à l'étoile.
On dirait que là-haut tout sourit.

Votre rythme d'un pas attendri,
Balance les rêves qu'il dévoile.
On dirait que là-haut tout se meurt.

L'univers n'est-il pas tout en fleurs?
Et votre espoir de larmes s'étoile?
On dirait que là-haut tout est pleur.

## III

*Amour*

Eternité qui n'a qu'un sourire,
Minute qui n'a qu'un souvenir,
Marque sur l'airain, trait sur la cire;

Abîme où le contenant s'attire
Dans le contenu pour se l'unir,
Où le cœur disparaît et se brûle;

Aurore, Soleil et Crépuscule;
Le Passé, le Présent, l'Avenir;
Toujours devant Jamais qui recule.

*(Les Phases.)*

———————

# RENE CHOPIN
## (1885-1953)

Il aime les mots sonores, les rythmes somptueux, les images. Il veut étonner l'œil et l'oreille. Il emploie le vers libre, et il le mesure aux effets qu'il veut produire. Plus d'harmonie parfois que de pensées; et cela aussi est de la poésie. Œuvres: *Le Cœur en exil* (1913); *Dominantes* (1933).

(Voir *Histoire de la Littérature canadienne*, p. 171-172.)

## 135 — Je contemple mon rêve

Je contemple mon rêve ainsi qu'une ruine
Où pierre à pierre croule un somptueux palais.
Chaque jour, sur le mur qui plus vétuste incline
Par touffes rampe et croît le lichen, plus épais.

La porte se lézarde où de l'ombre est entrée,
Le plâtre s'en effrite et le marbre y noircit;
Une fenêtre à jour et de lierre encadrée
Dans une vieille tour se fronce, haut sourcil.

Au château de mon rêve, invasion brutale,
A leurs poings lourds portant la pique et le flambeau,
Ils ont passé, le cœur aigri, de salle en salle;
De chaque sanctuaire ils ont fait un tombeau.

Ils ont voulu briser mes plus chères statues,
Riant de mes trésors, méprisant la Beauté;
Le sol est tout jonché d'idoles abattues,
Reliques à présent du passé dévasté.

L'étang morne et glacé n'est plus qu'un marécage
Et les Oiseaux divins, familiers du vieux parc,
Qui criaient leur plaisir, on les a mis en cage,
Ou, plus cruels, on a vers eux tiré de l'arc.

Comme autrefois, le soir, lunaires promenades,
En leur barque glissant nonchalante sur l'eau,
D'intimes ménestrels, donneurs de sérénades,
N'auront plus célébré la Dame du Château,

Ma Muse, maintenant, hélas ! qui me repousse,
Celle parfois dont l'Ombre accoude sa pâleur
Et sa robe de deuil sur un vieux banc de mousse,
Au fond de la ruine où s'effrite mon cœur.

*(Le Cœur en exil.)*

---

## 136 — La venue héroïque du printemps

Parcouru de frissons électriques de joie
Le Soir déploie
L'étendard azuré, piqué d'or et flottant,
De ta victoire, ô Guerrier, ô Printemps !
A grandes pompes sur le fleuve défilèrent,
Neigeux îlots
Crépusculaires,
Et à vau-l'eau.
Fin d'un somptueux cortège
L'on eût dit de lents cygnes en allés
Vers les brouillards du golfe et vers
La mer,
Ecroulés, morcelés,
En aiguillettes que l'eau ronge et désagrège,
Tours de verre, créneaux, givres prestigieux,
Pans de murs, tronçons de piliers,
Le vain décombre, ô blanc royaume de l'Hiver,
De tes éphémères châteaux.

Dans la rade ce fut le frisselis soyeux,
Le froissement mouillé,
La danse de milliers
De cristaux.

Les étoiles d'avril émergent sur fond bleu :
Orion gigantesque en un vol lent
S'essore et semble un cerf-volant
De feu.
Le Cygne, oblique, et beau comme un archange,
Se penche
Au lac de l'horizon
Pour y noyer le bout d'une aile.
Dans un crépitement sublime d'étincelles
S'élaborent les jeux des fantastiques bêtes
Du sidéral blason.

L'Hiver vaincu reconnaît sa défaite.
N'es-tu pas son diadème, ô Couronne
Boréale,
Qu'il jette au sein des constellations ?

Sur timbre au pur métal tu frappes dès que sonne
L'heure équinoxiale,
Jeune Printemps qui, sur ton char
De victoire, alourdi de fraîches feuillaisons.
T'avances au jaquemart
Solaire des saisons.
L'eau haute inonde la prairie,
L'avalanche qu'elle charrie
Monte sournoise au cœur du soir ;
Dans le sous-bois elle s'immobilise,
Surprise
En elle de sentir grelotter le squelette
Des arbres noirs
Qu'elle reflète
En ses miroirs.

Elle lèche le pied rocailleux du chemin
Qui descend vers la grève et jusqu'au vieux moulin
Qui barre la rivière.
Le vieux moulin aux cent lumières
De ses fenêtres régulières

Avec ardeur
S'acharne-t-il à son labeur !
Chaos en marche
Des bancs de glace,
Résiste-t-il à ta poussée
Qui chevauche sa chaussée,
Ses quais
Et ses pontages disloqués !

Printemps salubre, ô forte, ô chaste,
N'ai-je cru voir, n'ai-je pas vu
Au cours du fleuve vaste
La neigeuse défroque
Du vieil hiver déchu,
Longs haillons
Souillés, qui se déchirent, s'effiloquent,
Et qui furent, pailleté de micas
Et de fins diamants,
Le soleilleux et royal vêtement
De ses midis de gloire et d'aveuglants verglas.

A ton baiser qui la transfigure, la Terre,
Lasse encore de son long songe planétaire,
Avec amour, avec ferveur,
Et en extase accueille ta venue :
"O Maître. ô mon Sauveur !"
La Terre est nue,
Elle tressaille...
Déjà furtivement tes souples doigts
Brossent les cheveux en broussaille
De ses coteaux et de ses bois.

Verse en elle, ô Printemps, les puissantes résines,
D'un geste vif et de compassion
Clos la paupière éteinte des saisons,
Et sous le chaud linceul des végétations
Recouvre leurs ruines.

*(Dominantes.)*

# ARTHUR LACASSE

## (1869-    )

Il aime à rêver, soit au sanctuaire, soit au jardin, soit à la lune. Rêves faciles gracieux, que ne renouvellent pas assez les mots où ils s'expriment. Le poète, volontiers, s'arrête aux choses du terroir ou du passé. Il les raconte. Il plaît souvent; il n'émeut pas assez.

Œuvres: *Heures solitaires* (1916); *L'Envol des Heures* (1919); *Heures sereines* (1927).

(Voir *Histoire de la Littérature canadienne*, p. 174.)

## 137 — Les vieillards en prière

Près de l'autel où Jésus s'offre en holocauste,
Egrenant leur rosaire entre leurs doigts tremblants,
Pieux, les doux vieillards, dès l'aurore, à leur poste,
Courbent leur front pensif nimbé de cheveux blancs.

Ils sont, dans la pénombre où des cierges vacillent,
La garde vigilante auprès du Dieu caché...
Et leur simple oraison s'exhale, plus facile,
Dans ce divin repos que les saints ont cherché.

Qu'importe la longueur de l'office!  En prière,
Le temps leur semble court, maintenant qu'ils sont vieux...
Et dans le temple seul ils trouvent la lumière
Mieux faite pour leur cœur que pour leurs pauvres yeux.

Qu'importe la vieillesse où leur vie agonise:
A leur regard profond s'ouvre un autre avenir!
Plus leur fin est prochaine, et plus ils s'éternisent
Dans l'adoration qui ne doit pas finir...

Aussi, quand tous s'en vont, hâtifs, la messe dite,
Eux restent, à genoux, immobiles, fervents...
Et, yeux baissés, longtemps encore, prient et méditent,
Heureux, aux pieds du Maître, ainsi que des enfants...

(*Les Heures sereines.*)

## 138 — Laus Deo!

Le soir quand l'ombre douce apâlit la lumière,
Mes vers, tels des soupirs tendrement exhalés,
Dociles, ont prêté leur rythme à ma prière,
Puis jusqu'à Dieu, comme elle, ils se sont envolés.

— Pour vous bénir, Seigneur, de la grâce des blés,
Pour vous louer dans l'astre ou la rose éphémère,
Et vous redire l'hymne incessant de la terre,
Je les avais rêvés harmonieux, ailés...

Hélas! au val profond, sur les monts, dans la brise,
Parmi l'or des couchants, sous le ciel qui s'irise,
Ils sont ainsi jaillis, indigents, de mon cœur!

Ah! s'ils pouvaient, au moins, dans l'immense féerie
De la Beauté qui chante et rayonne en splendeur,
Etre à vos pieds, mon Dieu, de la beauté qui prie!

(*Les Heures sereines.*)

# LUCIEN RAINIER

## (Abbé Joseph Melançon)

### (1877-    )

Ce poète fouille les consciences, sa conscience. Il en fait surgir les plus beaux regrets, les plus fiers élans. Et il est artiste. Il cisèle ses strophes comme le joaillier ses bijoux. Souvent aux reflets du bijou brille une larme chaude et discrète. A côté des bijoux, quelques pierres moins précieuses.

Œuvre: *Avec ma vie* (1931).

## 139 — Saisons mystiques

### IV

L'heure sombre se traîne alanguissante et lente
qui s'envolait jadis en joyeux instants courts;
l'heure infiniment lasse et longue se lamente:
Le Temps me verse de l'ennui depuis des jours.

Vous m'avez retiré, Seigneur Dieu, votre joie...
Que serviraient les mots de révolte et les cris?
J'attendrai le retour du soleil sur ma voie
pour retrouver du charme aux choses que j'écris.

Je sais que sans souffrance une âme est inutile.
Si, dans votre creuset, la mienne brûle encore,
c'est pour être, au sortir de la trempe subtile,
forte comme l'acier et pure comme l'or!

.   .   .   .   .   .   .   .   .   .   .   .   (6)

## VII

Oui, dans l'enclos désert, gloires abandonnées,
les roses s'effeuillaient près des lis assombris;
et, de ce deuil, sur l'or des pelouses fanées,
le vent amoncelait les somptueux débris.

Ainsi que le parfum, l'espérance était morte
de revoir le jardin, comme autrefois, fleurir:
trop d'automne et de gel avait franchi sa porte
pour qu'une sève encor pût le reconquérir.

Mais, suprême fleuriste inattendu, vous vîntes,
Jésus! ranimant tout de votre feu vainqueur!
Depuis, sous votre grâce et votre garde saintes,
renaît le cher jardin, le jardin de mon cœur...

## VIII

Maintenant, le bonheur d'être un enfant qui prie
me comble, jour à jour, de la gaîté de mai:
comme la route en fleurs mon âme est refleurie
et de l'odeur des bois je me sens parfumé.

Car, mon printemps c'est Vous, et c'est Vous ma rosée!
Vers Vous, tout mon amour, comme une floraison,
s'élève!... Et, telle une eau limpide et reposée,
coule en nappes de paix ma tranquille oraison.

Chantez, voix de l'oiseau nouveau! Chantez, ramure,
l'air sommeillant du soir ou l'éveil du matin!
Mais, rien n'égalera la douceur du murmure
qui monte de mon cœur vers un ciel moins lointain.

*(Avec ma vie.)*

OBSERVATIONS. — L'allégorie s'accompagne des détails matériels et
spirituels qui conviennent aux saisons de la nature et aux saisons de
l'âme. Faites-le voir.

## 140 — La musique

Ce soir, l'Illusion s'embarque sur la grève
en robe harmonieuse et merveilleux atours...
L'esquif est en partance au quai flottant du Rêve
et l'heure du départ sonne au sommet des tours!

Ce soir, l'Illusion s'embarque sur la grève;
elle fuit le château ténébreux de l'Ennui;
elle fuit le chagrin de la vie; elle fuit
le bruit sourd d'un passé qui remonte sans trêve.

En robe harmonieuse et merveilleux atours,
la voici: son petit page porte sa traîne...
La couronne du rythme est à son front de reine;
l'accord est à ses pieds comme un lé de velours.

L'esquif est en partance au quai flottant du Rêve.
Les abords sont fleuris qu'éclairent des falots.
On entend les refrains de lointains matelots.
Sur la mer, un joli clair de lune se lève...

Et l'heure du départ sonne au sommet des tours!
Qui sait vers quel naufrage elle vogue?... Qu'importe!
Là-bas, l'île argentée où la brise l'emporte
recule infiniment ses vaporeux contours...

Le Flot, le flot divin et sonore l'enchante!
Ah! mon âme est partie avec elle!... Et, toujours,
elle accompagnera l'Illusion qui chante
en robe harmonieuse et merveilleux atours!...

*(Avec ma vie.)*

OBSERVATIONS. — Sur ce quai flottant du rêve, que voyez-vous?

————————

## 141 — Elles mouraient ainsi...

### I

Je suis vieille, Seigneur, et je n'ai plus d'emploi
dans la jeune cité vouée à Notre-Dame.
Inutile est ma vie où persiste la flamme
en attendant le jour fixé par votre loi.

Or, voici mon couvent, ce matin, plein d'émoi,
au chevet d'une sœur que le trépas réclame...
Seigneur, laisserez-vous disparaître une femme
qui peut servir encore et beaucoup mieux que moi?

Prenez, prenez-moi donc au lieu de sœur Saint-Ange!
Eh! n'ai-je pas le droit jusqu'ici respecté,
de passer la première en ma communauté?...
Ma requête, à coup sûr, n'exige rien d'étrange.

Force fut au Seigneur de refaire son choix.
C'est ainsi que mourut Marguerite Bourgeois.

### II

L'eau que l'on a versée au gueux qui s'en abreuve
désaltère Dieu même, ainsi qu'il est écrit.
D'un abondant amour donnant la simple preuve,
cette femme hébergeait chez soi les sans-abri.

Cinquante ans sont passés depuis que, jeune veuve,
Elle a donné sa vie au pauvre Jésus-Christ.
Ce soir est le dernier de sa terrestre épreuve;
Marguerite Dufrost vient de rendre l'esprit.

Dans le cercle à genoux des sœurs en robe grise,
plus d'une sent l'angoisse en son âme grandir,
ignorant qu'au dehors des gens, avec surprise,
ont vu, distincte et blanche, une croix resplendir'

La croix brillait sur elle et veillait sur la ville.
C'est ainsi que mourut Madame d'Youville.

### III

Dans sa trente-huitième et sa dernière année,
comme elle doit quitter son couvent de Longueuil,
elle veut s'embellir pour le céleste accueil
et parfumer encore une rose fanée.

L'obstacle à sa couronne est un relent d'orgueil...
Mais, à l'anéantir saintement obstinée,
elle écrit pour ses sœurs la page destinée
à tarir tout éloge autour de son cercueil.

Sa lettre fut ouverte avant le Viatique...
C'était de ses péchés le récit pénitent,
une confession solennelle et publique,
et que sœur Véronique a lue, en sanglotant...

Jésus !... Tant de grandeur dans la plus simple chose !
C'est ainsi que mourut la Mère Marie-Rose.

### IV

Pour rassembler les sœurs en pleurs la cloche tinte.
Leur Mère, ayant reçu les derniers sacrements,
agonise, d'un mal inexorable atteinte...
Et Monseigneur l'assiste en ces graves moments.

D'une moite pâleur sa figure se teinte.
Cependant, à travers des hoquets étouffants,
l'évêque entend, penché, ce que sa lèvre éteinte
murmure, et le redit à haute voix: "Enfants,

gardez le testament qu'à son heure mortelle
ce cœur vous laisse: humilité, simplicité
et charité" — Déjà, l'huis de l'éternité
s'ouvrait pour l'accueillir. "Surtout, chari..." dit-elle.

Mais, le ciel prit le mot dont son être était plein !
C'est ainsi que mourut Madame Gamelin.

*(Aveo ma vie.)*

# ROBERT CHOQUETTE
## (1905-      )

L'inspiration lui vint avec les souffles inconstants de ses vingt ans... Tantôt ils le soulevaient au-dessus de lui-même, jusqu'à lui donner vertige; tantôt ils le laissaient choir brusquement. — Il a gardé le goût des sommets, des idées générales, des paysages altiers de l'histoire, de ceux-là, supérieurs aussi, de la conscience. Poésie qui vit tour à tour d'éloquence et de délicatesses subtiles.

Œuvres: *A travers les vents* (1925); *Poésies nouvelles* (1933).

(Voir *Histoire de la Littérature canadienne*, p. 177.)

## 142 — Iambe

Vous ne me vaincrez pas, vous dont le plaisir triste
    Est de casser l'aile aux oiseaux !
Non, vous ne vaincrez pas mon cœur idéaliste
    Avant de me briser les os !
O cruels, j'aime mieux mon rêve magnanime
    Que votre flegme avilissant !
Vous ne détruirez pas l'idéal qui m'anime
    Quand j'y devrais donner mon sang !
Car je me sais plus fort que vous, ô casseurs d'ailes !
    Car si vous pouvez dénicher
Les nids de l'alouette et les nids d'hirondelles,
    Vous n'atteindrez pas mon rocher !
Mon nid d'aigle est ouvert à la vaste lumière
    Sur le front du plus haut des monts,
Et l'air que j'y respire, ô buveurs de poussière,
    Ferait éclater vos poumons !
Je l'ai placé trop haut pour vos mains salissantes
    Mon nid où brille le soleil.
Débattez-vous au fond des mares croupissantes;
    Moi, j'ai l'aurore au sein vermeil !

Qui vient comme une sœur lustrer mes jeunes ailes !
<br>         Salissez vos pieds au pavé ;
<br>Vous ne détruirez pas avec tous vos faux zèles
<br>         Ce que ma jeunesse a rêvé !
<br>Je suis plus fort que vous quand vous seriez un monde,
<br>         Je n'ai pas peur de vous, méchants ;
<br>Car moi, j'ai la montagne et vous la rue immonde,
<br>         Vous le sarcasme et moi les chants !
<br>Riez ; l'or froid qui luit entre vos mains crispées
<br>         Ne vaut pas mon soleil d'or pur ;
<br>Mes plumes que le jour de lumière a trempées
<br>         M'emportent vers le clair azur,
<br>Et je bois le baiser des brises matinales
<br>         Et je ruisselle de bonheur !
<br>Eh quoi ! quand j'ouvre au ciel mes ailes virginales
<br>         Pourrais-je entendre, ô ricaneurs,
<br>Ce que vous bourdonnez au fond du pâturage ?
<br>         Gardez votre avoine et votre or ;
<br>Libre à travers l'azur, libre à travers l'orage,
<br>         Moi, je prendrai le même essor !
<br>Et quand j'élargirai mon aile en l'aube immense
<br>         Vous serez si bas à genoux,
<br>Que je pourrai pleurer sur votre déchéance
<br>         Et que j'aurai pitié de vous !

*(A travers les vents.)*

## 143 — Metropolitan Museum
(Fragments)

PANORAMAS HISTORIQUES :

*La Grèce*

Mais voici qu'à mes yeux rayonnaient ces statues
<br>         Qu'on dirait près de respirer.
<br>Si belles que la voix des Parques s'en est tue,
<br>Si loin de notre espoir que l'âme veut pleurer.

Ruche de la pensée aux jours aromatiques !
Mère d'un miel si pur, Athène aux clairs sculpteurs,
Qu'à jamais semble ou barbare ou menteur
Tout verbe ayant fleuri hors des lèvres attiques !
Et la Grèce, exaltant le passé fabuleux,
Fit entendre à mon cœur son cœur miraculeux :

"D'un bloc de marbre blanc l'éternel statuaire,
Le Temps, fit une ébauche humaine.  Et le paros,
Sentant qu'il naît de lui la forme d'un héros,
      Frémit ; et les muscles s'accentuèrent,
Et l'épaule s'arquait du colossal enfant,
Et c'était à la fois Jason, Thésée, Hercule,
      Et la légende, en cercle triomphant,
Sur lui tourbillonnait au fond du crépuscule.
Mais le Temps poursuivait sa tâche.  Et lorsqu'un jour,
Ayant palpé les bras et la hanche et le torse,
Il vit que la beauté rayonnait dans la force,
Le sulpteur éternel sur son œuvre d'amour
      Souffla — et je marchai parmi les hommes !

J'ai consulté les cieux, j'ai vu ce que nous sommes ;
      Aux limites du cœur arrêtant le désir,
Je prête aux dieux la force humaine, glorieuse.
      Car dans le temple aux grâces sérieuses
      C'est toi qu'il me plaît de servir,
O Suprême, ô beauté, première des premières !
Je parle et le mot chante, et si beau de lumière,
Que la brise d'argent tissée à même l'air,
Ou l'invisible oiseau parmi les feuilles rêches,
Ou la harpe fluide ou la fontaine fraîche
Détonnent, bruits grossiers, près de mon verbe clair !"

. . . . . . . . . . . . . . . .

## Rome

C'est moi, peuple soldat, la fleur du sol étrusque,
      Amer comme le suc des bois.
J'ai mêlé, dès l'abord, aux lueurs du soc brusque

Le vivace éclat du buccin.
L'aigle a sur moi tendu ses ailes comme une arche ;
Je suis parti, au bruit d'essaim
Que font les pas confus des cohortes en marche.
Je suis parti, et sans repos
Devant mon bouclier courbant la face humaine,
Si loin j'ai planté mes drapeaux
Qu'il n'est plus d'horizon hors la terre romaine.
J'ai vaincu, mais mon geste est tel
Que les peuples soumis, riches de ma victoire
Fertile en travaux immortels,
Songent qu'avec César ils entrent dans l'Histoire.
Mais c'est trop. L'arc de la volonté
Sous mon front se détend. Néron, voici ta lyre,
Et qu'enfin, en immense délire
D'arène en arène porté,
Jaillisse jusqu'aux dieux ma sourde nostalgie !
Dans le cercle infernal des gradins populeux
Où court un long frémissement houleux
(O nappes de sang frais sur des restes d'orgie !
Gladiateurs vermeils se hâtant dans la mort,
Ou torches qui respirent !),
Rome se suicide...
Et c'est l'heure où le Nord
Secoue à l'horizon les portes de l'empire."

.   .   .   .   .   .   .   .   .   .

*Siècles chrétiens* :

"Je suis le lustre d'or des temps mélancoliques,
Je suis la Papauté romaine, catholique,
Dont le signe est un Dieu greffé sur une croix.
Je suis la clef du ciel, le dictateur des âmes,
Je guide et l'Occident courbe un front confiant ;
Et celui qui hasarde un rêve impatient,
Qu'il se drape, au bûcher, de la pourpre des flammes !

Car c'est moi la parole et sans moi l'homme est vain.
J'ai foudroyé d'un mot son âme criminelle,
S'il s'égare; et, s'il veut, les portes éternelles
Sur lui se fermeront dans le bonheur divin."

"Du haut de mes créneaux on peut rêver d'Asie...
Par le lion volant qui griffe mon blason,
J'acculerai le Maure au mur de l'Horizon!
Je suis le paladin, et ma droite est choisie
Pour transplanter au loin le mot de vérité.
Je suis le haut seigneur, je suis la chrétienté
Tressaillant à l'appel de Bernard et d'Hermite,
Soulevée en armée aux vagues sans limites,
Et, sous le gonfalon haussé comme un flambeau,
Je traverse le monde et meurs pour un tombeau."

"Je suis le serf obscur, oublié de la vie.
Inclinant un cœur lourd sur mes mains asservies,
Je contourne, d'un soc qui tremble, le donjon
D'où vient de s'échapper ce libre et clair pigeon...
Je suis le moine obscur, et le péché qui rôde
En vain cherche à troubler ma cellule aux trois vœux.
Mais Jésus, s'il daignait au vitrail d'émeraude
Sourire, et d'un rayon effleurer mes cheveux!
Je suis l'obscur lépreux, le quêteur qui chemine
Etranglant dans son sein l'aboyante famine.
Je suis le peuple, enfin, l'anonyme ouvrier
Qui, pauvre dans son pain et riche de souffrance,
Nourrit quand même en lui la lampe d'espérance
Et poursuit dans l'amour sa tâche de prier
Par la pierre et l'outil; et voici que s'élève,
Une et multiple, immense et grêle, et jusqu'au rêve
Haute, la cathédrale où l'orgue aux mille voix
S'exalte, monte en Dieu, chante et pleure pour moi!"

                                        (*Poésies nouvelles.*)

OBSERVATIONS. — 1° Recomposez les traits caractéristiques des
époques que le poète a évoquées. — 2° Le don de l'image et le don de
l'éloquence: pourriez-vous montrer comment ils se rencontrent dans ce
poème, et avec quel art ?

## 144 — **Locomotive**

(Fragments)

. . . . . . . . . . . .

### II

O Pégase d'acier que l'homme a fait vivant !
D'où vient-elle, si chaude encore, orgueil en tête
Et portant autour d'elle un halo de conquête ?
      On sent qu'elle a crevé les murs du vent,
Heurté les soirs de pluie et les matins de brume,
Dévoré la vallée et les bois et les monts
Et, sa cloche au côté sonnant comme une enclume,
      Craché sa belle fougue à pleins poumons
Sur l'obstacle prévu mais qui renaît sans trève ;
On sent qu'elle a couru des jours, des nuits, des jours.
      Vers l'horizon où les nuages sourds
Mêlent immensément leurs banquises de rêve.

### III

D'où vient-elle ? Elle vient du mouilleux Vancouver,
Des bords du Pacifique où sombrent les journées.
Comme elle a dû frémir là-bas, vers nous tournée,
      Tout aux confins du pays sombre et vert !
Elle est partie, alors, la belle voyageuse ;
Elle a touché bientôt les Montagnes de Roc
Où l'eau tourne au saphir dans des coupes neigeuses,
      Où les pics glacés, pareils à des socs,
Labourent hardiment les fécondes nuées ;
Elle a vu, au balcon, la chèvre et le grizzli,
      A vu jaillir, hors des derniers replis,
Une aile d'aigle en un moment diminuée !

. . . . . . . . . . . .

## VIII

Vallons, falaises, monts abrupts, lacs envahis
Par l'ombre des sapins ridés, hautes arcades
De roc sonore, précipices aux cascades
        Lyriques, le visage du pays
Tout entier a bondi vers sa course de flamme.
Elle est le trait vivant qui rattache nos bords,
Qui, de là-bas à nous, fait un échange d'âme;
        Mais d'avoir su qu'au poème du Nord
Chaque province entonne une strophe homérique,
Son repos la tourmente et bientôt le désir
        La jette aux rails où criera son plaisir
De traverser d'un vol égal une Amérique!

(*Poésies nouvelles.*)

## 145 — Au pied du rosier

Ineffable saison, azur illimité,
Chaud soleil qui mûris le cœur! charnel été
Qui prends mon corps dans une étreinte de lumière!

Ah! que fleurisse en moi l'amour, rose trémière
Dont le parfum profond fait mourir de langueur
Les fleurs qui se levaient dans le buisson du cœur.

Ouvre ta gorge, amour, divine rose humaine,
Que ma jeunesse y plonge son visage, et mène
Un bruit d'abeille d'or qui butine en chantant;

Prends racine, grandis dans mon sein palpitant,
Baigne-moi de fraîcheurs, de splendeurs végétales,
O rose épanouie en robe de pétales!

Que j'écorche ma vie à tes épines, fleur!
Suave emmêlement d'aromes, de couleurs,
Calice où se recueille une perle, à l'aurore!

Qu'importe que je souffre et pleure et souffre encore
A te vouloir dresser dans mon cœur déjà mûr,
Si j'héberge avec toi le soleil et l'azur?

Qu'importe que des pleurs dont l'âme est arrosée
Je te fasse, aux matins, un collier de rosée,
Que ta racine plonge et me déchire, amour,

Si, pendant que tu vis au jardin de mes jours,
L'homme peut s'abreuver aux fécondes paroles
Que je ferai monter du sein de ta corolle?

O rose, jusqu'au jour, hélas! si tôt venu,
Où les mains pauvres, sans rêve au fond des yeux, nu,
Je m'en irai dormir dans l'ultime poussière,

Je ne veux plus, penché sur ta robe princière,
Que chanter plein ma voix ta divine chanson,
O fille de lumière épinglée au buisson!

*(Poésies nouvelles.)*

# ROSAIRE DION

## (Léo-Albert Lévesque)

## (1900-    )

Il trouve de belles oasis au désert: et qui sont pleines de soleil, de couleurs, de
vigoureuses végétations. Le poète cherche à travers d'inégales réussites, des paysages
de lumière, et des paysages d'âmes, inquiètes ou subtiles.
Œuvres: *Le Chapelet des Jours* (1928); *Les Oasis* (1930).

## 146 — Soleils

Ce nomade qu'on voit là-bas et qui chancelle,
D'avoir bravé l'éclat méridien du soleil,
En un mirage vert surgi du sol vermeil
Aperçoit l'oasis où broutent les gazelles.

Mais déjà la torpeur a gagné ses prunelles,
Embuant son cerveau des vapeurs du sommeil.
Le globe fulgurant lance des feux pareils
Aux innombrables dards de milliers d'étincelles.

Il s'en va par le jour et l'astre le poursuit
Sur le sable embrasé que la flamme fleurit,
Quand enfin il se rend, vaincu par l'agonie.

— Ainsi l'on voit souvent au désert de la vie,
Des hommes qui sont lourds d'un poids illimité,
Et meurent de te voir, Sublime Vérité!

*(Les Oasis.)*

---

## 147 — Wanderlust

Et l'Arabe lui dit: — Reste avec moi, jeune homme,
Et partage ma tente et mon lit de roseau.
Pour charmer nos loisirs, au son du chalumeau
Nous chanterons des vers sous un ciel polychrome.

Les voyages lointains, quand on en fait la somme,
N'offrent rien de plus doux que la paix du hameau.
Dans l'Ile du Loisir que paisse ton chameau,
Dans le rêve subtil goûte la paix du somme.

— Il est resté deux jours auprès du sage émir.
Un matin l'horizon prit des tons de saphir,
Un souffle d'aventure écarta sa narine.

Il sella sa monture et soudain repartit
Vers l'Orient vermeil dont la mer purpurine
Déroulait les flots d'or de ses faux paradis.

*(Les Oasis.)*

---

## 148 — Bateau captif

Travail d'un artisan à l'habile canif,
C'est un frêle bateau décorant la croisée,
— Simple bibelot d'art pour l'intime musée,
Un trois-mâts reluisant à l'air fier et naïf.

Il n'a jamais connu l'écueil ni le récif.
Seul le soleil lui mit cette teinte bronzée.
Il ne sait pas l'orgueil de la longue Odyssée.
Jamais il n'a lutté contre le flot rétif.

Mais parfois quand un vent furtif gonfle ses voiles,
La charpente s'agite et tremble jusqu'aux moelles,
Comme un aventurier perdu dans le Néant.

— Et nous sommes pareils au bateau languissant,
Qui rêve d'archipels, d'inconnu, d'aventure,
Mais dont frissonne, seule, aux brises, la voilure !

*(Les Oasis.)*

OBSERVATIONS. — Paysage de lumière, états d'âme : en trouvez-vous
dans les trois sonnets que vous venez de lire ?

# ALICE LEMIEUX

De la tendresse toujours, délicate, vaguement rêveuse. Parfois plus de force dans cette faiblesse, et de beaux élans vers un objet plus précis et plus haut.
Œuvres: *Les Heures effeuillées* (1926) ; *Poèmes* (1929).
(Voir *Histoire de la Littérature canadienne*, p. 181-182.)

## 149 — Pour toi

Les vers que j'ai cueillis au jardin de ma vie ,
Je veux Te les offrir, Maître de l'Univers:
Car c'est Toi que toujours je cherchais à travers
    Les sentiers de la Poésie.

Je me suis attardée à célébrer l'Espoir
Et le printemps des fleurs, et la chanson des sources;
C'est Toi que je cherchais en fleurissant ma course,
Toi que je respirais dans le parfum des soirs.

Si je chantais l'azur et si j'ouvrais ma porte
Pour regarder passer la ronde de juillet;
Et si j'ai tout aimé d'un amour inquiet
C'était pour agrandir le cœur que je t'apporte.

Je me suis déchirée, en cherchant Ton Amour,
Aux rêves dont parfois j'adorais la blessure;
J'ai voulu me guérir aux bras de la Nature,
    Mais je pleure et souffre toujours.

Je le comprends: il n'est que Toi, divin Poète,
Pour assouvir les cœurs! Il n'est que Ton baiser,
Il n'est que Ton regard profond pour apaiser
    Enfin, notre vie inquiète.

Prends-moi toute, ce soir, à l'abri de Ton cœur.
Garde-moi près de Toi, Toi qui sais me comprendre;
Et cherche-moi toujours, pour toujours me reprendre,
Si je pars de nouveau vers l'ombre du bonheur.

*(Poèmes.)*

# JOVETTE-ALICE BERNIER

Poésie à la fois ardente et stoïque. Faite d'amour qui cherche, s'irrite ou se résigne. Il s'en exhale souvent un lyrisme vigoureux. Mais souvent aussi des émois trop monotones.

Œuvres: *Roulades* (1924); *Comme l'Oiseau* (1926); *Tout n'est pas dit* (1929); *Les Masques déchirés* (1932).

(Voir *Histoire de la Littérature canadienne*, p. 181.)

## 150 — C'est alors que l'on sait

Pour tout ce que la vie offre de magnanime
    Dans ses gestes d'humanité;
Pour la lutte d'où l'on sort poudreux, mais sublime,
    Pour l'angoissante vérité;
Pour tout, j'ai proclamé ma volupté de vivre
    Sans fausse honte et sans orgueil,
Malgré l'effort perdu et la route à poursuivre
    Encore, en doutant de l'accueil.

Mais j'aime tout au monde, et le charme de croire
    A rendu tout pur à mes yeux,
J'aime ceux qu'un désir exalte vers la gloire,
    Les révoltés, les malheureux;
Je bénis la douleur qui nous tient auprès d'elle
    Et qui nous fait souffrir assez
Pour que le sceau du mal s'imprime et nous rappelle
    Longtemps le douloureux passé.

La douleur qui pétrit les chairs et stigmatise
    La cause de chaque tourment,
Et qui laisse ses traits creusés où s'éternise
    Le souvenir, languissamment.
La fièvre qui trahit sur nos tempes humides
    La souffrance qu'on veut cacher,
Et qui paraît encore sur la lèvre livide
    Où la soif voudrait s'étancher.

C'est alors que l'on sait d'inoubliables choses
         Quand on n'a pas pour rien pleuré ;
On pardonne bien mieux, on est tendre et l'on cause
         Avec son passé torturé.
On ne mesquine plus les douces indulgences
         A ceux qui sont parfois tombés,
Qui ne sont pas méchants dans leur désespérance,
         Mais qui sont de mépris, nimbés.

On est ce qu'il faut être, on fait ce qu'il faut faire,
         Sans amertume et sans soupçons ;
La main se donne mieux : elle est humble et sincère
         Et ne craint plus de trahisons.
C'est alors que l'on sait comme on aime la vie
         Pour tout ce qu'elle nous apprend ;
Comme il faut être bon, sans regrets, sans envie
         Pour les rêves qu'elle nous prend.

*(Tout n'est pas dit.)*

OBSERVATIONS. — Pourriez-vous commenter ces deux vers :

     C'est alors que l'on sait d'inoubliables choses
          Quand on n'a pas pour rien pleuré.

---

# 151 — Les mains jointes

Seigneur, je viens à Vous, par la route poudreuse,
Voyez mes pieds sanglants et ma tempe fiévreuse ;

Mon orgueil me fait mal et ma tendresse aussi ;
Seigneur, je suis amère et triste et me voici.

J'ai longtemps appelé quand la nue était sombre,
Pour confesser ma peur et mes doutes sans nombre ;

Cherchant quelque puissance où m'appuyer un peu,
J'ai longtemps, dans mes bras, tenu mon cœur de feu ;

Mais je n'ai pu finir ainsi tout le voyage:
Arrêtée au milieu d'un fauve paysage

Par l'écho de mes pas, résonnant au lointain,
J'ai crié dans la nuit: "Quand viendra le matin?"

J'ai vu les bois craintifs où le silence écoute,
Et d'un effroi soudain, mon âme a tremblé toute.

Dans les ronces, très lourd, mon cœur s'est affalé,
Et j'ai maudit la route où nul ne m'a parlé.

Puis j'ai repris mon cœur avec ses infortunes,
Ses amours angoissants et ses vaines rancunes;

J'ai coupé les lambeaux qui pendaient à sa chair,
Et pour le regarder, j'eus un regard plus cher.

Et la nuit ressemblait à mon inquiétude,
La nuit se prolongeait bien plus que d'habitude...

Quand Vous découvrirez mon orgueil balafré,
Et ma tendresse auprès, portant mainte écorchure,
Pour les frapper, Seigneur, ayez la main moins sûre;
Souffrez que je me plaigne un peu, parfois souffrez
La grimace du mal que me font mes blessures.

Votre éternel silence est souvent bien plus lourd
Que votre main n'est lourde à toutes nos misères;
Nos aveux, suspendus à d'instantes prières
Attendent un seul mot que vous gardez toujours;
Nos aveux, nus et vrais, sont entre ciel et terre.

Quand Vous reconnaîtrez mon trop sensible orgueil,
Ma tendresse à côté, avec ses lèvres douces,
Songez comme ils sont durs les yeux qui se courroucent
Quand les bras sont ouverts et que l'âme est en deuil;
Songez comme fait mal une main qui repousse.

                                        (*Tout n'est pas dit.*)

# SIMONE ROUTIER

Elle préfère le clair-obscur. Tant d'autres poètes ont ce goût. Elle les imite. Elle descend en elle-même; c'est au fond de ses tendresses inquiètes qu'elle trouve le demi-jour où se complaît son rêve.

Œuvres: *L'Immortel Adolescent* (1928); *Ceux qui seront aimés* (1932). En prose: *Paris, Amour, Deauville* (1932).

(Voir *Histoire de la Littérature canadienne*, p. 180-181.))

## 152 — Au cimetière des nuits

Oh! pourquoi me fuis-tu, clément sommeil d'hier?
Ce conscient néant me plaisait en ton rêve;
Pourquoi donc m'en ravir si tôt le charme amer?
Toi, Jour, pourquoi déjà venir y faire trève?

Ce rêve vaguement n'était qu'un parchemin,
Une carte au début, souple, petite, grise,
Et que me présentait une blafarde main;
Il s'y trouvait au centre une courte devise,
Puis un bel ange ailé soutenant dans ses bras
Le corps d'une fragile enfant dont le suaire
Etait son petit lange — on la baptise au glas —
Mais ce dessin, divin de fleurs et de lumière,
Largement encadré d'un vigoureux trait noir.
Au revers j'ai pu voir, fixé, mon frais visage
Me regardant, mon nom, cette date du soir
De mon décès, sur moi deux vers — selon l'usage:
O toi, *Jeunesse*... ayant à peine mes vingt ans;
Puis enfin de longs mois d'émouvante prière
Dont l'odeur d'imprimé persista quelque temps
Après qu'eurent pâli portrait, ange et lumière.

J'ai rêvé ce matin d'un repos mortuaire.
J'ai rêvé d'un lent jour où tout serait fini.
Je vis l'ange porter mon être en un suaire ;
Mais, pour me désigner le ciel, nul doigt béni.
Le chérubin enfui, c'était le vide immense,
Le doux enchantement d'un définitif Rien,
Autour de moi, partout une éternelle absence,
L'incessant inconnu, le vague, aucun lien,
Un Nirvâna constant, ni bonheur ni souffrance,
La paix du cœur, de l'âme et de la chair, l'oubli :
Volupté, quelle étreinte ! O calme indifférence,
Quelle nuit sans couleur — d'univers aboli !

(L'immortel adolescent.)

---

## 153 — Au cimetière des poèmes

O les poèmes !
Les poèmes à jamais perdus :
Noirs, rouges ou blêmes,
Au crochet de l'oubli, mols, appendus.

Vous étiez sereins, beaux, tendres et mâles
A l'aurore de mes pensers ;
Ma jeunesse aux craintes anormales
Vous a tous retenus, vous a tous étranglés.

Vous surgissiez frais, fougueux, pleins de sève
Réclamant la vie, attentifs ;
J'ai laissé passer l'heure du rêve
Vous broyant à la chaîne, ô véhéments captifs.

O les poèmes !
Les poèmes à jamais perdus :
Noirs, rouges ou blêmes,
Au crochet de l'oubli, mols, appendus.

Perdus par orgueil, par indifférence,
Par fausse honte, lâcheté ;

Par erreur ou doute ou négligence,
Par "à quoi bon?" par peur de l'instabilité.

Vous étiez fervents, lumineux et jeunes,
Vous adoriez tous les désirs,
Vous souriez aux falots airs de jeûnes
Et vous parliez de Dieu comme de vos plaisirs.

O mes poèmes!
Mes poèmes à jamais perdus:
Noirs, rouges ou blêmes,
Au crochet de l'oubli, mols, appendus.

Vous auriez fixé ce qu'un être apporte
De promesses, aux mains du temps,
Et tout ce qu'une implacable porte
Peut refouler parfois en un sombre au-dedans.

Vous fûtes — obscure, immuable flamme —
Tués dans l'ombre à peine nés,
Et souvent je pleure la chère âme
De vos visages purs à jamais décharnés.

O les poèmes!
Les poèmes à jamais perdus:
Noirs, rouges ou blêmes,
Au crochet de l'oubli, mols, appendus.

*(L'immortel adolescent.)*

# ÉVA SENÉCAL

Elle rêve, et court dans son rêve comme dans l'aurore; elle l'accompagne d'images lumineuses. Et il y a du mouvement dans sa course; si parfois il semble qu'elle s'agite plutôt qu'elle n'avance, on suit encore volontiers son rythme harmonieux.

Œuvres: *La Course dans l'aurore* (1929). Un roman: *Dans les Ombres* (1931).

(Voir *Histoire de la Littérature canadienne*, p. 182.)

## 154 — La course dans l'aurore

Le soleil s'est levé dans un ciel monotone,
Vide et pâle, pareil à des flaques d'automne.

Mais je songe qu'au loin, dans un poudroiement d'or,
Il doit étinceler sur quelque mirador,
Et qu'il doit réjouir le cœur de toutes choses,
Du vert des orangers et du parfum des roses.
Là, je vivrais, peut-être, en cet enchantement
Des jours tissés d'azur et de rayonnement.

Là, sans trêve, vibrante et légère, la vie
Entonne des refrains d'allégresse; ravie,
La nature harmonise au chant des bengalis,
L'ivresse des humains et l'extase des lis;
La terre ardente mêle, en des apothéoses,
L'apaisement des nuits, l'éclat des matins roses.

Je songe qu'en ces lieux lointains, ensoleillés,
Les jours sont de printemps et d'aromes rayés,
Et, qu'amoureusement, dans leur limpide course,
Ils glissent tous, pareils au filet d'une source;
Que sous les jeux changeants des ombres et du jour,
Le calme, le désir, le rêve, tour à tour,
Ont la molle douceur, la chaude poésie
Qui coule lentement des coupes d'ambroisie.
L'instant a des reflets précis d'un diamant
Ou d'un rayon d'étoile en un clair firmament.

Ah! que j'eus le désir de ces terres lointaines,
De départs fascinants vers de neuves Athènes.
Lorsque le soir venait retrécir l'horizon,
Que l'espace m'était moins grand que ma maison!
Oh! les heures d'ardente et pâle nostalgie,
Inscrites lentement au livre de ma vie!
Heures d'attente lourde où j'ai tendu les bras
Vers les bords inconnus que je ne verrai pas.
Mon âme vous connaît si mon œil vous ignore,
Sites, que mon esprit imagine et colore!

Aux matins bleus d'été, lorsque tout est vivant,
Je ne suis qu'une chose éparse dans le vent;
Il me semble surprendre un appel dans la brise,
Venu de ces lointains que le soleil irise;
Un appel exalté, lumineux et puissant
Qui subjugue mon cœur et qui fouette mon sang:
Espace, c'est ta voix universelle et chaude
Qui dit les oasis où la panthère rôde,
Où le grand fauve exhale, en longs rugissements,
Son angoisse, sa faim et ses rêves déments;
C'est ta clameur farouche, aux sourdes frénésies,
A l'attirante ivresse, aux âpres poésies.

Et mon être, enivré d'un intime transport,
Tend les mains à la Gloire, au Plaisir, à la Mort.

(*La Course dans l'Aurore.*)

# L'HISTOIRE

## ALFRED De CELLES
### (1844-1925)

Historien qui disserte plus qu'il ne cherche. Assez informé pour construire d'utiles monographies. Fait surgir de ses études d'histoire politique des portraits. Les choses plus que le style intéressent le lecteur.

Œuvres principales: *Papineau* (1905); *Cartier et son temps* (1907); *La Fontaine et son temps* (1907).

(Voir *Histoire de la Littérature canadienne*, u. 188-189.)

### 155 — Jugement sur La Fontaine

Les esprits spéculatifs font les pires hommes de gouvernement; ils délibèrent lorsqu'il faut agir: La Fontaine ne s'égare jamais dans la forêt des chimères des plus séduisantes théories. Les plus beaux plans de réformes le laissent indifférent. Sachant tracer la ligne de démarcation entre l'utopie et le possible, il a vite appris qu'en matière de gouvernement, il faut compter avec les faits, avec le passé du peuple, avec les mœurs qui font échec aux meilleures lois, si elles les viennent contrarier.

La haute conception qu'il se faisait de son rôle de chef ne l'a pas aveuglé sur la vraie ligne de conduite que lui imposaient les contingences de notre politique générale, compliquée par les ambitions de races et les animosités religieuses. L'étude de la situation lui indique la nécessité de faire évoluer les partis sur un terrain, où les esprits modérés des deux provinces prendraient une direction conforme aux besoins du jour. Reléguer dans le passé les querelles d'Anglais à Français, causes de tant de mal avant l'Union, pour leur substituer la discussion moins énervante de questions d'administration, d'économie politique, fut un coup de maître. Un heureux hasard permit à La Fontaine de rencontrer dans Baldwin un homme du plus profond désintéressement, de la plus vaste intelligence, en toute chose admirablement qualifié pour l'aider dans son entreprise d'orientation nouvelle des partis. Cette tactique détournait l'énergie nationale des foyers d'agitation dangereuse, pour la concentrer sur l'œuvre féconde de l'accroissement de la richesse publique.

Il fallait que l'influence de La Fontaine fût énorme sur son entourage pour faire aboutir cette évolution au travers des préventions soulevées par les conflits des quarante dernières années. Cette influence était telle que personne n'osa à peine le contrarier. L'autorité de l'homme d'Etat s'imposait dominatrice, inéluctable. On était arrivé à le regarder dès les premiers jours de l'Union comme le personnage indispensable, providentiel, le seul sauveur possible dans la désespérance où les désastres des années de l'insurrection avaient plongé la nation tout entière...

Son prestige ne tenait pas aux dons brillants de la parole; elle était chez lui brève, sobre, se confinant à la nécessité de traduire clairement sa pensée. La manière de dire de La Fontaine n'avait rien de cette éloquence entraînante, fortement colorée, de cette éloquence empoignante, qui attirait les foules autour de Papineau, de Chapleau, de Mercier, pour ne parler que des disparus. Rarement il a remué profondément ses auditeurs; il a quelquefois, cependant, touché à la haute éloquence en tirant parti de circonstances exceptionnelles comme lorsque, parlant pour la première fois au Parlement de Québec[1] après l'Union, il revendiquait, au milieu des protestations de quelques fanatiques, les droits de la langue française proscrite de la Chambre. Ses discours, chaîne compacte de raisonnements, se déroulaient comme une suite de syllogismes où les principes posés et appliqués à un cas spécial, amenaient aux conclusions rigoureuses produisant toujours la conviction, rarement l'émotion et l'enthousiasme.

Son aspect imposait; d'une taille au-dessus de la moyenne, large d'épaules avec une tête carrée, un large front qui dénotait la méditation constante, des traits sur lesquels se lisaient la fermeté et l'énergie. Ce n'était pas une physionomie attirante; elle apparaît trop solennelle, comme une statue sur un piédestal, trop au-dessus de l'humanité.

(*La Fontaine et son temps.* Conclusion.)

(1) C'est au Parlement siégeant à Kingston, en 1842, que La Fontaine prononça ce discours.

# THOMAS CHAPAIS
## (1858-1946)

Historien et orateur. Toujours l'un et l'autre dans ses livres ou à la tribune. La méthode de l'historien est fortement objective. Il préfère la sécurité des documents et des faits à l'imagination et au sentiment. Cependant, dans sa prose circulent d'ordinaire une vie, une émotion, qui en accroissent l'intérêt. Mais l'émotion de l'auteur ne sollicite pas; elle est à la fois fervente et discrète.

Œuvres principales: *Jean Talon* (1904); *le Marquis de Montcalm* (1911); *Cours d'Histoire du Canada*, 6 vols parus (1919-1934); *Discours et Conférences*, 2 vols (1897-1913).

( Voir *Histoire de la Littérature canadienne*, p. 186-188; 216-217.)

## 156 — La bataille des Plaines d'Abraham

Et maintenant hâtons-nous de terminer le récit de cette journée douloureuse. Il était environ dix heures. L'armée française était rangée en bataille en avant des Buttes-à-Neveu, sur le sommet de la déclivité où s'élève aujourd'hui le couvent des Franciscaines, à peu près dans l'alignement des tours Martello. Les bataillons étaient disposés comme suit: à droite, sur la hauteur où l'hôpital Jeffrey Hale est maintenant construit, il y avait celui de la Sarre, puis celui de Languedoc; au centre, Béarn et Guyenne; à gauche, Royal-Roussillon et des milices. Les troupes de la colonie et les milices du gouvernement de Québec étaient en potence à la droite du bataillon de la Sarre. Elles occupaient des broussailles dont ce terrain était rempli et avaient en avant d'elles des pelotons pour inquiéter les Anglais. Royal-Roussillon avait aussi en avant de lui un peloton de Canadiens. Et plusieurs autres pelotons de milices étaient répandus de distance en distance en avant de tout le front de bataille. Montcalm était au centre avec M. de Montreuil; M. de Senezergues, brigadier et lieutenant-colonel de la Sarre, commandait la droite, et M. de Fontbonne, lieutenant-colonel de Guyenne, commandait la gauche. "Toute l'armée paraissait attendre avec impatience le signal pour charger l'ennemi, et le demandait avec chaleur."

L'armée anglaise était à une petite distance, sa droite s'appuyant à l'éminence où se trouve maintenant la prison de Québec, et sa ligne se prolongeant vers le chemin Ste-Foy, entre la rue de Salaberry et l'avenue des Erables. Des acclamations éclatèrent soudain sur le front de nos troupes. Montcalm le parcourait sur son cheval noir, tenant son épée haute dans un geste entraînant, demandant à ses soldats s'ils étaient fatigués, et les exhortant à faire leur devoir. Quelques instants après, toute l'armée française s'ébranla, les bataillons au centre, les Canadiens et les sauvages sur les ailes. Elle s'élança vers l'ennemi avec une grande impétuosité. Mais bientôt les inégalités du terrain occasionnèrent quelque flottement. Au bout de cent pas environ, les Canadiens incorporés dans les bataillons, qui formaient le deuxième rang, et les soldats du troisième firent feu sans aucun ordre, et mirent ventre à terre pour recharger. Ceci augmenta la confusion. Cependant nos lignes continuaient à avancer pendant que les Anglais faisaient eux aussi un mouvement en avant, mais sans tirer un seul coup. Wolfe leur avait commandé de réserver leur feu et de mettre deux balles dans leurs fusils. Ce n'est que lorsque les Français furent à environ quarante verges des régiments ennemis que ceux-ci reçurent l'ordre de tirer. Un immense éclair jaillit de la ligne anglaise, et un nuage de fumée rougeâtre l'enveloppa. Cette décharge à si courte distance produisit sur nos troupes un effet meurtrier. Presque chaque balle avait porté. Les régiments du centre surtout avaient tiré avec tant de précision et d'ensemble qu'on eût dit un coup de canon. Lorsque la fumée se dissipa les officiers anglais purent voir d'un seul coup d'œil qu'ils avaient bataille gagnée. Nos lignes étaient rompues et nos bataillons en désordre; le sol était jonché de cadavres. A ce moment décisif, Wolfe ordonna aux grenadiers de Louisbourg et au régiment de Bragg une charge à la baïonnette. Les highlanders et tous les autres corps chargèrent presque aussitôt. Décimées et foudroyées par l'effroyable feu qui les avait assaillies, nos troupes n'étaient plus en état de soutenir le choc de ces régiments admirablement disciplinés. De tous côtés, elles plièrent dans une affreuse confusion, et bientôt ce fut une déroute complète. En vain, Montcalm, Senezergues, tous nos officiers supérieurs s'efforcèrent-ils de les rallier. L'armée qui avait remporté tant de victoires, les soldats de Chouaguen, du fort George, de Carillon et de Montmorency, avaient senti passer sur eux le souffle glacé de la défaite. Dans les desseins providentiels, l'heure avait sonné qui devait transformer l'orientation de la Nouvelle-France. En quinze minutes la bataille des Plaines d'Abraham fut livrée et perdue.

(Le Marquis de Montcalm, ch. XVIII.)

OBSERVATIONS. — Double intérêt de ce récit: les faits eux-mêmes et leur simple et rapide ordonnance.

## 157 — Notre situation politique en 1836

Disons tout d'abord, il importe de le répéter, que nous avions des griefs indéniables. Ils avaient été constatés devant le comité de la Chambre des communes en 1828, et le gouvernement n'y avait pas suffisamment porté remède. Nous nous plaignions avec raison du cumul des emplois, de l'exagération des salaires, de l'excès des dépenses, de l'injuste répartition des fonctions publiques, de la partialité de certains juges et autres officiers de justice, de la composition et de l'attitude du Conseil Législatif, des abus commis dans l'administration et la concession des terres de la couronne, des incursions non justifiées du parlement britannique dans des sujets qui relevaient normalement de notre législature coloniale, tels que la tenure des terres et le régime légal de la propriété. Toutes ces causes de mécontentement découlaient d'une cause primordiale et capitale, le défaut de contrôle efficace par la législature sur l'emploi des deniers publics et sur l'administration des affaires provinciales. Ces griefs, très réels, n'étaient pas tous particuliers au Bas-Canada. On pouvait en constater l'existence dans les provinces avoisinantes, le Haut-Canada, le Nouveau-Brunswick et le Nouvelle-Ecosse. Là aussi on voyait des chambres populaires aux prises avec des conseils législatifs trop exclusivement recrutés dans une classe, des conseils exécutifs sans responsabilité, et des coteries de fonctionnaires acharnés à maintenir leur domination et à défendre leurs prébendes. Ici nous désignions ces derniers sous le nom d'oligarchie ou de bureaucratie, là-bas on leur décernait le titre de *Family Compact.*

Cet état de choses tenait au fait que le gouvernement de la métropole ne voulait pas encore concéder aux législatures coloniales la pleine jouissance du régime parlementaire.

Le mal dont nous souffrions était, *mutatis mutandis,* celui dont souffraient toutes les colonies dans l'univers entier. Partout les métropoles, dans les relations avec des possessions coloniales croissant en population, en ressources, en activité économique et sociale, s'efforçaient de prolonger la tutelle et de retarder l'émancipation. Partout, avec plus ou moins d'énergie, il y avait conflit entre ces deux tendances. On pouvait alléguer que les colonies britanniques étaient peut-être mieux partagées que celles d'autres nations, qui semblaient peu disposées à doter leurs dépendances d'institutions constitutionnelles même imparfaites comme celles dont nous jouissions. Mais nous n'étions guère enclins à faire des comparaisons qui nous eussent montré notre situation sous un jour moins défavorable. En matière de liberté politique, les comparaisons, sans être odieuses, sont déplorablement vaines. Que nous importait le régime de la Martinique ou de la Guyane française? Nous avions ici une constitution parlementaire, et nous voulions que, dans la pratique, elle fonctionnât chez nous comme elle fonctionnait à Londres.

Sans doute, il y avait des différences de situation et de conditions. Mais nous étions, nous devions naturellement être portés à les nier ou à les atténuer, tandis que la métropole devait naturellement tâcher de les amplifier. Colonie et métropole étaient toutes deux dans l'esprit de leur rôle, celle-là réclamant plus d'autonomie, celle-ci s'efforçant de retenir plus de pouvoir. Dans cette lutte, en vertu de l'évolution réformatrice visible à cette heure, non seulement en Angleterre, mais chez les principales nations du monde, il était sûr que nos revendications devaient finalement être admises, sinon d'un seul coup, au moins graduellement. Seulement, pour que la transition s'opérât sans trop de heurts ni de secousses dangereuses, il fallait éviter, d'une part trop d'obstination, et de l'autre trop d'impatience.

L'obstination excessive avait été la grande faute du bureau des colonies sous lord Bathurst. Celui-ci était un tenant opiniâtre de la vieille doctrine britannique en matière coloniale, doctrine dont l'objectif était de gouverner les possessions d'outre-mer du fond de Downing-Street. Vous vous rappelez avec quelle inflexibilité il avait proclamé les "droits de la Couronne", l'intangibilité des "revenus de la Couronne", et avec quelle persistance il avait repoussé les réclamations de notre Chambre populaire. Cette attitude intransigeante avait eu pour résultat de provoquer chez les chefs de la majorité bas-canadienne un sentiment d'irritation chronique, et les avait poussés dans la voie d'une politique outrancière.

Avec lord Goderich un esprit nouveau avait prévalu au ministère des colonies. La politique réformiste s'était manifestée dans cette sphère de l'action ministérielle comme dans celle du régime électoral et parlementaire. Et nous en avions eu des preuves tangibles. Malheureusement, la rancœur créée par la longue et orageuse administration de lord Dalhousie, et par les conflits avec les secrétaires coloniaux antérieurs, avaient engendré chez nos chefs un esprit de défiance et d'hostilité difficile à vaincre. Les erreurs de jugement commises par lord Aylmer à la fin de son administration avaient accentué ce sentiment et rendu presque impossible le succès de la tâche conciliatrice entreprise par lord Gosford.

Pourtant, il faut bien le reconnaître, M. Neilson et son groupe n'avaient pas tort quand ils soutenaient que l'administration coloniale avait commencé à redresser quelques-uns de nos justes griefs. Depuis quatre ans par exemple nos plaintes contre certains hauts fonctionnaires avaient été écoutées et suivies d'une sanction rigoureuse...

Un autre signe du changement d'orientation pouvait être observé dans les nominations de conseillers législatifs faites en ces dernières années. Vingt et un nouveaux conseillers avaient été appelés à siéger dans la Chambre haute depuis l'adoption du rapport de 1828. Sur ces vingt et un nouveaux membres, treize étaient des Canadiens français...

En même temps qu'il s'occupait d'améliorer le Conseil législatif, lord Gosford proposait aussi une réorganisation du Conseil exécutif. La transformation de ce corps était déjà commencée...

Au printemps de 1836 lord Gosford proposait au ministre un remaniement important. Et comme conséquence, à l'automne de 1837, le Conseil exécutif devait se trouver formé en majorité de membres canadiens-français, la proportion étant de cinq à trois.

La composition peu satisfaisante du banc judiciaire avait aussi, à maintes reprises, provoqué les plaintes de l'Assemblée. La soixante-seizième résolution de 1834 insistait sur ce grief. Il était d'une justesse indiscutable. Devant le comité de 1828, on avait établi qu'il y avait alors dans la province seulement trois juges de langue française, tandis qu'il y en avait huit de langue anglaise. En tenant compte de la population, cette proportion eût dû être renversée. L'attitude injustifiable de certains juges anglais était malheureusement de nature à faire sentir plus vivement encore cette offensante disproportion. A maintes reprises, quelques-uns d'entre eux avaient déclaré non recevables des pièces de procédure, tels que brefs de sommation, parce qu'elles étaient rédigées en français. On conçoit l'indignation légitime que ces décisions abusives et illégales avaient provoquée parmi nous.

Toutefois ici encore il y avait progrès en 1836. Depuis le rapport de 1828, sur cinq juges nouveaux, quatre Canadiens français, MM. Vallières de Saint-Réal, Jean-Roch Rolland, Philippe Panet et Elzéar Bédard, avaient été nommés...

Cependant ces redressements partiels, ces actes de justice, qui ne pouvaient être niés, ne suffisaient pas pour satisfaire l'Assemblée. Ses chefs déclaraient que des réformes de détail ne devaient pas être acceptées comme un règlement de nos difficultés. Il fallait des réformes fondamentales, qu'on pouvait ramener à trois chefs: le contrôle de tout le revenu par la législature, la **responsabilité du pouvoir exécutif**, l'élection du Conseil législatif.

(Cours d'Histoire du Canada, IV, ch. 3.)

OBSERVATIONS. — Expliquez par des faits précis de l'histoire de notre régime anglais cette affirmation: "Colonie et métropole étaient toutes deux dans l'esprit de leur rôle, celle-là réclamant plus d'autonomie, celle-ci s'efforçant de retenir plus de pouvoir". Ne pas dépasser dans la recherche des faits la date de 1836.

## 158 — Toujours Catholiques et toujours Français

Toujours catholiques et toujours français, voilà notre rôle, voilà notre caractère distinctif, voilà notre vocation historique, voilà notre grandeur et notre gloire.

Nous sommes catholiques, et comment ne le serions-nous pas? L'Eglise catholique a été la mère de toutes les nations modernes, mais il semble qu'elle ait eu pour notre petit peuple de spéciales tendresses. Elle a veillé sur notre berceau avec une indicible sollicitude; elle nous a donné sans compter des apôtres et des saints; elle a fait s'épanouir parmi nous une merveilleuse floraison de vertus chrétiennes, qui ont arraché des cris d'admiration même à des historiens hostiles; elle a fécondé notre sol du sang de ses martyrs; elle a partagé et consolé tous nos deuils; elle a été la fortifiante compagne de nos épreuves; elle a rempli auprès de nous la fonction dévouée d'éducatrice et de conseillère; et c'est grâce à elle que nous avons pu réparer nos défaites et préparer nos victoires. Maintenant que nous sommes parvenus à l'âge viril, nous ne saurions, sans la plus étrange aberration, laisser se rompre ou même s'affaiblir les liens qui nous unissent à elle. Que dis-je, nous ne saurions, sans être infidèles à nous-mêmes, nous montrer infidèles à l'Eglise!

Notre défection ou notre indifférence religieuses nous infligeraient une déchéance sociale et politique. Car l'action catholique fait partie intégrante de notre tradition nationale, et constitue l'un des meilleurs éléments de notre prestige. Par elle, nous rayonnons sur toute l'Amérique du Nord; par elle, nous reculons les frontières de notre influence; par elle, nous prolongeons notre domaine moral bien au delà des limites de notre domaine territorial; par elle, nous envoyons nos prêtres et nos religieuses faire bénir notre nom au milieu des glaces du Nord et sous le ciel brûlant du Midi; par elle nous promenons notre drapeau de l'Atlantique au Pacifique, et de la mer mexicaine à la baie d'Hudson. A ce simple point de vue, au point de vue patriotique, qui est celui auquel je me place surtout en ce moment, n'est-ce pas, Messieurs, que renoncer à notre mission religieuse, ce serait pour nous une désastreuse abdication? Ah! non, nous ne commettrons pas ce crime qui serait à la fois un crime religieux et un crime national.

Il est un autre crime que nous ne commettrons pas. C'est celui de mentir à notre sang et de renier notre origine. Nous sommes nés de la France, dans ce siècle fameux où, comme un astre sans rival, elle éblouissait le monde des rayons de sa gloire...

Souvent d'épais nuages se sont interposés entre elle et nous. Et nous nous demandions alors avec douleur si l'éclipse serait éternelle. Souvent aussi, en présence des embûches, des attaques perfides, des manœuvres savantes qui menaçaient notre nationalité, une angoisse mortelle étreignit le cœur de nos chefs, de nos écrivains et de nos penseurs. C'est sous l'empire de ce sentiment que notre illustre historien, M. Garneau, écrivit un jour à Emile de Girardin une lettre où se trouvait cette phrase: "Quel que soit, Monsieur, le sort que l'avenir réserve à notre race, nous aimons à reporter les yeux vers cette ancienne France d'où sont sortis nos pères, et comme le chevalier normand couché sur le tombeau de marbre des vieilles cathédrales anglaises, si nous devons perdre notre nationalité, nous voulons du moins un nom français écrit sur notre mausolée". Nobles et touchantes paroles, mais trop pessimistes. Tu t'es trompé, Garneau! Grand patriote, tu t'es trompé! Ton inquiète sollicitude pour l'avenir de notre race t'inspirait des prévisions trop sombres. Non, non, nous ne l'avons pas perdue, nous ne la perdrons pas cette nationalité dont l'amour a été la suprême passion de ta vie. Les pierres du mausolée où ses ennemis auraient voulu l'enfouir ne sont pas encore taillées. Et ce n'est pas sur un tombeau que notre nom français est inscrit, mais sur des arcs de triomphe, sur des monuments glorieux dédiés à nos grands hommes, sur le fronton de nos universités et de nos palais civiques, législatifs et judiciaires. Ah! s'il t'était donné de paraître en ce moment dans cette salle où le fluide patriotique vibre et circule à larges ondes et nous enveloppe de son électrique atmosphère, tu te dirais avec bonheur que l'âme française vit toujours en nous et que cette âme est immortelle.

(Discours et Conférences, II. Discours du 23 juin 1902,<br>à l'occasion de la fête nationale des Canadiens français, à Québec.)

OBSERVATIONS. — Commenter cette affirmation: "Nous ne saurions sans être infidèles à nous-mêmes, nous montrer infidèles à l'Eglise".

## 159 — La chrétienté ancienne et la chrétienté moderne

Autrefois, Messieurs, il y avait dans le monde une institution admirable dont la physionomie imposante et la bienfaisante influence ont rempli tout un âge de l'histoire. Les nations baptisées reconnaissaient un même droit public, possédaient en commun un ensemble de principes et de coutumes, suivaient en certaines circonstances la même ligne politique, et participaient à la même action militaire. Il y avait une France, une Angleterre, une Ecosse, une Pologne, une Allemagne, une Espagne, une Italie, chacune avec son génie, ses intérêts, ses ambitions. Mais se dégageant de tout cela, ralliant tout cela, et réunissant tout cela en un puissant faisceau, à certaines heures décisives, il y avait la chrétienté.

Ce seul mot n'évoque-t-il pas dans votre esprit tout un monde de hautes pensées, de faits glorieux et d'émouvants souvenirs? Oui, il y eut un moment dans l'histoire où les peuples chrétiens eurent un même idéal, une même règle de vie publique, un même critérium de justice et de moralité, une même aspiration primordiale et souveraine, et où, faisant abstraction de leurs préoccupations particularistes, ils donnèrent souvent au monde le spectacle magnifique d'une vaste fédération, diverse en ses parties, mais une dans sa direction et son effort.

Hélas! la chrétienté, cette chrétienté, est devenue l'une de ces ruines majestueuses que l'humanité a semées sur son chemin à travers les âges. Elle s'est écroulée avec l'unité doctrinale de l'Europe, sous les coups de la formidable révolution religieuse qui fut l'œuvre du seizième siècle. Les guerres, les traités, les combinaisons diplomatiques ont intronisé un nouveau droit public, et creusé un abîme entre la tradition des siècles antérieurs et l'esprit des temps modernes. La chrétienté politique est morte, et ni les concerts européens, ni les conférences internationales, ni même les congrès de la paix, ne lui rendront la vie.

Mais, Messieurs, n'entrevoyez-vous pas avec moi une autre chrétienté, une chrétienté morale qui se refait à travers les frontières, à travers les diversités de races, qui s'étend au delà des limites de l'ancienne, qui franchit les mers, et qui reconstitue de nation à nation, de continent à continent, de race à race, la grande et auguste fraternité chrétienne? N'est-ce pas à l'une des manifestations de cette chrétienté nouvelle que nous assistons ici ce soir, dans ce temple qui rassemble tant d'hommes n'ayant ni la même langue, ni la même nationalité, mais unis dans la même foi et dans les mêmes espérances?

Nous sommes italiens, français, anglais, belges, irlandais, allemands, américains, canadiens; nous avons chacun nos prédilections, nos tendances, nos idées, nos préjugés peut-être; mais nous sommes tous chrétiens, avant tout et par-dessus tout chrétiens et catholiques, fils de l'Eglise-Mère dont l'autorité ne connaît point de frontières, et sujets du Roi des rois, de Jésus, le Monarque universel dont l'empire excède la terre et le temps, et dont le sceptre régit tous les mondes. Nous sommes chrétiens, et à cause de cela nous sommes frères, et à cause de cela, nous avons des sollicitudes et des intérêts identiques, et à cause de cela, sans rien sacrifier de nos préférences nationales, nous aimons, nous souffrons, nous espérons, nous luttons en commun; et à cause de cela enfin, tout en ayant au cœur l'amour passionné de nos patries respectives, que nous voudrions voir toujours plus grandes, plus prospères et plus fortes, toujours plus honorées et plus dignes de l'être, nous nous glorifions d'appartenir à une patrie qui embrasse toutes les autres sans les effacer ni les amoindrir, la patrie des âmes et des croyances, l'Eglise catholique, apostolique et romaine.

(*Discours et Conférences*, II. Discours prononcé au Congrès Eucharistique de Montréal, 10 sept. 1910.)

OBSERVATIONS. — 1° Autour de quel idéal de vie politique et religieuse s'était groupée autrefois la chrétienté? Quelles causes ont brisé son unité? — 2° Pour quel idéal et sous quelles formes s'est reconstituée la chrétienté moderne?

# LIONEL GROULX
## (1878-      )

Historien éloquent.  Patriote appliqué à l'étude de l'histoire.  Il y a dans ces définitions de l'homme, la définition de son art.  L'homme s'émeut autant que le chercheur travaille.  Et l'émotion oratoire veut gagner le lecteur à tous les sentiments de l'historien.  Au surplus, un artiste de la langue, harmonieux et abondant.

Œuvres principales: *La Confédération canadienne* (1918); *La naissance d'une race* (1919); *Lendemains de conquête* (1920); *Vers l'émancipation* (1921); *L'Enseignement français au Canada*, 2 vols (1931-1933); *La découverte du Canada. Jacques Cartier* (1934); *L'Appel de la Race* (1922); *Au Cap Blomidon* (1932); *Les Rapaillages* (1916); *Chez nos ancêtres* (1920).

(Voir *Histoire de la Littérature canadienne*, p. 191-193; 230-231; 238.)

## 160 — Le pays

Sous quel aspect est-il apparu aux premiers colons, ce pays de la Nouvelle-France aux solitudes et aux profondeurs mystérieuses? Il semble que la première rencontre de la terre et de l'homme n'ait laissé à celui-ci que de réconfortantes impressions.  N'est-ce pas le cantique de toutes les espérances que nous chante la Relation de 1611?  "Et premièrement, si l'on considère le temporel", écrit le vieux chroniqueur, "c'est une autre France en influence et condition du ciel et des éléments, en étendue de pays dix ou douze fois plus grande si nous voulons; en qualité aussi bonne, si elle est cultivée...; en situation à l'autre bord de notre rivage, pour nous donner la science et la seigneurie de la mer".

Quand ils ont franchi le golfe, "grand comme une mer", puis commencé à remonter le "roy de tous les fleuves", "fort large", "car à peine en voit-on les rives naviguant au milieu", une vision se déroule comme un panorama uniforme aux yeux des arrivants: la majesté de la forêt, forêt superbe et noire, "immense armée végétale", dirait Taine, se déployant sur toute la vallée du Saint-Laurent, depuis les contreforts des Apalaches jusqu'au mur bleu des Laurentides, puis, par la grande rivière des Outaouais, s'élançant vers le pays des Hurons, pour reprendre ensuite la route des pays de l'Ouest — rapporteront plus tard les explorateurs — et s'en aller, tantôt par lignes aventurières, tantôt vers la mer de Chine ou dans la solitude infinie vers les glaces du pôle. Terre chauve à son extrémité polaire, le continent nord américain a voulu du moins retenir à son front cette immense et puissante chevelure. Ce n'est pas que les feux allumés par ces grands imprudents que sont les Indiens n'y fassent souvent de vastes trouées, où se déploient ci et là des prairies naturelles assez étendues. Mais la forêt, on pourrait croire qu'elle constitue, pour les premiers découvreurs l'universel aspect du Nouveau-Monde. "Il n'y a lieu si petit où n'y ait des arbres", avait écrit Jacques Cartier, lors de son premier voyage.

Le pays n'est "qu'une forest infinie", nous redira la Relation de 1611. "Tout le pays n'est qu'une forêt perpétuelle", répète le même auteur, à la colonne suivante de la même page. Et le Père Paul Le Jeune date ainsi la Relation de 1632: "Du milieu d'un bois de plus de 800 lieues d'estendue à Kébec".

Cette austère et puissante nature jetait presque un défi au courage, au déploiement des forces humaines. Les arrivants n'avaient qu'à se mesurer aux arbres gigantesques pour évaluer à son prix le labeur du défrichement. Déjà l'on peut prévoir les qualités physiques, les vertus morales que la conquête du sol, ardue et compliquée, va développer chez les premiers travailleurs. La forêt, comme la mer, est éducatrice d'énergie, a-t-on dit. L'histoire le prouve: dans les zones de forêts, plus que dans les steppes, ont grandi les races vigoureuses, opiniâtres qui, dans le passé, ont pris la direction du monde.

Une si opulente végétation révélait la richesse du pays. La fécondité des terres "aussi bonnes qu'en France", disait encore la Relation de 1611, se reconnaît "à leur couleur noire, aux arbres hauts, puissants et droits qu'elles nourrissent, aux herbes et foin aussi hauts souvent qu'un homme, et choses semblables". Le Père Le Jeune avive les espérances avec le spectacle de ces plaines, "qui sont en friche depuis la naissance du monde"; il vante les premiers épis de seigle récoltés, "plus longues et mieux garnies, que les plus belles que j'aye jamais vu en France".

Heureux optimisme, quelque peu enthousiaste, que venait fortifier la vue de toutes les autres ressources du pays nouveau. Avec son climat variable à l'extrême, mais avec prédominance de froid et d'humidité, où, aux saisons austères, succèdent les saisons de chaleur excessive, la vallée laurentienne devait être pourvue d'une large végétation arborescente, comme aussi de riches et nombreuses espèces animales. A ceux qui veulent savoir les "commodités que le pays produit pour la vie de l'homme", les Relations répondent que "pour le poisson, il est ici comme en son empire", qu'il y a des endroits dans le fleuve "où la pesche semble prodigieuse"; qu'on y voit "des Isles toutes pleines d'Oyes, d'Outardes, de canards de diverses espèces, de Sarcelles et d'autres Gibier". Et ce n'était là, sous la plume des vieux chroniqueurs, qu'une description rapide, brossée à larges traits. Que sera-ce s'ils se mettent à inventorier la faune, "l'une des plus considérabbles que la Providence ait préparée à l'homme"? Les espèces les mieux organisées contre le froid y figurent naturellement, faune prodigieuse qui abonde en la pelleterie du castor, "la monnoye de plus haut prix", même dans le Nouveau Monde et pendant si longtemps l'article de luxe sur tous les marchés de l'Europe. Cette pelleterie est la mine d'or de la Nouvelle-France, et, comme celles du Mexique et du Pérou, elle aura ses conquistadors. La richesse est telle et d'un accès si facile qu'elle va devenir un danger plutôt qu'une force. Quelle incitation à délaisser, pour la chasse et le commerce, l'exploitation du sol, à sacrifier à une richesse caduque l'établissement même de la colonie! Le peuple y trouvera une épreuve dans sa propre formation. Pour beaucoup, ce sera une longue hésitation entre la vie sédentaire du défricheur et l'existence séduisante, pleine d'imprévu du coureur de bois.

Les colons n'ont qu'à contempler le pays: il les invite lui-même à ces randonnées et à cette dispersion. Ne leur offre-t-il pas sa vaste étendue, presque une immensité, desservie par le réseau le plus magnifique de routes fluviales?...

Notez que ce réseau fluvial correspond exactement à la région où croît en abondance le bouleau à canot, l'arbre, la matière première qui, en ces temps primitifs, fournit le plus commode et le plus rapide moyen de circulation. Que, muni de la légère embarcation, le missionnaire s'engage à la poursuite des âmes indiennes; que l'ambition de barrer la route à un rival pousse, par les mêmes routes, trafiquants et explorateurs; ou que les nécessités du commerce entraînent les caravanes flottantes à la recherche de nouveaux comptoirs, et, bientôt, par les artères maîtresses, et par les affluents et par les sous-affluents, s'élanceront des convois d'avironneurs et de flottilles de tout genre, pour des randonnées merveilleuses, vers le golfe du Mexique, vers les Montagnes Rocheuses, vers la baie d'Hudson. Ces coureurs de fleuve vont à telle allure que l'exploration française s'étend d'un océan à l'autre, et de la mer du sud à la mer du nord, alors que le rival anglo-américain, plus mal relié au même système fluvial, commence à peine de franchir les Alléghanys. Du même coup les Français du Nouveau Monde font connaissance avec les routes stratégiques; ils apprennent à brûler les plus longues étapes; ils conquièrent la souveraineté de l'espace; ils développent leur capital moral et physique.

(*La Naissance d'une Race*, II.)

OBSERVATIONS. — 1° Quelles qualités physiques et morales développera chez nos ancêtres la nature du pays canadien? — 2° Quelles ressources d'ordre économique offrait déjà aux premiers colons le pays canadien? — 3° Il y a dans ce morceau une triple interprétation de la nature: interprétation poétique, économique, morale. Dites avec quel art l'historien l'a faite.

---

## 161 — Transformation du type français en Nouvelle-France

Que le type français primitif ait subi des transformations, il paraît superflu de l'affirmer. Tous les historiens de la fin du régime, toutes les notes des voyageurs, la correspondance des derniers gouverneurs, celle des intendants signalent l'apparition d'un type nouveau. Depuis longtemps, il y a au Canada les "Canadiens" et il y a les "Français". Entre les deux Bougainville exagère la diversité jusqu'à l'extrême: "Il semble, écrit-il, que nous soyons d'une nation différente, ennemie même". Comment donc un siècle et demi à peine d'histoire a-t-il fait surgir entre les deux groupes une opposition si apparente sinon très profonde?

Tout d'abord le type français, très divers là-bas de province à province, s'est fondu ici rapidement dans un type presque uniforme. Les quelques unités provençales, gasconnes, bourguignonnes ou languedociennes que nous avait jetées l'immigration, ont vite disparu dans la grande majorité percheronne, normande, angevine et saintongeoise presque identique de mœurs et de pays. Dès la fin de l'intendance de Talon le noyau générateur est formé; dès ce moment il détient des qualités sociales et ethniques que ne changera point la faible immigration postérieure. Première circonstance à noter: la plupart des premiers immigrants appartiennent à la jeunesse; peu d'attaches les retiennent donc au passé; plus que des vieux ils sont assimilables et transformables. En outre, à quoi se réduisent au juste les relations avec la métropole? Les vaisseaux de France arrivent souvent en août, repartent en octobre ou en novembre; et les relations restent rompues jusqu'à l'année suivante. Séparé de sa première patrie, le colon français n'emprunte qu'à son nouveau milieu. Le pays canadien le façonne avec la puissance d'empreinte de son originalité géographique, avec la nouveauté de son climat, avec l'immensité austère de ses horizons; le façonnent aussi les improvisations de l'initiative tous les jours renouvelées dans les exigences du vivre et du couvert, dans la forêt à transformer, dans les cultures nouvelles à expérimenter, dans toute cette existence si étrange et si neuve où le défricheur se double presque toujours d'un homme d'aventure ou d'un homme de guerre. Tant d'influences réunies ont bientôt fait de diversifier l'habitant canadien du paysan de France qui, lui, va rester le même, continuant la même existence monotone, au fond des vieilles provinces de là-bas fermées depuis trois siècles à l'invasion.

(*La Naissance d'une Race*, V.)

---

## 162 — Les forces de notre race en 1760

Quel mystère, au premier abord, que celui de cette jeune race investie, par sa foi et ses ascendances ethniques, d'une si lourde vocation, de si graves responsabilités, et créée par Dieu si petite et si faible. Petite et faible en réalité, pour eux qui ne la regardent qu'avec les yeux humains, selon l'échelle des valeurs matérielles, mais grande et puissante, si l'on sait l'apercevoir dans une lumière plus haute.

Le petit peuple canadien de 1760 possédait tous les éléments d'une nationalité: il avait une patrie à lui, il avait l'unité ethnique, l'unité linguistique, il avait une histoire et des traditions. Surtout, il avait l'unité religieuse, l'unité de la vraie foi, et, avec elle, l'équilibre social et la promesse de l'avenir. Héritier de la plus haute civilisation française, il appuyait sa jeunesse sur toutes les forces de l'ordre et de l'esprit. Il a pour lui la vérité et la morale du catholicisme, essence parfaite de ce christianisme que Taine appelait "le meilleur auxiliaire de l'instinct social". La volonté généreuse d'une longue suite de ses aïeux a fait des plus hautes vertus une de ses traditions ethniques, un héritage spirituel dont une part lui arrive avec la vie. Il tient encore, de sa foi et de ses ancêtres, la loi souveraine du progrès hiérarchisé. La dignité des mœurs, le respect des lois de la vie, la paix des familles et des classes, le culte de la justice, de la prière et de l'esprit, il les place plus haut que toutes les grandeurs matérielles. Il tient, après cela, du Créateur une patrie immense, féconde et belle, immense et féconde par l'ampleur de ses horizons et de ses richesses, par les promesses qu'elle offre au labeur; belle par son visage matériel et par la figure de son âme, par un patrimoine historique qui autorise toutes les fiertés du sang. Investi de tous ces titres et gardien de toutes ces espérances, que manque-t-il, en vérité, au petit peuple de la Nouvelle-France?

Il peut paraître le dernier et le plus petit aux yeux de la politique matérialiste; il n'en porte pas moins au front le sceau des prédestinés; il est de ceux par qui veulent s'accomplir les gestes divins.

(*La Naissance d'une Race*, V.)

OBSERVATIONS. — Après avoir lu les deux morceaux qui précèdent, dites pourquoi nos ancêtres pouvaient espérer, en 1760, malgré toutes tentatives d'assimilation, former un peuple distinct.

## 163 — A quoi rêvent les fondateurs de nos collèges?

A quoi rêvent donc les fondateurs des nouveaux collèges?

Tous ces hommes qui ont beaucoup fait pour les petites écoles, ne rêvent, à vrai dire, que d'un enseignement plus élevé qui viendra couronner l'enseignement primaire. Lorsqu'ils fondaient des écoles paroissiales, ils se préoccupaient, sans nul doute, de mettre un enseignement catholique à la portée de leur peuple, mais agissaient aussi par simple ambition d'instruire ce peuple, de le mieux outiller pour ses tâches modestes. Ainsi vont-ils fonder un type supérieur d'enseignement, parce qu'en ce début du dix-neuvième siècle, il faut répondre à d'autres besoins, à un pressant appel de leur province. Ils vivent, depuis 1791, en un Etat parlementaire, où les guides, se tirant désormais de la foule, les équipes ont constamment besoin d'être renouvelées. Cet Etat est, par surcroît, enfiévré de la bataille des races; les guides ont besoin de s'instruire, non seulement pour gouverner, mais d'abord pour conquérir à leur race, dans le gouvernement de la province, la part qui lui revient. Cette race, une minorité de fonctionnaires métropolitains l'exclut des fonctions administratives, et le prétexte, sinon le motif de l'exclusion, c'est l'ignorance, l'incompétence foncière du conquis au maniement des institutions britanniques. Le reproche d'ignorance, voici longtemps que toute la jeune nationalité canadienne le reçoit au visage, comme un soufflet. Que faut-il de plus à des prêtres patriotes qui vivent très près de leur peuple, partagent ses aspirations et ses souffrances, ont, depuis toujours, pourvu à ses besoins intellectuels, que leur faut-il davantage pour apercevoir, comme une autre besogne urgente, la formation de nouvelles équipes de chefs, l'élévation dans toute la province, du niveau de l'instruction? Qu'à ce dessein se mêle l'ambition d'embrigader des ouvriers de relève pour le sacerdoce, et, comme le voudrait M. Painchaud, de garder au clergé la direction de l'enseignement secondaire, rien de plus sûr. N'y voyez rien toutefois d'une ambition exclusive, ni même dominante. A l'un de ces fondateurs, l'abbé Ducharme, il arrivera même de songer si peu au recrutement du clergé, qu'il fondera un séminaire presque à son insu. Ce qu'il veut, dans le principe, c'est opposer une école supérieure aux écoles de l'Institution Royale, ériger tout au plus une école préparatoire aux collèges classiques; et, si le dessein primitif finit par s'élargir, c'est qu'avec le temps il n'a pu que se modeler à la mesure de ce grand cœur de prêtre.

Prêtres au grand cœur, c'est bien ainsi qu'apparaissent ces fondateurs de collège, quand on fait la mesure de leur désintéressement et de leurs labeurs parfois héroïques. Peu de figures, en notre histoire, sont d'une grandeur plus achevée. A l'origine de ces maisons, l'on ne voit nulle part la riche dotation, le large crédit de l'Etat, le bienfaiteur opulent qui font à l'œuvre un berceau confortable. Toutes vont naître dans l'indigence, par les soins et les peines d'un curé à la bourse toujours vide et à la soutane rougie. Des sept collèges ou séminaires surgis de 1800 à 1840, six auront pour fondateur un curé de campagne. Déjà chargés d'un lourd ministère, ces hommes y ont ajouté délibérément le fardeau de pareilles entreprises; ce fardeau, ils l'ont assumé, en ayant supputé le poids écrasant, mais avertis, par l'instinct de leur foi, de la qualité vitale de pareilles œuvres. Presque tous y ont mis d'abord leurs biens personnels, quelques-uns se dépouillant parfois jusqu'au dénûment, se plongeant allègrement dans les dettes. Pour venir à bout de dépenses de toutes sortes, ils s'abîmeront de privations; pour cumuler tous les rôles: ceux de directeur, de professeur, de préfet d'études, d'économe, de bâtisseur, ils s'abîmeront de fatigues et de veilles. De tous leurs biens sacrifiés, ils ne sauront même pas se réserver la paix de leur presbytère, dont ils feront quelquefois une ruche bruyante, y logeant la première génération de leurs écoliers. Nicolet naîtra de la générosité de deux curés, l'un qui lui léguera sa maison, ses terres, quelques rentes; l'autre qui rachètera, au prix de 5,000 livres, l'héritage compromis. L'abbé Mignault dépensera 3,000 livres pour le collège de Chambly, construira la maison et ses dépendances, la meublera, y mettra une bibliothèque de 893 volumes; puis ces charités accomplies, cédera le tout à une corporation. A L'Assomption c'est encore le curé de la paroisse, M. François Labelle, qui, avec ses deux frères, fournit la forte somme. Le fondateur de Sainte-Anne de la Pocatière et celui de Saint-Hyacinthe n'acquerront de biens que pour léguer à leur œuvre. A la construction de son collège, l'abbé

Painchaud travaillera comme un simple manœuvre, charriant en traîneau à bâtons la pierre des champs, le bois de charpente, et, les jours de corvée, menant sa charrette à la tête de cent autres. L'abbé Ducharme qui, en son presbytère, vit plus pauvre qu'un moine, s'excuse, un jour, de n'aller point saluer son évêque, par honte de se montrer mal vêtu. "C'est en me privant de toutes fantaisies, écrira-t-il, et même en me privant de bien des choses nécessaires que j'acquitte mes dettes". Et c'est encore le même qui dira: "C'est en donnant des leçons jusqu'à onze heures du soir que j'ai formé mes premiers élèves".

(L'Enseignement français au Canada, I. 6.)

OBSERVATIONS. — 1° Pour quelles tâches le peuple canadien-français avait-il besoin, au dix-neuvième siècle, d'une élite formée par l'enseignement classique? — 2° Recomposez, à votre façon, le rêve des fondateurs de nos collèges classiques.

———

# OLIVIER MAURAULT

## (1886-      )

Il aime Montréal et l'art. Cela peut suffire à un historien. L'historien se
documente et s'attendrit. Et il raconte avec une émotion tour à tour brève ou
soutenue les choses anciennes qu'il admire.

Œuvres: *Le Petit Séminaire de Montréal* (1918); *Marges d'histoire*, 3 vols
(1929-1930); *La Paroisse. Histoire de l'église de Notre-Dame de Montréal* (1929);
*Brièvetés* (1928).

(Voir *Histoire de la Littérature canadienne*, p. 193-194; 255-256.)

## 164 — L'art au Canada

### (Fragments)

Pour les premiers colons européens, ils se préoccupèrent d'abord
de s'abriter contre les intempéries et de se défendre contre les
indigènes. Leurs maisons, comme on pouvait s'y attendre de tels
hommes et dans un pays de forêts, furent des bâtiments de bois,
inspirés par les maisons qu'ils avaient connues en Normandie et
en Bretagne. L' "abitation" construite à Québec, par Champlain,
et dont il nous a laissé le dessin, en est un bon exemple. Bientôt
cependant la forme des maisons s'adapta aux conditions d'un climat
plus rigoureux: ainsi les toitures se firent plus abruptes, afin de
permettre à la neige de mieux glisser jusqu'au sol. Aux pièces
de bois et aux planches, on substitua plus tard les murs de pierre.
Et un type de maison, bien canadien, se constitua ainsi: on en
trouve encore de beaux exemples à l'île d'Orléans, — demeurée un
véritable reliquaire de notre art primitif, — et tout le long du
fleuve, dans la région de Québec et dans celle de Montréal.

Les premières églises, d'abord en bois jusqu'au jour où Mgr
de Laval refusa de consacrer celles qui ne seraient pas en pierre,
ressemblaient aux maisons. Elles en différaient par les dimensions
et par son clocher très simple, en charpente, à cheval sur l'un des
pignons. Les façades ne portaient aucun ornement; les intérieurs,

pas davantage si ce n'est un bel autel de bois sculpté, qui, dans les
commencements, venait de France.

Mais ces Français du XVIIe siècle, nés dans un pays où
florissaient les beaux-arts, ne devaient pas longtemps s'accommoder
de la nudité des murs et d'une simplicité indigente.  Non seulement
ils apportèrent de la mère patrie des meubles nécessaires, mais aussi
des tableaux.  Et même, ils voulurent s'exercer à la peinture, à la
sculpture, au fer forgé.  Et ce n'est que justice de saluer ici le
Père de la Colonie et le premier Evêque.  Champlain lui-même
fit quelques "pauvres images" pour Notre-Dame-de-Recouvrance.
Quant à Mgr de Laval, il fonda cette Ecole des arts et métiers,
dont il établit une section à Saint-Joachim et annexa l'autre au
petit séminaire de Québec.  On connaît les noms de quelques
professeurs: l'architecte Bailly, et les sculpteurs Fauchois, Genner,
Le Blond. Ils formèrent des élèves qui perpétuèrent pendant une
partie du XVIIIe siècle les traditions de l'Ecole. Ainsi, en 1716,
Pierre Le Prévost, devenu curé, mais naguère surveillant à l'Ecole
des arts et métiers, sculpta une charmante statue de Notre-Dame-
de-Foy.  Les deux Le Vasseur, héritiers de la même formation,
décorèrent des églises de l'île d'Orléans.

Les constructions, grandes et petites, du régime français,
étaient très simples de lignes, sobres d'ornements, mais harmo-
nieuses.  Les architectes d'églises, de collèges et de maisons particulières en conservèrent la tradition jusqu'au milieu du XIXe
siècle.  Ils contribuèrent ainsi à garder longtemps un aspect tout
européen.  Grâce à eux, l'usage de la pierre se généralisa.  Les
villes d'abord l'employèrent comme protection contre l'incendie.
On prit aussi l'habitude des pignons à parapet qui isolaient plus
parfaitement les maisons les unes des autres.  On ajouta aux
façades des maisons de campagne les galeries ou vérandas, qu'un
critique d'art appelle type-presbytère.

Les églises s'ornèrent de plus en plus.  Les façades latérales
demeurèrent très simples, mais les porches s'embellirent.  Souvent
le clocher unique sur le pignon disparut, et l'on construisit deux
tours surmontées de beffrois. La forme de ceux-ci évolua. Avant
la Conquête, les lanternons se terminaient en demi-dômes; après,
subissant peut-être une influence anglaise, ils s'effilèrent en flèches

aiguës. Quels qu'aient été leurs défauts, il faut beaucoup regretter qu'il nous reste si peu des cent seize églises encore debout au début du XIXe siècle. Elles auraient été pour le peuple une vivante leçon de sobriété.

Une nouvelle école, plus savante et plus fleurie, commença à régner à la fin du XVIIIe siècle. Elle s'inspirait, en décoration intérieure, du style rocaille alors en vogue en Europe; et en architecture du style renaissance. Les Le Vasseur et les Baillargé, du côté de Québec; les élèves de Louis Quevillon, dans la région de Montréal; les cours d'architecture de l'abbé Jérôme Demers, au séminaire de Québec, furent les propagateurs de ce goût nouveau. Louis Quevillon, et M. Demers, — de même que plus tard, Victor Bourgeau, — étaient nourris de Vignole et de Blondel. M. Demers instruisit des générations de séminaristes; Quevillon, à sa Maîtrise d'art des Ecorres, forma toute une pléiade de sculpteurs sur bois, une trentaine, dont les œuvres font encore le charme des plus agréables églises de la région montréalaise. Quant aux façades, les plus caractéristiques de cette époque restent sans doute celle de la basilique de Québec, dessinée par Thomas Baillargé, et celle de Sainte-Geneviève, près Montréal, due à la collaboration de M. Jérôme Demers et de Victor Bourgeau.

(*Marges d'Histoire, L'Art au Canada.*)

---

## 165 — Le trompe-l'oeil

Le trompe-l'œil est un mensonge et par définition devrait nous faire horreur. Or, il y en a tant, d'un bout à l'autre de notre pays, que nous avons fini par nous y habituer, et nombre de nos compatriotes ne conçoivent pas la construction autrement. Autrefois nos églises étaient modestes, mais ne mentaient pas: les pierres des murs extérieurs gardaient l'aspect de la pierre, et les boiseries intérieures, sculptées souvent avec goût et habileté, ne simulaient point les matériaux précieux. Regardez nos temples modernes: hormis de rares exceptions, ils portent des clochers et des ornements en tôle; leurs intérieurs de plâtre blanc et cru remplacent les bois sculptés, leurs colonnes ont emprunté les couleurs du marbre veiné, et leurs autels sont en imitation de carrare. Déplaisant partout, le mensonge l'est tout particulièrement dans la maison de Vérité.

Evidemment il y a une raison à cet excès: cela coûte moins cher et cela est plus vite fait. Mais justement, l'on méconnaît deux conditions faciles à observer pourtant dans presque toutes les vraies œuvres d'art: la matière précieuse et l'effort de l'ouvrier. Depuis des années, nous nous sommes habitués à nous contenter de peu: nous sommes un peuple modeste. Si nous vivions seuls sur terre, il n'y aurait pas de mal; mais nous avons à subir des comparaisons, à lutter avec d'autres nations. Et il est malheureux de dire que cette médiocrité d'aspirations a envahi toute notre vie, et a passé de nos arts plastiques dans nos lettres, où règne l'à peu près, qui est une sorte de trompe-l'œil. Aussi faut-il les compter parmi les bienfaiteurs de notre peuple, ceux d'entre nous qui, même au prix de quelque exagération, prêchent en termes virulents le souci de la forme parfaite et de la chose finie.

(*Marges d'Histoire, L'Art au Canada.*)

---

## 166 — La croix du chemin
### (Fragments)

Je les vois surgir dans ma mémoire, les croix célèbres que les héros de notre âge héroïque dressèrent sur tout le territoire. C'était d'abord pour prendre possession de leur nouvel empire; c'était encore pour perpétuer le souvenir de quelque grand événement, ou pour accomplir un vœu, ou pour demander protection au Ciel, ou par simple dévotion. Jacques Cartier élève une croix à Gaspé en 1534; Paul Chomedey de Maisonneuve porte une croix sur le flanc du Mont-Royal, en janvier 1643; Tracy place une croix au Sault-au-Matelot, en 1665; Dollier de Casson, une croix au Sault-Sainte-Marie, en mars 1671; Cavelier de la Salle, une croix à l'embouchure du Mississipi en 1682. Et je ne parle pas de celle du Sault-

au-Récollet, de celle du Pied-du-Courant, du magnifique calvaire
d'Oka, construit par le célèbre missionnaire François Picquet...

Au milieu du XVIIIe siècle, les croix s'étaient multipliées
dans la Nouvelle-France; elles avaient fleuri tout le long du grand
fleuve, avec la colonisation. Le voyageur Kalm, qui parcourut la
province, en 1748, nous les décrit. Ce sont les mêmes qu'aujour-
d'hui. Elles sont en bois de cinq ou six mètres de haut: un coq
les surmonte; dans le bas, une petite niche, fermée d'un carreau
de verre, abrite un crucifix ou une madone. Souvent les emblèmes
de la passion — clous, tenailles, marteau, lance, éponge, échelle —
ornent les croisillons. Parfois, c'est tout un calvaire, avec un
autel, abrité par une toiture ouvragée. Une palissade de pieux
peinte en rouge ou en blanc entoure la croix ou le petit sanctuaire.
Et dans la belle saison, principalement entre les semences et les
récoltes, les bons cultivateurs, éloignés des églises, y viennent prier
avec toute leur famille.

Après la Cession, nos gens ne perdirent pas l'habitude de
dresser la croix dans des endroits choisis. Quand la nef de Notre-
Dame de Montréal fut terminée, un magnifique crucifix, sculpté
par Labrosse, vint en couronner le pinacle. Tourné vers le fleuve,
il était bien, lui aussi, une croix du chemin. A la même époque,
en 1841, Mgr de Forbin-Janson, dont la parole apostolique avait
mois, la nuit est illuminée, dans le bas du fleuve, par la croix du
gigantesque sur le mont Saint-Hilaire: les journaux du temps nous
disent quelle fête grandiose ce fut.

Notre temps à nous n'a pas voulu déchoir et depuis quelques
mois, la nuit est illuminée, dans le bas du fleuve, par la croix du
Bic; dans notre métropole, par la croix du Mont-Royal. Descendons des hauteurs et parcourons nos routes. Dans la région de
Montréal seulement, en quelques années, plus de 200 croix du
chemin ont été établies ou relevées: et il faut mentionner une des
dernières, la plus belle, qui protège le village de St-François de
Sales...

Habitude nationale, reçue des ancêtres, Bretons ou Normands,
et conservée par leurs descendants, les croix du chemin marquent
en rouge ou en blanc tout notre territoire. Comme des phares, elles
étoilent la carte spirituelle de la nation. D'autre part, il n'est

guère d'écrivain du terroir qui ne se soit exercé à raconter les coutumes dont les croix de nos campagnes sont le centre et les inspiratrices.    Nos peintres, et les meilleurs, se sont plu à les fixer sur leurs toiles.    Bref, elles sont un trait charmant et profond du visage de notre patrie, trait que les Canadiens — catholiques ou protestants — sont unanimes à vouloir conserver à jamais.

*(Brièvetés.)*

OBSERVATIONS. — 1° Refaites vous-mêmes le paysage de la croix du chemin. — 2° Quels traits du visage spirituel de la patrie dessine partout la croix du chemin? — 3° Quel sens original de l'œuvre du peuple canadien rappelle la croix du chemin?

# PHILOSOPHIE — SOCIOLOGIE — ÉLOQUENCE

## Mgr LOUIS-ADOLPHE PAQUET
### (1859-1942)

Théologien et orateur. Son écriture est vivante comme sa parole. Toutes deux, sereines, se complaisent dans les ornements académiques et dans les amples périodes classiques. La pensée toujours fortement nourrie de doctrines.

Œuvres principales: *Droit public de l'Eglise*, 4 vols (1908-1915); *Etudes et appréciations*, 6 vols (1917-1932); *Discours et Allocutions* (1915); *La Prière dans l'œuvre du salut* (1931).

(Voir *Histoire de la Littérature canadienne*, p. 201-202; 222.)

## 167 — Le culte de la Vérité

Rechercher de toutes ses forces ce qui est conforme aux règles du vrai; s'y attacher, quand on le possède, de toutes les fibres de son âme; et remonter par lui jusqu'au Principe de tout bien: tels sont, croyons-nous, les traits essentiels qui caractérisent ce que nous appelons le culte de la vérité.

L'objet de ce culte plonge ses racines dans les profondeurs de l'Etre incréé qui a dit de lui-même: *Ego Sum veritas*,[1] qui est donc la vérité par essence, et dont tout ce qui est vrai hors de lui porte, de quelque manière, le reflet.[2]

La vérité divine rayonne sur toutes choses. C'est un immense flambeau suspendu au sommet du monde, et dont s'éclairent tous les êtres. L'intelligence de Dieu, par les formes exemplaires dont elle est le siège, mesure tout ce qui est, et rien n'est vrai dans les créatures, que par sa conformité à la règle souveraine où s'ajustent les essences de l'univers physique et les lois de l'activité morale.

---

(1) Jean, XIV, 6.

(2) S. Thomas, *Som. théol.*, I. 2. XVI, art 5-6.

Dispersés et diversifiés selon les milieux où ils tombent et les éléments qu'ils dessinent, les rayons qui émanent du Verbe créateur forment une gamme merveilleusement ordonnée. Il en résulte des zones de savoir variées presque à l'infini. La vérité éclate partout: dans la formule de nos dogmes, dans l'argument du logicien, dans l'équation de l'algébriste, dans le récit du chroniqueur, dans la phrase du grammairien, dans l'expérimentation du savant, dans le coup de pinceau de l'artiste, dans la conscience de l'homme de devoir.

C'est ce qui constitue, en leurs natures distinctes, l'admirable multiplicité des sciences et des doctrines, de celles qui régissent la pensée et de celles qui gouvernent la vie.

Or, plus ces doctrines et ces sciences se rapprochent, par leur objet, de l'éternel Foyer des lumières, plus s'accroît leur importance et leur force de rayonnement. Voilà pourquoi la théologie qui sonde les mystères de la Divinité elle-même, et la philosophie qui en est, par ses vues transcendantes de toutes choses, l'alliée inséparable, tiennent, dans la hiérarchie de nos connaissances, une place si haute.

Et voilà encore pourquoi il faut se réjouir de voir nos universités catholiques, héritières des meilleures traditions, mettre en honneur les études philosophiques, dresser sur son piédestal la science de l'être, et soumettre les énergies intellectuelles de notre jeunesse à cette incomparable discipline qui forme le jugement, élargit les horizons, et trace sur un sol choisi les routes de l'avenir. C'est ce qui leur assure, en face de riches émules, une primauté qu'aucun progrès subalterne ne saurait leur disputer.

Répandue de Dieu et par Dieu, sur tous les êtres créés, la vérité objective, dans sa vaste complexité de caractères, de tons et de couleurs, se reflète en notre esprit, comme dans un miroir,[1] par l'enseignement d'une part, de l'autre par l'observation et la réflexion personnelle.[2] L'une et l'autre voie se conjuguent pour aboutir à une perception juste, adéquate, de tout ce qui appelle le regard. Et, sommes-nous de ceux qui s'y engagent avec confiance et avec courage, nous montrons que le culte de la vérité règne en

---

(1) S. Thomas. end. cit. art 6 ad 1.
(2) Id. II-II. 2. CLXXX. art. 3 ad 4.

nous, et que nous aimons ardemment, sincèrement la vérité, parce que nous aimons Dieu Lui-même.

(*Etudes et Appréciations*. Nouveaux fragments apologétiques).

OBSERVATIONS. — Culte et objet de la vérité. Montrez comment l'auteur utilise l'image pour faire sensibles les pensées abstraites, et les faire mieux comprendre.

---

## 168 — La Vocation de la race française en Amérique

Y a-t-il donc, mes frères, une vocation pour les peuples?

Ceux-là seuls peuvent en douter qui écartent des événements de ce monde la main de la Providence et abandonnent les hommes et les choses à une aveugle fatalité. Quant à nous qui croyons en Dieu, en un Dieu sage, bon et puissant, nous savons comment cette sagesse, cette bonté et cette puissance se révèlent dans le gouvernement des nations; comment l'Auteur de tout être a créé des races diverses, avec des goûts et des aptitudes variés, et comment aussi il a assigné à chacune de ces races, dans la hiérarchie des sociétés et des empires, un rôle propre et distinct. Une nation sans doute peut déchoir des hauteurs de sa destinée. Cela n'accuse ni impuissance ni imprévoyance de la part de Dieu: la faute en est aux nations elles-mêmes qui, perdant de vue leur mission, abusent obstinément de leur liberté et courent follement vers l'abîme.

Je vais plus loin, et j'ose affirmer que non seulement il existe une vocation pour les peuples, mais qu'en outre quelques-uns d'entre eux ont l'honneur d'être appelés à une sorte de sacerdoce. Ouvrez la Bible, mes frères, parcourez-en les pages si touchantes si débordantes de l'esprit divin, depuis Abraham jusqu'à Moïse, depuis Moïse jusqu'à David, depuis David jusqu'au Messie figuré par les patriarches, annoncé par les prophètes et sorti comme une fleur de la tige judaïque, et dites-moi si le peuple hébreu, malgré ses hontes, malgré ses défaillances, malgré ses infidélités, n'a pas rempli sur la terre une mission sacerdotale. Il en est de même sous la loi nouvelle. Tous les peuples sont appelés à la vraie religion, mais tous n'ont pas reçu une mission religieuse. L'histoire tant ancienne que moderne le démontre: il y a des peuples voués à la glèbe, il y a des peuples industriels, des peuples marchands, des peuples conquérants, il y a des peuples versés dans les arts et les sciences, il y a aussi des peuples apôtres. Et quels sont-ils, ces peuples apôtres? Ah! reconnaissez-les à leur génie rayonnant et à leur âme généreuse: ce sont ceux qui, sous la conduite de l'Eglise, ont accompli l'œuvre et répandu les bienfaits de la civilisation chrétienne; qui ont mis la main à tout ce que nous voyons de beau, de grand, de divin dans le monde; qui par la plume, ou de la pointe de l'épée, ont buriné le nom de Dieu dans l'histoire; qui ont gardé comme un trésor, vivant et impérissable, le culte du vrai et du bien. Ce sont ceux que préoccupent, que passionnent instinctivement toutes les nobles causes; qu'on voit frémir d'indignation au spectacle du faible opprimé; qu'on voit se dévouer sous les formes les plus diverses au triomphe de la vérité, de la charité, de la justice, du droit, de la liberté.

Ce sont ceux, en un mot, qui ont mérité et méritent encore l'appellation glorieuse de champions du Christ et de soldats de la Providence. Or, mes frères, pourquoi hésiterais-je à le dire? Ce sacerdoce social, réservé aux peuples d'élite, nous avons le privilège d'en être investis; cette vocation religieuse et civilisatrice, c'est, je n'en puis douter, la vocation propre, la vocation spéciale de la race française en Amérique. Oui, sachons-le bien, nous ne sommes pas seulement une race civilisée, nous sommes des pionniers de la civilisation; nous ne sommes pas seulement un peuple religieux, nous sommes des messagers de l'idée religieuse; nous ne sommes pas seulement des fils soumis de l'Eglise, nous sommes, nous devons être du nombre de ses zélateurs, de ses défenseurs et de ses apôtres. Notre mission est moins de manier des capitaux que de remuer des idées; elle consiste moins à allumer le feu des usines qu'à entretenir et à faire rayonner au loin le foyer lumineux de la religion et de la pensée.

(*Discours et Allocutions.*)

OBSERVATIONS. — 1° A quels signes peut se reconnaître la vocation d'un peuple? — 2° Y a-t-il pour certains peuples une vocation de privilège? Démontrez-le.

## 169 — L'Eglise et le problème des langues

Le catholicisme est universel.

Il n'a pas pour mission d'opérer un triage des langues ni une sélection des peuples, mais d'utiliser toutes les langues et d'évangéliser tous les peuples.

Ses ministres, de par leur état, ne sont ni des constructeurs d'empires ni des champions de républiques, mais des sanctificateurs et des apôtres. Le Christ, leur modèle, n'a pas étendu sur la croix ses mains sanglantes pour distribuer aux races préférées des sceptres et des couronnes, mais pour embrasser dans une même étreinte tous les hommes et pour répandre sur toutes les races les bienfaits de l'œuvre rédemptrice. C'est de ce principe supérieur que se sont inspirés, à toutes les époques, tous les esprits éclairés et tous les hommes de Dieu; et c'est cette idée maîtresse, inscrite aux fastes de l'humanité croyante, qui imprime à la politique religieuse son caractère vraiment mondial.

Or, pour accomplir l'œuvre de la rédemption humaine, deux instruments entre tant d'autres sont non seulement utiles, mais en quelque sorte nécessaires: la langue liturgique et l'idiome national.

Par cette belle langue latine dont les formes précises, semblables aux légendes fortement burinées des vieux médaillons, fixent et retiennent sa pensée dogmatique, l'Eglise conserve intact, dans les sphères de la science, de la doctrine et des rites, son immuable symbole.

Par l'idiome maternel, elle descend bienveillamment de ces hauteurs, et elle entre en relations, en conversation avec les foules. Là est le secret de son prestige, de son influence et de ses succès.

Chaque peuple, Messieurs, vit et respire par sa langue d'où s'exhalent son passé, ses traditions, ses aspirations. Pour s'associer à cette vie intime et pour agir efficacement sur elle, la Mère et la Directrice des âmes ne saurait se désintéresser du langage national.

Voyez nos mères selon la nature. Comme elles s'empressent autour de l'humble berceau! Elles le caressent du regard; elles s'inclinent avec tendresse sur le fruit de leurs entrailles; de leurs lèvres empourprées d'amour elles répètent aux tout petits, en des accents de terroir, les premières et rudimentaires syllabes des vocables les plus suaves, et des appellations les plus sacrées. C'est en se penchant elle-même sur le berceau et le sein des peuples, c'est en prêtant l'oreille aux vibrations émues de leurs âmes et aux évocations patriotiques de leur histoire, c'est en leur rappelant des mots et des noms aimés et en leur parlant tour à tour la langue de leurs joies et la langue de leurs deuils, la langue de leurs espoirs et la langue de leurs triomphes, que l'Eglise conquiert leur estime, qu'elle s'empare de leur pensée, qu'elle transforme et qu'elle régénère leur vie.

Le parler des ancêtres porte en lui-même une vertu magique, des notes singulières qui émeuvent, un rythme mélodieux qui enchante. C'est la formule de la première prière, le langage de la première leçon, des premières impressions, du premier amour. En lui se reflète l'image vénérée de la patrie; par lui vibre en nos âmes l'âme impérissable des aïeux. Les poètes l'ont chanté; les orateurs l'ont glorifié; et la nature, plus puissante et plus prévoyante que l'art, en a fait le lien mystérieux des familles qui se succèdent et des générations qui s'enchaînent dans le mouvement perpétuel des idées et dans le prolongement indéfini des siècles.

Dès l'aurore du christianisme, il apparut à son Fondateur comme l'ordinaire et indispensable moyen de vulgariser la foi nouvelle et d'appeler et de captiver, sous la houlette bénie des pasteurs, les troupeaux abandonnés et les brebis errantes.

Pour effectuer la dispersion des peuples, Dieu, devant la tour de Babel, avait brisé en tronçons leur parler orgueilleux.

Pour assurer la conversion des âmes, son Esprit, au Cénacle, voulut accomplir un prodige non moins éclatant. Il fit soudain aux Apôtres le don des langues; et c'est pourquoi ces hérauts improvisés, se partageant l'empire du monde, y purent porter, en tous les idiomes, le verbe de vie. Et c'est pourquoi encore ce verbe, salutaire et fécond, soucieux d'apparaître à tous les regards et de pénétrer dans tous les esprits, sans rejeter le riche vêtement des littératures glorieuses, refusa de s'y enfermer. Volant de bouche en bouche, de bourgade en bourgade, et résonnant jusque sur les lèvres des plus obscurs missionnaires, il ne dédaigna ni les rudes accents des langues en formation ni les grossiers dialectes des foules illettrées. Par un sens avisé des intérêts religieux sans doute, mais aussi par une haute et délicate préoccupation de justice et d'harmonie sociale, l'Eglise s'est fait une règle d'entourer de tous les égards les langues multiformes et les nations qui les parlent.

On ne saurait citer d'elle, j'entends de l'autorité souveraine qui la gouverne, ni une démarche, ni un décret, ni un mot par lequel elle ait enjoint à un groupe quelconque de fidèles d'abdiquer le culte et le parler ancestral. On ne l'a jamais vue, on ne la verra, Dieu merci, jamais poser sur le cœur de ses fils une main de cosaque pour en surprendre et en étouffer les légitimes battements. Elle leur prescrit des dogmes; elle leur impose des devoirs; elle laisse à la nature le soin de dessiner et de combiner sur leurs lèvres les lettres et les sons qui traduisent leurs croyances et qui formulent leur prière.

*(Discours et Allocutions).*

OBSERVATIONS. — Exposez les raisons pour lesquelles l'Eglise respecte la liberté des langues nationales, et utilise ces langues.

---

## 170 — L'Eglise gardienne de la morale et du droit

L'une des premières notions de la théologie catholique est celle de la distinction essentielle et fondamentale de l'ordre naturel et de l'ordre surnaturel.

Cette distinction se tire, radicalement, de la fin de l'homme envisagée sous le double aspect qu'elle revêt: fin proportionnée aux forces purement humaines, et que l'on nomme pour cela naturelle; fin supérieure à ce que la nature créée exige, et qu'il faut pour cette raison appeler surnaturelle.

Les deux ordres ainsi distingués et différenciés entraînent, pour la créature, deux modes d'activité superposés l'un à l'autre. La grâce couronne et perfectionne la nature, sans la détruire. Il y a une théorie des actes humains fondée sur la raison, et qui constitue la morale naturelle. Mais en conséquence de l'état divin auquel l'homme a été élevé, sur cette morale établie par la philosophie prennent place, comme une structure d'un ordre plus haut et plus noble, des manières spéciales de penser et d'agir réclamées par la révélation, un concept de la fin dernière, des vertus et des actions, dont la nature seule est incapable.

Et c'est ainsi que la morale naturelle entre, avec les éléments qui en font partie, dans un plan supérieur auquel elle sert de base, et dont il n'est pas permis de la dissocier.

Or, ce plan providentiel et surnaturel appartient au programme d'action de l'Eglise.

Sans doute, la raison humaine où siège la loi morale, et dont celle-ci n'est que l'expression et la mise en formules, demeure pour nous la règle prochaine, immédiate, du droit naturel, de ce qui est naturellement juste ou injuste. La philosophie, par ses notions éthiques, joue un rôle parfaitement légitime et souverainement fécond. Féconde et opportune sera toujours l'étude approfondie des problèmes et des préceptes de la loi naturelle considérée, soit dans ses principes, soit dans ses applications. Et c'est pourquoi les plus illustres philosophes, anciens et modernes, ont tenu à honneur d'écrire, sur la science des mœurs, des traités très élaborés, et que nous jugeons immortels.

Néanmoins, la raison de l'homme est faillible, facilement aberrante. Dans les matières même d'ordre naturel, que de fois il lui arrive de mal comprendre ce qui est vrai, de mal définir ce qui est honnête! A fortiori, dès que l'homme pose le pied sur le terrain de la morale surnaturelle, il ne saurait s'y tenir, et encore moins y marcher d'un pas assuré, sans le secours des lumières et des directions de la puissance religieuse.

Ces prémisses nous permettent de conclure que l'Eglise, chargée de conduire les âmes à leur éternelle destinée, peut, de plein droit, promener dans tous les replis de la conscience humaine le flambeau de la foi; que ce flambeau, d'une force rayonnante vraiment divine, est fait pour éclairer tous les domaines où la conscience se meut; que, par suite des rapports de concordance et de pénétration qui règnent entre l'état naturel et le caractère surnaturel des actes humains, l'Eglise use de son droit en redressant les erreurs de la science morale, et que c'est à elle qu'il incombe de trancher définitivement toutes les questions où le devoir, la justice et la probité sont en jeu.

La philosophie ne saurait se dire indépendante de la foi. Sur tous les points où elle touche, de près ou de loin, aux intérêts religieux, elle a le devoir d'accepter le contrôle, les avis, les condamnations de l'autorité ecclésiastique. Cette obligation pèse sur la raison spéculative et sur la raison pratique. Le rationalisme la repousse. Le christianisme l'impose comme une conséquence inéluctable de la nécessité où est l'homme de se soumettre tout entier à la souveraineté du Christ.

Il n'y a pas de vérité qui n'émane en quelque manière de la raison divine et ne lui soit sujette. Il n'y a pas, il ne peut y avoir de morale qui ne tienne compte de Dieu, l'auteur de la loi naturelle, de l'Eglise investie par Dieu du gouvernement des âmes.

*(Nouveaux Thèmes sociaux.)*

OBSERVATIONS. — 1° Pourquoi la raison humaine ne peut-elle être toute la règle du droit? — 2° Sur quels principes repose le droit de l'Eglise d'être la gardienne de la morale?

# EDMOND De NEVERS

## (1862-1906)

Il vécut parmi les Américains; il les observa. Il voulut les juger, définir leur âme complexe. Œuvre vivante, instructive. Il aime à esquisser un portrait psychologique ou à peindre un tableau.

Œuvres: *L'Avenir du peuple canadien-français* (1896); *L'Ame américaine*, 2 vols (1900).

(Voir *Histoire de la Littérature canadienne*, p. 203-204.)

## 171 — Le millionnaire américain

Comme les rois constitutionnels, le millionnaire règne mais ne gouverne pas. Il règne dans l'échelle sociale, il en occupe l'échelon le plus élevé; il règne sur les imaginations, il les séduit et les hypnotise. Etre millionnaire constitue le bonheur idéal rêvé par toute la population de la République; ce n'est pas seulement la possession du pouvoir, l'accession à toutes les jouissances, c'est un titre de gloire. Millionnaire! Ce mot résume pour l'Américain tout ce qu'il y a de beau et de grand en ce monde.

Les premiers monuments que l'on montre à un étranger visitant une ville américaine, ce sont les résidences de ses millionnaires; ce dont les différentes races qui peuplent l'Union se glorifient particulièrement, c'est de lui avoir fourni tel ou tel millionnaire. Les premiers rêves de l'enfant qui se complaît en des visions brillantes d'avenir, gravitent autour de ces mots: "Quand je serai millionnaire". Ecoutez le boniment d'un camelot ou d'un commissaire-priseur: "Cette drogue a des vertus merveilleuses, s'écriera le premier, Jay Gould et Vanderbilt en faisaient un usage continuel". — "Ce fauteuil, clamera le second, est moelleux et élégant, il est assez bon pour un millionnaire."

La richesse est un élément de bonheur même pour ceux qui ne la possèdent pas; il faut voir avec quel enthousiasme l'Américain parle du luxe, des demeures merveilleuses, des dépenses extravagantes, de la magnificence de ses millionnaires. Une révolution sociale qui détruirait les grandes fortunes, aux Etats-Unis, porterait atteinte à la félicité des masses...

Le millionnaire américain est rarement intéressant lui-même, mais sa vie l'est toujours; c'est une histoire de conquêtes, c'est un roman dont le personnage principal, à travers des péripéties diverses, marche constamment de succès en succès, triomphe de tous les hasards contraires, sort indemne de tous les dangers, et atteint finalement, à force d'audace et de ruse, le but qu'il s'est proposé. Ce roman est d'autant plus attachant que le lecteur, si humble qu'il soit, peut facilement en imagination s'identifier avec son héros, lequel a débuté dans des circonstances à peu près identiques à celles où il se trouve lui-même, a bénéficié de chances qui pourront peut-être quelque jour lui échoir, et ne lui est supérieur ni par la naissance, ni par la culture, ni par les manières...

Si la chasse au million est âpre, sans égards comme sans scrupules, il faut reconnaître, cependant, que nulle part au monde il n'est fait un plus noble usage de beaucoup de grandes fortunes. Presque pas une petite ville où quelque millionnaire n'ait doté ou fondé une bibliothèque publique, un hôpital, une école ou une institution de charité.

L'Etat, qui tient à mettre toutes les facilités possibles de s'instruire à la portée du plus grand nombre, qui veut que chaque citoyen puisse développer pleinement ses dons naturels, est puissamment secondé par la bienfaisance privée et, il faut le reconnaître encore, la vanité a rarement la plus grande part dans les motifs qui ont inspiré telle dotation, tel legs dont bénéficie le public. Les possesseurs de ces fortunes, en général si facilement conquises, se sentent reconnaissants envers la terre et les institutions qui leur ont été favorables; ils tiennent à rendre au pays un peu de ce qu'il leur a donné.

Enfin, il y a la contagion de l'exemple; ici, nul mouvement n'est isolé, il se répercute et se reproduit pour le bien comme pour le mal. D'ailleurs, l'homme qui a gagné un million s'arrête rarement en chemin, il continue à travailler et à s'enrichir. Les dons qu'il fait ne sont souvent qu'un peu de lest qu'il jette dans sa marche rapide.

L'admiration et le respect qui entourent le millionnaire proviennent donc un peu aussi du fait qu'il est généralement un bienfaiteur de son pays, de son état ou de sa ville.

Il y a probablement dans la vertigineuse accumulation des millions qui se fait en Amérique, depuis trente ans, une menace sérieuse pour l'avenir. Mais, à l'heure qu'il est, le roi Millionnaire est, à tout prendre, un bon roi.

*(L'Ame américaine, II.)*

OBSERVATIONS. — 1° En quoi consiste la royauté du millionnaire américain. — 2° Commentez cette affirmation: la richesse est un élément de bonheur même pour ceux qui ne la possèdent pas.

---

## 172 — Le Yankee

Tout l'intérêt de l'histoire américaine, depuis l'origine des colonies jusqu'à la guerre de l'Indépendance et même jusqu'à la guerre de Sécession, se concentre principalement sur les habitants de la Nouvelle-Angleterre, ou Yankees. Ce sont eux qui, pendant plus de deux siècles, incarnent l'âme de la jeune nation.

En 1776, ils ne constituaient qu'un quart de la population blanche totale, mais ils formaient un tout cohérent, une collectivité puissante, au sein de laquelle chaque individu était lui-même un facteur de force, d'énergie, de moralité, d'initiative.

L'émigration d'Angleterre dans les colonies de l'Est n'ayant pas dépassé 20,000 âmes, il en résulte naturellement qu'un grand nombre de familles étaient unies par des liens de parenté et qu'en dehors de petits groupes d'Irlandais, d'Allemands et de Huguenots, l'homogénéité y était parfaite.

Les habitudes, les coutumes, les mœurs étaient absolument uniformes chez tous les Yankees, en dépit des multiples divergences sur des questions de dogme, d'administration ou de politique, qui les tenaient constamment en désaccord les uns avec les autres.

L'habitude de nourrir les mêmes pensées, d'être agités par les mêmes passions, de vivre de la même vie, avait de plus créé entre eux une certaine ressemblance physique. Le Yankee d'autrefois se reconnaissait facilement à l'austérité du regard, au pli rigide des lèvres, à la démarche roide, un peu automatique, au corps long, osseux, anguleux, au masque froid et rusé de l'homme qui n'a jamais souri, mais qui a torturé des textes bibliques pour les faire concorder avec ses intérêts.

Les Yankees étaient anglais et jaloux de ce titre, dans une colonie dépendant de la couronne d'Angleterre et en rapports constants avec la métropole; ils avaient une foi absolue en eux-mêmes et en leur mission, alors que les colons des autres races, coupés de tous rapports avec leurs patries d'origine, que la misère ou la persécution leur avait fait fuir, étaient isolés, sans liens solides d'union entre eux, sans même l'espoir ou le désir de conserver l'identité de leur être. On conçoit donc que les premiers aient fait prévaloir leur langue, leurs institutions, leurs idéaux, et l'on sent que, si d'immenses flots d'émigrants n'avaient pendant tout un siècle submergé la République, elle porterait encore l'empreinte exclusive de leur civilisation et de leur esprit.

(*L'Ame américaine*, I, p. 98-99.)

———————

# Mgr PAUL-EUGÈNE ROY

## (1859-1926)

Il fut avant tout orateur. Éloquence limpide faite de raison. Styliste en même temps que dialecticien. Par quoi il excella, pouvait être irrésistible. Apôtre en lequel il y avait du tribun. Les qualités artistiques de la forme augmentaient la valeur de sa pensée. Au surplus, âme tendre qui volontiers s'épanchait avec une grâce charmante.

Œuvres principales: *Discours religieux et patriotiques* (1926) *Apôtres et Apostolat* (1927); *Action sociale catholique et Tempérance* (1927); *D'une Âme à une autre* (1927); *A travers l'Évangile* (1928).

(Voir *Histoire de la Littérature canadienne*, p. 218-222.)

## 173 — L'évangélisation de l'Ouest canadien et les Oblats

J'ai relu, avant de venir ici, quelques-unes des plus belles pages de votre histoire. J'ai suivi avec émotion les routes pénibles et presque sanglantes par où sont arrivées en ce pays la foi catholique et, sa compagne inséparable, la vraie civilisation. Et je me demande s'il est dans l'histoire de l'Eglise beaucoup de pages, je ne dis pas supérieures, mais égales à celles-là.

L'évangélisation du Nord-Ouest s'est faite dans des conditions d'isolement, de distance, de climat et de mœurs, qui en font l'un des plus héroïques efforts d'apostolat que je connaisse. Et quand on a vu se continuer pendant plus d'un demi-siècle ce sublime dévouement; quand on a suivi dans leurs courses gigantesques à travers les bois, sur les lacs immenses, dans les neiges sans fin, ces étonnants chercheurs d'âmes, quand on les a vus se disputer avec une noble émulation de si effrayants labeurs, et s'y attacher avec une sorte de passion douce et tenace, on ne peut s'empêcher de redire la parole que Louis Veuillot écrivait, après avoir entendu Monseigneur Grandin: "L'Eglise catholique est toujours une grande faiseuse d'hommes".

Et ç'a été, mes frères, la grande bénédiction de ce pays, que les hommes que fait l'Eglise ne lui aient jamais manqué. Au début, pendant les vingt-cinq premières années, ils ne furent guère que douze à prêcher la bonne nouvelle. Douze apôtres pour évangéliser cet immense morceau de continent! C'était assurément fort peu; mais c'est ainsi que l'Eglise commença la conquête du monde. Et c'est parce que ses plus grandes entreprises reposent sur de si faibles appuis, qu'elles portent, dans leurs merveilleux développements, le cachet divin de la stabilité.

Bien des fois, sans doute, Monseigneur Provencher, jetant les yeux sur ce vaste champ du Père de famille, pensant à ces âmes perdues dans les ténèbres de la mort, dut répéter aux douze compagnons de son apostolat les paroles du Sauveur à ses douze apôtres: "Voilà une bien riche moisson; que ne sommes-nous plus d'ouvriers! *Messis quidem multa, operarii autem pauci.*"

Il fit mieux que jeter au vent de la plaine ce regret d'un grand cœur. Il prit les moyens pratiques de donner à ces moissons blanchissantes les moissonneurs qu'elles attendaient. Ainsi, quelle fut sa joie quand, le 25 août 1845, il vit aborder au rivage, tout près d'ici, le canot qui portait le renfort désiré. Deux missionnaires en descendirent. L'un apportait au vieil évêque l'appui d'un zèle déjà éprouvé: il s'appelait le Père Aubert. L'autre, sous les apparences modestes et un peu déconcertantes d'un jeune novice, cachait l'une des plus fortes âmes d'apôtre qui aient illuminé et réchauffé ces territoires: il se nommait le Frère Taché. Tous les deux venaient fonder ici la dynastie de ces vaillants missionnaires, qui portent en religion le nom d'Oblats de Marie Immaculée, et que la reconnaissance publique a pu justement appeler les Sauveurs du Nord-Ouest.

Vous, mes frères, qui recueillez aujourd'hui les fruits de leurs labeurs, et qui voyez se continuer, dans cette famille de vrais pêcheurs d'hommes, les nobles traditions de dévouement, d'abnégation, de sublime simplicité dans le sacrifice, d'infatigable ardeur au travail, vous ne me contredirez pas si j'affirme que l'évangélisation du Nord-Ouest est le plus beau fleuron de la couronne que portent les fils de Mgr Mazenod, et l'un des plus merveilleux ouvrages de l'apostolat catholique dans le monde. Il l'avait vu cet ouvrage et savait l'apprécier, le protestant qui disait, au siècle dernier: "Ce siècle ne peut rien montrer de plus grand que la figure du Missionnaire Oblat".

Quel beau spectacle nous offrent en effet ces évangélisateurs du pauvre! Leur vie est un tissu de sacrifices obscurs, qui prennent toutes les énergies de l'âme et toutes les forces du corps et qui touchent très souvent au véritable héroïsme. Ce n'est pas le martyre glorieux, où se donnent, dans une heure, tout le sang des veines et tout l'amour du cœur; non. "Pas même de martyre à espérer", disait joyeusement Mgr Grandin, sinon le martyre sans auréole, le martyre en détail, le martyre où l'on se donne tout entier chaque jour, sans s'épuiser jamais; le martyre à recommencer tous les matins, et qui broie l'âme et le corps sans les désunir.

Tels furent, mes frères, les hommes que Dieu suscita pour faire en ces contrées les miracles de sa droite. Inutile, ou plutôt impossible de citer leurs noms. Quand, dans une guerre, tous les soldats sont des héros, c'est l'armée tout entière, dans son glorieux anonymat, qu'il faut porter au rôle d'honneur.

(*Discours religieux et patriotiques.* L'Eglise de l'Ouest canadien.)

OBSERVATIONS. — Commentez en vous souvenant de l'évangélisation de l'Ouest canadien, le mot de Louis Veuillot: "L'Eglise catholique est toujours une grande faiseuse d'hommes".

---

## 174 — La leçon du congrès de la langue française (1912)

Laissez-moi vous faire cette simple déclaration: le congrès nous paraît avoir rempli la mission immédiate que nous lui avions confiée.

Il devait être un geste de ralliement pour la race française de l'Amérique du Nord.

Or, nous avons vu Québec et l'Acadie, ces deux sœurs jumelles, ces deux fruits bénis des entrailles de la France, se presser dans la plus forte étreinte qui les ait encore unies; nous avons vu les fils de Québec, l'*Alma parens* de tant d'enfants, accourir de partout vers la maison ancestrale. La race française tout entière, brisant les digues qui l'ont trop longtemps retenue sur sa pente naturelle, s'est comme précipitée vers son berceau, centre d'attraction irrésistible pour les peuples dispersés. Et ici, dans l'émotion poignante des souvenirs d'enfance, tous les Français d'Amérique ont renoué des liens qui ne se dénoueront plus. Oui, geste de ralliement, et fête du cœur. Et il était utile, et il était temps que se fît, dans un rapprochement fraternel, cette fusion des cœurs, et que l'âme nationale sentît la brûlure de cet enthousiasme patriotique.

L'âme d'un peuple, pas plus que l'acier, ne se trempe à froid. Pour qu'elle ne se brise pas sur l'enclume où la martellent tant d'épreuves, il faut qu'elle soit plongée dans la flamme ardente. Alors, le marteau qui frappe, au lieu de la broyer, la durcit et la forme dans le jaillissement des chaudes étincelles!

Notre congrès voulait être "un geste de vie". Il fallait une réponse aux prophètes, petits et grands, qui annoncent la mort de la race française comme race distincte en Amérique. Cette réponse, vous venez de la donner au monde. Elle est écrite dans les cent cinquante mémoires préparés pour le Congrès; elle est venue, vibrante et fière, sur les lèvres de tous ceux que vous avez entendus, prêtres et laïques, chefs de l'Eglise et chefs de l'Etat. Cette réponse, elle a retenti, aujourd'hui, dans nos rues, où défilait la vaillante jeunesse; elle a clarionné au Monument des Braves. Elle flotte dans l'air et dans vos âmes depuis huit jours. Ah! messieurs, la race a pris, cette semaine, une attitude devant le monde entier; et dans cette attitude rien ne révèle la crainte angoissante et les spasmes douloureux d'une race qui va mourir; mais tout fait éclater la joie sereine et la force confiante d'une race qui va vivre.

Maintenant, messieurs, ayant pris cette attitude, ayant fait ce geste, il est de notre devoir de ne pas les contredire par nos actes.

Canadiens français et Acadiens, mes frères, vous allez vous séparer, le cœur chargé d'émotions, la volonté pleine de généreuses résolutions. Prenez garde que la réalité de demain, brisant le rêve d'aujourd'hui, ne vous laisse inégaux aux tâches nouvelles qui s'imposent.

Le ralliement d'aujourd'hui doit se continuer par les relations plus étroites de demain. Laissez bien ouvertes et bien libres les voies par où devra désormais circuler, d'un groupe à l'autre, la vivifiante sève de la race.

Le beau geste de vie, que vous venez de faire, ne le laissez pas se figer dans l'inertie. Votre langue vivra si vous savez la défendre contre votre propre négligence, contre vos propres défaillances, contre vos propres trahisons.

Ce n'est pas dans le lacet insidieux des lois que sera étouffé, sur ce continent, dans notre pays, le parler des aïeux. Si la langue doit mourir, elle mourra de trahison, sur des lèvres coupables qui ne sauront ni la parler, ni la respecter, ni la défendre.

Mais elle ne mourra pas, parce que vos lèvres lui seront fidèles avec vos cœurs, et que, pour son maintien et sa survivance, vous saurez faire tous les sacrifices et tous les efforts nécessaires.

En 1760, ils n'étaient que soixante mille pour la défendre et la sauver. Ils l'ont défendue et sauvée.

En 1912, nous sommes trois millions pour la parler, pour la propager, pour la venger, pour la glorifier! Ce serait une honte qui ternirait à jamais notre mémoire, si nous allions seulement laisser s'amoindrir le prestige et l'influence d'un verbe que Dieu envoya ici pour continuer la conquête des âmes et étendre le règne du Christ.

O verbe de France et verbe de Dieu, que ma langue s'attache à mon palais si jamais elle t'oublie, ou cesse seulement de te propager et de te défendre! C'est le serment de mes lèvres et de mon cœur; c'est le vôtre, c'est celui du premier Congrès de la Langue française au Canada. Le rocher de Québec en reçoit aujourd'hui la solennelle formule. Demain, les échos s'en répercuteront de province en province, d'Etat en Etat.

Et tous les Canadiens français et les Acadiens du Canada et des Etats-Unis n'auront plus qu'un cœur et qu'une âme pour redire avec nous: O cher parler de France, que ma langue s'attache à mon palais si jamais je t'oublie!

> (*Discours religieux et patriotiques.* Pour la clôture du
> Congrès de la Langue française, 1912.)

OBSERVATIONS. — 1° En quoi ce congrès historique de la langue française tenu à Québec pouvait-il être utile à toute la race française d'Amérique? — 2° Pour que vive notre langue au Canada il ne faut ni 3° Montrez comment, dans ce morceau, l'image est au service de la pensée. négligence, ni défaillances, ni trahison... Commentez cette affirmation. —

## 175 — La noblesse de la charrue

La noblesse d'autrefois se gagnait à la pointe de l'épée, et l'or des blasons réussissait mal à cacher le sang des batailles. La vaillance de vos ancêtres s'est affirmée en des œuvres des plus pacifiques; et sur les blasons que dore la patrie reconnaissante on ne trouve pas de sang, mais seulement la trace glorieuse des sueurs généreusement versées dans un travail fécond et bienfaisant.

Elle serait intéressante à raconter et à lire, messieurs, l'histoire de ces quelque deux cents familles, dont vous êtes ici les authentiques et heureux descendants! S'ils avaient eu le temps et la faculté d'écrire leurs mémoires, ces braves aïeux! Si leurs mains avaient su manier la plume comme elles savaient manier la hache et la charrue, quelles précieuses archives ils auraient laissées aux historiens de notre temps!

D'ailleurs, messieurs, la terre qu'ils vous ont transmise, après l'avoir fécondée de leurs sueurs, n'est-elle pas le plus beau livre d'histoire que vos mains puissent feuilleter et vos yeux parcourir? Et ce livre, n'est-il pas vrai que vous le lisez avec amour? que vous le savez par cœur?

La préface en fut écrite par ce vaillant chef de dynastie qui apporta ici, il y a plus de deux siècles, votre nom, votre fortune et votre sang. C'était un Breton, un Normand, un Saintongeois, que sais-je? un Français, en tout cas, et un brave, à coup sûr. Avec cet homme et la femme forte qui vint avec lui, ou qu'il trouva sur ces bords, une famille nouvelle venait fortifier la colonie naissante, civiliser le royaume de Québec, et enrichir d'un sang généreux et de belles vertus la noble race canadienne-française.

Et l'histoire commence, palpitante d'intérêt, débordante de vie. Que de fois vous les avez vus repasser dans votre imagination, ces premiers chapitres, écrits au fil de la hache, illuminés par les belles flambées d'abatis, et gardant aujourd'hui les âcres et fortifiantes senteurs des terres neuves, que déchirent la pioche et la herse, et où germent les premières moissons. Ce sont les années rudes, mais combien fructueuses, des premiers défrichements! C'est la glorieuse épopée de la terre qui naît, de la civilisation qui trace pied à pied son lumineux sillon à travers l'inculte sauvagerie

des hommes et des bois. Chaque coup de hache, alors, est une belle
et patriotique action; chaque arbre qui tombe est un ennemi vaincu;
chaque sueur qui arrose le sol est une semence féconde.

Et comme elle était simple et bonne, la vie de ces héroïques
pionniers! La maison, la première qui orna le champ où s'élèvent
aujourd'hui vos confortables demeures, dressait au bord de l'abatis
sa rudimentaire charpente de bois rond, dominant à peine les
souches avoisinantes. De son seuil rustique, la femme et les
enfants pouvaient voir le colon conduire ses bêtes et sa charrue,
faire le geste sublime du semeur, ou moissonner, à l'automne, les
fruits que la terre et Dieu donnaient à son travail. Leurs yeux
s'emplissaient de ce doux spectacle, et dans le cœur des tout jeunes
grandissait le désir, j'allais dire la passion, de devenir eux aussi,
un jour, des "faiseurs de terre" et des faucheurs de moisson.

On ne connaissait guère, sous ces rudes lambris, les envies
prétentieuses et les exigences malsaines. La forêt toute voisine,
qui bornait l'horizon, bornait aussi les désirs. Le fils s'attachait à
ce sol, qui prenait toutes les énergies et où semblaient germer les
espérances de son père.

Reculer, chaque année, les limites de cet empire naissant,
arracher à la forêt les trésors de vie qu'elle cache, pour que la
terre nourricière suffise aux générations qui grandissent: telle
est la saine et forte ambition qui travaillait ces cœurs simples et
ces esprits robustes.

En vérité, il est beau, ce premier chant de l'épopée familiale
et de la terre paternelle! Nulle part vous ne sauriez trouver d'aussi
utiles enseignements ni d'aussi nobles leçons.

> (*Discours religieux et patriotiques*. La noblesse de la
> charrue: discours prononcé le 23 septembre 1908, à
> l'occasion de la remise, à l'Université Laval, de mé-
> dailles commémoratives aux anciennes familles qui
> occupaient depuis deux siècles la terre ancestrale.)

OBSERVATIONS. — 1° Le beau livre qu'écrit chaque cultivateur canadien. Feuilletez-le à votre tour. Esquissez-en le plan. — 2° Comment
ici encore l'image renouvelle un vieux sujet.

## 176 — Individualisme et action sociale

Il est, dans l'ordre social, une vérité bien élémentaire, et bien mal comprise: c'est que nous sommes solidaires les uns des autres, et que le lien qui nous unit ainsi, crée pour nous des responsabilités et impose des devoirs qui débordent constamment le cadre étroit de nos vies personnelles. Vivre en société, ce n'est donc pas simplement vivre les uns à côté des autres, dans une cohésion matérielle plus ou moins dense; mais c'est vivre les uns par les autres et les uns pour les autres.

Qu'on le veuille ou non, il faut entrer dans cette communion des âmes, et subir cette loi d'échange et de répercussion, en vertu de laquelle nos vies sont tellement liées qu'il est impossible que les fautes des uns ne retombent pas sur les autres, ni que les vertus de chacun n'aient leur salutaire influence sur autrui. Je suis libre de poser tel acte ou de ne le posr; mais dès que je l'ai posé, il prend une valeur sociale dont je ne suis plus le maître, mais dont je porte la responsabilité devant Dieu et devant les hommes.

Si l'acte est bon, il devient un élément de perfection sociale; s'il est mauvais, il devient un élément de perversion sociale.

Et c'est ainsi que la vie sociale, dans son ensemble, n'est qu'une résultante des vies individuelles.

Aussi, Messieurs, une société n'est bonne et ne prospère que dans la mesure où les individus qui la composent, bien convaincus de ces vérités très simples, ont assez de noblesse dans l'esprit et assez de générosité dans le cœur pour s'en inspirer dans leur conduite, et pour adapter leur vie personnelle au bien commun.

Et voilà pourquoi l'égoïsme est un vrai fléau social. Malheur à la société où vivent des unités juxtaposées, que n'éclaire point la lumière d'une bonne conscience sociale, et que ne relie pas le sentiment de devoirs réciproques et la pratique de sacrifices communs! Malheur à la société où la vie individuelle absorbe et dévore la vie sociale, où les ambitions de chacun heurtent les intérêts de tous, où les appétits de l'individu ne se satisfont qu'au détriment du bien général; où le moi égoïste et haïssable se glisse partout pour morceler les efforts et diviser les cœurs!

Souffrons-nous de ce mal? Un bon examen de conscience nous le ferait apercevoir, et un peu de sincérité nous le ferait avouer.

C'est à ce mal que l'Eglise, qui en souffre comme la société, veut remédier. C'est à ce besoin d'une meilleure conscience sociale catholique que notre œuvre répond. Et cela suffit, je pense, pour nous justifier de l'entreprendre.

> (*Discours religieux et patriotiques.* Sur l'Action Sociale
> Catholique.)

OBSERVATIONS. — "Vivre en société": quel est le sens plein de cette formule et de ce fait quelles conséquences pour l'individu?

---

## 177 — Lettres

### BONNE ANNÉE

1er janvier 1906.

Dans la solitude de mon presbytère, où je passe presque seul cette fin du jour de l'an, ma pensée se peuple de souvenirs et de visages familiers. J'appelle à moi tous ceux que j'aime, et qui sont les hôtes de mon cœur.

Seras-tu surprise si je te dis que tu as répondu l'une des premières à cet appel? Je te vois là, au tout premier rang, le front sous le bandeau, le visage entre les pans du voile, la langue prête à rompre les barreaux de sa cage. Tu viens chercher une bénédiction et des souhaits.

La bénédiction, mon cœur et ma main te la donnent avec une effusion toute paternelle. Uni à la paternité si bienfaisante de Dieu le Père, associé au sacerdoce rédempteur de Dieu le Fils, engagé dans la mission sanctificatrice de Dieu le Saint-Esprit, je t'envoie la triple bénédiction qui porte aux âmes la vie de Dieu, le sang de Dieu, la grâce de Dieu. Puisse-t-elle pénétrer toute ton âme, et la garder pour l'année présente et pour les années futures.

Des souhaits? Il en jaillit de mon cœur à la douzaine; et ma plume n'aura jamais assez de pointe, ni mon encrier assez d'encre pour les jeter tous sur le papier.

Aussi faut-il résumer et procéder avec méthode. Pour ce pauvre corps que traîne ta vaillante petite âme, je souhaite une santé moins fragile; un peu plus de robustesse et d'endurance, de l'acier aux poumons et de l'airain dans la gorge. Le tout humblement soumis au maître de la vie et de la mort.

A ton âme, je souhaite une bonne paire d'ailes pour monter où Dieu l'attend. Confiance inébranlable qui compte sur Dieu, se livre à lui avec un tout filial abandon, et n'hésite pas dans sa foi, même quand Dieu paraît être très loin, voilà la première aile. Volonté bien maîtresse et souveraine, toujours en activité, et tenant toujours la bride aux facultés inférieures, sensibilité et imagination, pour les guider où il faut, les arrêter à temps, et les tenir au service de Dieu, sous l'empire de la grâce: c'est l'autre aile, et cela fait la paire.

Et voilà pour mes souhaits. Es-tu contente? Je pourrais bien allonger ici une liste de multiples vœux pour la nouvelle année. A quoi bon? Je veux pour toi tout ce qui rend heureux, tout ce qui rend bon, tout ce qui rend saint, tout ce qui pousse vers le ciel. Je ferai le détail de tout cela au bon Dieu, dans mes entretiens avec lui.

## PÂQUES

15 avril 1906.

Tout ressuscite aujourd'hui! le joyeux *alléluia* vient de faire taire le lamentable Jérémie; les cloches exilées nous sont revenues, et carillonnent mieux que jamais; les orgues, bien reposées, chantent avec plus d'entrain. Et dans les cœurs, que les douloureux souvenirs du Calvaire avaient comprimés, vibrent, bien dilatées, les fibres de la joie et de la vie; je viens donc, moi aussi, emporté par ce grand vent de résurrection, jeter en ta chère âme le doux et vivifiant *alléluia*. Quand la joie chrétienne s'est répandue devant Dieu, elle veut s'en aller vers les cœurs aimés, et s'y blottir comme en un délicieux refuge. Les *alléluias* de la terre veulent un écho qui les répète, et ils le cherchent dans les âmes que les saintes amitiés ont rendues vibrantes.

Je viens donc, aujourd'hui, te chanter mon *alléluia* de paix, de joie et de vie. Mon âme le murmure doucement à ton âme, et lui demande de le lui renvoyer en délicieux écho. Et ces deux *alléluias*, chantés à l'unisson, monteront vers Dieu pour lui porter nos communes actions de grâces et nos communes espérances.

Ensemble, bénissons le doux Sauveur qui triomphe de la mort, et qui nous plonge avec lui dans la vie. Ensemble, au bord de son tombeau glorieux, disons-lui le doux nom qui s'échappait des lèvres de Madeleine, le matin de Pâques: "Maître". Ensemble, recevons sur nos âmes le souhait pacifique et consolateur, qu'il adressait à ses apôtres: "Pax vobis". Ensemble, comme les disciples d'Emmaüs, laissons nos cœurs s'embraser du feu de sa divine parole, et nos esprits le reconnaître à la fraction du pain. Ensemble, laissons la vie divine, qui sort à flots abondants du Cœur de Jésus, envahir nos cœurs, et en chasser toutes les causes de mort. Ensemble, tournons les yeux et l'âme vers la vie éternelle, dont le Christ ressuscité nous donne le gage précieux!

N'est-ce pas, ma fille, que tu veux bien le chanter avec moi cet *alléluia* de Pâques? Nous y mettrons de chers souvenirs et de douces espérances; et nous savons deux Cœurs: l'un divin, l'autre immaculé, qui seront avec nous!

## LA SOUFFRANCE

23 avril 1914.

Ta lettre est pleine des horreurs qui secouent votre terre et votre monde. Quel pays![1] J'espère bien que tout finira par rentrer dans l'ordre. Mais, surtout, je fais des vœux pour que ta chère santé s'améliore. Mon Pérou à moi, c'est toi. De celui-là j'ai grand souci. Pour celui-là je prie plusieurs fois par jour. Si ta santé n'est pas contraire aux vues de Dieu, je suis sûr qu'elle reviendra à son état normal. En attendant, il faut que ta bonne petite âme se comporte vaillamment sous les coups de l'amour

---

(1) Il s'agit du Pérou.

divin. Je devine les angoisses par où tu passes; je sens ta souffrance; je lis la page douloureuse que le bon Maître est en train de te faire écrire! Ton corps et ton âme sont sous le pressoir. Le divin vigneron fait ses vendanges! Oh! donne, donne à ce cher Maître le vin généreux de la douleur. Il ne récolte que ce qu'il a semé, et quand il le juge à propos. Il ne triture que le bon raisin, celui qui a bien mûri au soleil de son amour, sous la rosée de sa grâce! Laisse-le faire. Console son divin Cœur par un total abandon de ton cœur. C'est son heure, l'heure de sa bonne croix, l'heure bénie où la souffrance purifie, détache, broie une chère âme que le bien-aimé veut plus à Lui, plus parfaite et plus sainte. C'est l'heure du sacrifice, où la victime est jugée digne d'être placée sur l'autel, comme une blanche et pure hostie, pour être offerte en expiation, afin de compléter ce qui manque à la Passion de Jésus-Christ, et de faire arriver le flot de la rédemption jusqu'à certaines âmes en péril. Oh! ma chère fille, sois l'agneau doux et docile aux mains du bon Pasteur. En même temps qu'il t'élève à une perfection personnelle plus grande, il veut t'associer au rôle de Marie, le corédemptrice du genre humain.

*(D'une âme à une autre.)*

OBSERVATIONS. — Quelles qualités du cœur et du style révèlent ces trois fragments de lettres que vous venez de lire?

# HENRI BOURASSA

## (1868-1952)

Tribun et écrivain. Journaliste qui s'accompagne toujours de l'orateur. Henri Bourasssa mettait dans sa pensée tous les éclairs de son tempérament tumultueux. Par surcroît très documenté; capable de construire avec solidité ses démonstrations, et de manier avec passion le sarcasme et l'ironie. La construction du discours souffre parfois de l'improvisation de la forme.

Œuvres: nombreux opuscules qui rééditent des articles du *Devoir* ou des discours; *Que devons-nous à l'Angleterre?* (1915); *Hier, aujourd'hui, demain* (1916); *le Pape arbitre de la paix* (1918).

(Voir *Histoire de la Littérature canadienne*, p. 210-213; 215-216.)

## 178 — Conflits des races et des religions au Canada

La vérité, c'est que le conflit aigu des races dans l'Ontario n'est qu'un incident de la lutte cinq fois séculaire entre la race française et la race anglaise, entre la civilisation gallo-latine et la civilisation anglo-saxonne et, dans une large mesure, entre l'ordre catholique et le désordre protestant. L'Angleterre se montre aujourd'hui plus libérale qu'autrefois envers les institutions catholiques. La France officielle a poursuivi depuis la Révolution une aveugle politique de haine ou d'indifférence à l'endroit du catholicisme. Mais, en dépit de ces évolutions de surface, la pensée et l'action françaises n'en restent pas moins dans le monde le principal appui de l'ordre catholique, et la pensée et l'action anglaises, le principal ferment du désordre protestant. Il en est certainement ainsi chez nous.

Dès l'instant où la puissance française fut chassée d'Amérique, l'Anglo-saxon entreprit la conquête des âmes et des intelligences. Il y voyait le complément nécessaire, le couronnement et la sanction de la conquête matérielle. Toute trace de civilisation française et catholique devait disparaître de l'Amérique du Nord. Sans doute, des cœurs généreux, comme le général Murray, des esprits élevés et perspicaces, comme Sir Guy Carleton, avaient une conception plus noble et plus large des devoirs de la Couronne d'Angleterre.

La révolte des colonies anglaises ne tarda pas à démontrer que l'intérêt suprême de la Grande-Bretagne lui imposait une politique plus libérale dans la gouverne de ses seuls sujets d'Amérique disposés à lui rester fidèles. L'évidence du péril n'empêcha pas les nouveaux colons anglais du Canada — ces "fanatiques déréglés" dont Murray se plaignait amèrement — de harceler les autorités impériales afin de les amener à réduire à l'état d'ilotes les pionniers du pays, doublement odieux comme Français et comme papistes.

L'heure du danger passée, les autorités anglaises prêtèrent une oreille complaisante à ces obsessions et mirent tout en œuvre pour vaincre, tantôt par la force, tantôt par la ruse, la résistance des Canadiens français à l'œuvre d'assimilation.

La lutte des Canadiens français de l'Ontario, c'est celle de Plessis dans l'ordre religieux, de Panet et de Bédard dans l'ordre civil et politique; c'est la lutte de Papineau contre la tyrannie bureaucratique des gouverneurs anglais et de leurs affidés; c'est la lutte de tout le peuple canadien-français, décapité de ses chefs, contre Lord Durham et les iniquités de l'Acte d'Union; c'est la lutte de La Fontaine contre Lord Sydenham et Lord Metcalfe; c'est la lutte de Cartier contre George Brown et les folles haines antipapistes qui agitèrent le Haut-Canada sous le gouvernement de l'Union. Lorsque les gouverneurs anglais eurent cessé de mener en personne la campagne d'assimilation, les démagogues prirent leur place. Après avoir été l'objet de la pensée des gouvernants britanniques, la destruction de l'influence catholique et française est devenue le mot d'ordre des chefs de faction et l'aliment facile des passions populaires.

La conférence de Québec, d'où résulta l'accord éphémère des hommes supérieurs des deux races, produisit une accalmie. Dans la pensée des Pères de la Confédération, le pacte fédéral et la constitution qui en définit les termes et la sanction, devaient mettre fin au conflit des races et des Eglises et assurer à tous, catholiques et protestants, Français et Anglais, une parfaite égalité de droits dans toute l'étendue de la Confédération canadienne. L'Acte du Manitoba, voté par le Parlement impérial en 1870, et l'Acte des Territoires du Nord-Ouest, voté à Ottawa en 1875, portent l'empreinte fugitive de la même pensée intelligente et généreuse. Ce furent nos dernières victoires.

L'histoire du Canada, depuis la conquête jusqu'à la conclusion du pacte fédéral, c'est le récit de nos triomphes par la lutte opiniâtre et constante; l'histoire de la Confédération canadienne, c'est la série lamentable de nos déchéances et de nos défaites par la fausse conciliation.

(*Le Conflit des races.* Discours au banquet des *Amis du Devoir*, le 12 janvier 1916.)

OBSERVATIONS. — "L'histoire du Canada, depuis la conquête jusqu'à la conclusion du pacte fédéral, c'est le récit de nos triomphes par la lutte opiniâtre et constante: l'histoire de la Confédération canadienne, c'est la série lamentable de nos déchéances et de nos défaites par la fausse conciliation." Commentez cette antithèse vigoureuse. Est-elle historique autant qu'oratoire?

## 179 — La langue française, véhicule du catholicisme

S'il y a pour la race irlandaise de tels avantages à faire revivre son idiome national virtuellement passé au rang des dialectes désuets; si la renaissance de la langue gaélique est presque essentielle à la conservation de la foi et des traditions du peuple irlandais, et que cette entreprise soit réalisable, — à combien plus forte raison avons-nous, Canadiens français, le droit et le devoir de maintenir la langue française en Amérique, où cette langue et ses manifestations constituent le principal auxiliaire humain de la foi catholique, des mœurs catholiques, de la mentalité catholique, des traditions catholiques! Et ce devoir de religion, osé-je dire, nous devons l'exercer pour le bien moral et intellectuel de tous les catholiques, de tous les habitants du continent nord-américain, pour la "spiritualisation" de l'ambiance matérialiste qui nous entoure, pour la gloire de Dieu, le salut des âmes et l'avancement de la société civile dont nous faisons partie. La noblesse de nos origines nous y oblige, autant que l'excellence de notre foi et la fidélité aux grâces de choix dont Dieu a entouré notre berceau. Ai-je besoin d'ajouter que pour l'accomplissement de cette mission, nous avons l'immense avantage d'alimenter notre langue, la plus parfaite des temps modernes, à l'inépuisable trésor de la littérature chrétienne la plus complète du monde.

La langue française, la *vraie* langue française, est la fille aînée de la langue latine christianisée, tout comme la race française, plus encore que la nation française, est la fille aînée de l'Eglise. Pas l'aînée par rang d'âge — les dialectes italiens et espagnols l'ont précédée dans la vie des langues modernes issues du latin — mais par ordre de préséance morale et intellectuelle. Née avec la France chrétienne, grandie et perfectionnée sous l'aile maternelle de l'Eglise, elle s'est plus pénétrée de catholicisme, de catholicisme pensé, raisonné, convaincu et convaincant, que ses sœurs latines, que tous les autres dialectes de l'Europe. Loin de moi la pensée de vouloir rabaisser la valeur des œuvres théologiques ou ascétiques de l'Espagne et de l'Italie, la science profonde de l'exégèse allemande ; pas davantage de méconnaître les beautés intrinsèques de ces idiomes, la noble virilité de l'espagnol, l'harmonie charmeuse de l'italien, la puissance d'expression et la richesse du vocabulaire germanique. Mais tout ce que les autres langues peuvent réclamer de qualités particulières, de saveur originale, est plus que compensé par les qualités d'ordre général de la langue française. Sa clarté d'expression, sa netteté, sa simplicité, l'ordre logique de sa syntaxe, la forme directe du discours, la belle ordonnance des mots et des phrases, en font le plus merveilleux instrument de dialectique, de démonstration et d'enseignement. Elle est faite pour instruire, pour convaincre, pour entraîner l'homme par le raisonnement, la réflexion simple et le simple bon sens. Même lorsqu'elle s'élève au diapason de la haute éloquence, qu'elle se laisse emporter sur les ailes du lyrisme ou qu'elle tombe aux bas-fonds de l'invective grossière et des délectations fangeuses, elle conserve quelque chose de ses qualités essentielles qui sont l'ordre, la clarté, la mesure et le goût. Sur le dos de Pégase — comme on disait au temps où nos aïeux partirent de France — elle ne perd ni le frein ni les étriers. Sur terre, elle se bat en dentelles et court parfois les tripots mais sans rouler sous la table. Les œuvres qui s'écartent totalement de ces règles et de cette tradition peuvent être écrites avec des mots français, elles ne sont pas françaises.

Cérébrale avant tout, faite pour l'homme qui pense, cette noble langue sait aussi exprimer les sentiments les plus généreux du cœur humain, mais pour donner toute sa valeur, elle doit assujettir, même dans l'expression, les élans de la passion au contrôle de la raison éclairée par la foi.

Mais, des siècles durant et par les plus clairs génies de la race qui la parle, au service de la foi catholique, de la morale catholique, de l'ordre catholique, de la tradition catholique; adoptée par les gouvernements comme langue de la diplomatie internationale; acceptée par les esprits supérieurs de toutes les races et de tous les pays comme le mode de communication le plus propre à permettre aux hommes et aux peuples de se rencontrer, de se parler et de se *comprendre,* dans les sphères les plus hautes de la pensée humaine, elle est devenue la seule langue vivante vraiment catholique, c'est-à-dire universelle, dans tous les sens du mot. Aussi a-t-elle produit, peut-elle produire et doit-elle produire le plus grand nombre d'œuvres propres à convaincre les esprits les plus divers de la vérité du dogme catholique, des nécessités de l'ordre catholique, de la supériorité de la morale catholique, propres aussi à faire admirer par tous les hommes les entreprises et les traditions catholiques, à faire aimer Dieu et l'Eglise.

(La langue gardienne de la foi.)

OBSERVATIONS. — 1° Commentez cette affirmation: "Cette langue (française) et ses manifestations constituent en Amérique le principal auxiliaire humain de la foi catholique." — 2° "Elle est faite pour instruire, pour convaincre, pour entraîner l'homme par le raisonnement, la réflexion simple et le simple bon sens." Commentez cette phrase, et dites si l'on peut y trouver la définition des qualités essentielles de la langue française.

# LOUIS LALANDE
## (1859-1944)

Le Père Lalande aime le pittoresque, les contrastes, les scènes de vie bourgeoise ou populaire; il en cause avec esprit. Causeur vivant et réaliste. Et il moralise autant qu'il raconte. Et il ne dédaigne pas l'effet, qui quelquefois trop paraît.

Œuvres principales: *Entre amis* (1907); *Causons* (1915); *Silhouettes paroissiales* (1919); *Leurs profils et leurs gestes* (1932).

(Voir *Histoire de la Littérature canadienne*, p. 205-206.)

## 180 — Un ancien

Il mourut à quatre-vingt-dix-neuf ans, un soir triste de l'automne. On eût dit que la mort avait peur de faucher l'épi mûr de sa vie. Il dort sous quatre pieds de terre, à l'ombre de l'église où il a tant de fois prié, au bout des sillons fertilisés par ses sueurs et où murissaient ses avoines et ses blés.

Avec lui disparaît un de ces types vénérables qui sont la tradition vécue des anciens Canadiens, le type fier, habillé d'étoffe du pays, musclé d'acier et taillé en force, pétri d'honnêteté, de rude franchise, de courage joyeux dans les labeurs et la faim, sacré par tous les privilèges de la vieillesse, de la foi profonde, du travail fécond et nourricier de la race; un de ces anciens à qui nos mœurs laissent peu de successeurs, un de ces humbles qui nourrissent la Patrie sans songer qu'ils sont grands patriotes, un des forts qui accomplissent tout leur long devoir héroïque, et qui riraient de s'entendre appeler des héros.

Ils ne savent pas que sur eux s'appuie la vie nationale, et c'est tant mieux: ils s'indigneraient peut-être trop contre la légèreté ingrate, qui les dédaigne en vivant de leur cœur et de leurs bras. Tout enfant, il serait mort de faim et de froid, sans le secours d'un ami. A vingt ans, il acheta un coin de terre, conquête bien-aimée de son travail et première réalisation des espoirs de jeunesse.

C'était à l'époque où l'on coupait le blé à la faucille, le matin
au petit jour et le soir encore sous les étoiles.   Un jour il s'aperçut,
en revenant du marché, qu'un acheteur lui avait donné une piastre
de trop pour son orge.   Il rebroussa chemin, fit six milles et dit au
marchand: "Vous vous êtes trompé dans vos calculs: cette piastre
est à vous", et il revint allégé et content.

Il aimait la politique; mais dans une élection fameuse, un
candidat lui ayant glissé dans la main des billets de banque, en le
priant de "convaincre" trois ou quatre électeurs, il laissa les billets
tomber à terre et fixant sur le corrupteur deux yeux où flambait
l'indignation: "Monsieur, dit-il, ramassez votre argent.   Je ne serai
pas de l'autre parti, parce qu'il n'a pas ma confiance, et je ne suis
plus du vôtre, parce que vous me l'avez ôtée.   Allez."   Et il ne
toucha plus jamais à la politique.

Un soir, un voisin le rencontra qui revenait de son champ.
— "La récolte est belle, lui dit-il, le bon Dieu vous gâte. — Oui,
répondit le vieillard de sa voix émue, le bon Dieu est bon.   Je lui
ai demandé de la santé: eh bien! il y a quatre-vingt-dix ans que
j'en dépense et j'en ai encore tout plein.   Je lui ai demandé une
femme forte et aimante: il m'a donné une compagne qui m'a aimé
et travaillé ferme à mes côtés soixante-deux ans.   Je lui ai demandé
de nombreux enfants: il m'en a donné une douzaine et demie, et
pas un ne m'a fait de la peine et n'a dérogé. Je lui ai demandé
chaque matin le pain quotidien que j'aurais bien gagné: il y a
ajouté le bonheur et de l'instruction pour mes fils.

Je le bénis.

Jeune homme, ajouta-t-il, aimez la terre qui nourrit, travaillez
fort. Il n'y a rien de bon comme du bon pain gagné."

(*Silhouettes paroissiales.*)

OBSERVATIONS. — De quoi est faite la beauté austère de cet ancien!

---

## 181 — Un jeune

Tous les matins, après la messe de six heures, il quitte l'église par la porte du transept. On dirait que sa piété se dérobe. Il évite la foule, comme d'autres la recherchent; il s'enveloppe de recueillement et de silence pour le prolongement de son action de grâces, comme d'autres s'ouvrent à toutes les distractions des yeux et du bruit.

Il se hâte vers la maison; il se hâtera tout à l'heure à son travail: de belle humeur, tout à son devoir, se prouvant à lui-même et à ses patrons que la vertu "étant utile à tout", ne doit pas nuire à la ponctualité.

C'est un garçon de vingt ans, robuste et jovial, avec un grand charme de physionomie et une parfaite distinction d'allure. Dans ses regards passent des rayons de fine observation et de malice, atténués par son sourire bienveillant. Il ignore autant le respect humain que les poses et les fantaisies du courage. Sa conscience et son urbanité gracieuse lui permettent de marcher le front haut, de regarder droit devant lui; et s'il baisse les yeux par modestie, il ne les baisse jamais par peur. A la bravoure il joint la réflexion intelligente. Malgré son âge, il se défie des grands parleurs et il se punirait, quand on attaque la vérité, de ne pas dire sa pensée.

Il aime les sports. Il en use avec mesure, pour sa santé et par distraction honnête; il en exclut tout excès brutal et toute vulgarité. Il tâche d'y briller et compte sur son endurance et celle de ses camarades et sur leur loyauté pour y remporter des victoires. Il sait que c'est un titre de supériorité de plus pour la race et qu'un Canadien français a toujours tort d'être le second quand il peut être le premier. Sa toilette est de bonne mise, propre, n'a rien de criard et de raffiné, rien du fils à papa dont tout le mérite brille dans ses souliers, ses boutons de manchettes et sa cravate dernier cri. Il est si bien mis, que personne ne le remarque, ce qui est le comble de la distinction. Les bonnes mamans qui le connaissent se disent en le voyant passer et en songeant à leur fille: "Ah! si elle pouvait..." Mais lui n'y songe même pas.

Il est instruit plus que beaucoup d'étudiants. Et pourtant ses parents pauvres l'ont tenu peu de temps à l'école. Mais il a lu, et de bons livres; il a travaillé, observé, écouté, retenu. Et il continue son travail. Ses connaissances n'ont rien de négatif, elles ne sont pas mélangées d'erreurs, — ces dettes de la science.

Au reste, l'A.C.J.C. n'a pas de membre plus assidu ni plus charitablement combatif.

(*Silhouettes paroissiales.*)

OBSERVATIONS. — 1° De quoi est faite la beauté de ce jeune homme? 2° En quoi consiste l'art du portrait dans les deux morceaux qui précèdent?

---

## 182 — La ceinture fléchée

Il n'y en a plus, de ceinture fléchée. Et c'est dommage. Elle habillait si bien nos habitants et donnait une note si pittoresque à leur costume d'hiver.

Etendue de tout son large, elle encerclait la taille à deux ou trois tours avec une grâce virile, elle apportait une note d'élégance à la souplesse du torse, elle soutenait en les atténuant les proportions d'un abdomen trop avantageux. Ses rayures multicolores, terminées en pointes de flèches, formaient sur le capot d'étoffe du pays une zone confortable, aux couleurs gaies...

Tant qu'ils ont porté leur ceinture fléchée, nos vieux avaient une mine à eux tout seuls, originale, charmante à voir. Rien que d'en être entourés, les plus cassés reprenaient une allure gaillarde.

Ils la nouaient sur la hanche, et ce nœud, et ces franges qui pendaient en deux tresses inégales jusqu'aux mollets, c'était leur orgueil, le dernier cri du goût, l'art suprême, la griffe de l'artiste-habitant. Ils ne le disaient pas, comme de raison, mais ils pensaient, comme Buffon: "Le nœud, c'est l'homme". Ils y portaient la main, comme un beau cavalier à son sabre; il en faisaient parade, comme les vieux grognards premier-empire du panache flottant sur leur bonnet de poil.

Chassée par la mode, elle s'en est allée, la ceinture fléchée; mais pas seule, hélas! La tuque bleue est partie la première, emportée avec son pompon par la rafale moderniste, ainsi qu'en une poudrerie de nord-est. Pervertis par ce scandale, les souliers mous, en peau d'orignal ou de bœuf, ont suivi. L'étoffe du pays a résisté quelque temps, se battant jusqu'à la corde pour ses droits et privilèges; puis, râpée, trahie, elle a cédé. Et comme la force de chacun était dans l'union, la ceinture, isolée, s'est dénouée tristement, s'est roulée sur elle-même et est rentrée, tel Achille... dans son tiroir de commode.

Des bottes "Napoléon" et des "congress", fécondes en cors aux pieds, ont remplacé les souliers souples comme des gants. Des bêtes sorties du fond des bois et des eaux: loutres, visons, rats musqués; des huit-reflets grelottants, pleins de rhumes et de pleurésies, ont succédé à la tuque. La ceinture, rongée par le chagrin et les mites, est morte dans l'oubli, remplacée par rien du tout.

*(Silhouettes paroissiales.)*

———————

# EDOUARD MONTPETIT

## (1881-      )

Professeur d'économie et artiste en écriture. L'art a quelquefois chez lui dominé l'économique. Si l'économique y perd en substance originale, l'art y gagne en formes subtiles. La pensée qui cherche pourtant ses appuis dans les choses, les cherche aussi dans une sensibilité fort délicate. L'économiste est en train de se faire plus réaliste.

Œuvres: *Les survivances françaises au Canada* (1914); *Au service de la tradition française* (1920); *Pour une doctrine* (1931); *Sous le signe de l'or* (1932).

(Voir *Histoire de la Littérature canadienne*, p. 205.)

## 183 — La supériorité du paysan canadien-français

Certes, nous n'aurons pas l'outrecuidance de nous croire supérieurs à ceux que le sort nous a imposé de coudoyer. Nous avons nos supériorités à nous; elles remontent assez haut pour être des titres suffisants. Elles sont des faits que l'histoire a confirmés. Nous avons nos supériorités: les connaître nous justifie de les admirer et de les défendre. Si nous nous comparons, nous n'avons pas beaucoup à envier à autrui.

J'ai surpris naguère le sourire gouailleur d'une figure hautaine à la vue de nos campagnes paisibles. Avec une morgue de nouveau riche, elle murmurait ce dédain: "Ces gens en sont encore à cent ans en arrière; ils n'ont pas avancé d'un pas: ils sont morts."

Morts à quoi? Car il faut s'entendre à la fin. Ces petites gens sont routiniers; mais ils ont conservé leur rêve dans les bornes de sa beauté. Ils sont d'une délicieuse survivance. Approchez-vous d'eux: questionnez-les; regardez-les. Ce sont des Français. Rudesse, solidité, entêtement; tout cela mêlé à une noblesse de cœur, à une délicatesse de sentiment que le passé leur a transmis, car ils sont d'un lignage très pur. Ils sont aussi, eux, une civilisation; et la philosophie n'a pas encore tranché entre la leur et celle qui menace de faire de nous des mécaniques intensives. Ils sont une barrière à l'envahissement de l'américanisme le moins enviable, celui qui n'a pas d'idée, l'américanisme hâbleur. Ils sont d'une famille et perpétuent ce que les musées des plus riches veulent reconstituer dans des ensembles morts. Ils gardent le flambeau. Ce que d'autres recherchent dans le temps pour en parer leurs maisons d'hier, ils le portent en eux, comme une toile rare, un vieux meuble, la page résistante d'un livre que personne n'a refermé. Ils peuvent et doivent apprendre, et tous le leur conseillent ; mais qu'ils restent ce qu'ils sont. Ils possèdent quelque chose que d'autres ont perdu : la race ; quelque chose que toutes les fortunes ne ressusciteront jamais : la vie. Et je ne sais si c'est un tel paradoxe de prétendre que, au point de vue social, un paysan du Saint-Laurent vaut un milliardaire de New-York.

*(Pour une doctrine.)*

OBSERVATIONS. — Définissez à votre tour, en vous souvenant de cette page, la supériorité des "habitants" canadiens.

---

## 184 — Pour la supériorité intellectuelle

Ne cherchons pas, de crainte de trop nous en convaincre, si nous appartenons à une race supérieure : prouvons-le. Un peuple qui marque le pas est déjà atteint dans sa force ; mais une minorité qui s'enlise dans la satisfaction de soi-même, qui vit des gloires du passé sans y rien ajouter et qui en fait ainsi une pesée plustôt qu'un stimulant, qui ne lutte pas par un incessant progrès mis au service de ses aspirations, est menacée par la mort. Car le nombre est loin d'être tout. Lorsqu'il est moindre, il incite à l'union des forces, qui fait des petits peuples des merveilles de résistance. Le moment est venu, le moment est passé, d'acquérir dans tous les domaines, et sans forcer notre talent, la puissance intellectuelle, la culture qui est le privilège des races latines, pour que nous soyons en mesure d'exercer sur les destinées de la nation, dont nous sommes une part appréciable, une influence justifiée par nos qualités et doublement victorieuse.

C'est le sens profond, l'enseignement continu de notre histoire, inspiratrice d'énergie. A chaque génération son rôle et sa peine.

Il s'est agi, pour nos pères, de réparer la défaite. Ils se sont piétés dans le souvenir. Vivre et se développer fut le premier souci. C'était, en constituant le nombre, établir un fait. Cette première victoire, nous la perpétuons par notre existence même, par notre vitalité. Plus tard, il fallut conquérir des droits, les conquérir et les défendre. Nos paysans se sont mis à l'école de la politique. Ils y ont réussi. Ils ont étudié cette constitution anglaise dont le vainqueur faisait un imprudent éloge. Leur esprit logique a réclamé l'application totale du principe une fois posé. Normands tenaces, ils ont imposé à l'Angleterre l'unité de sa propre doctrine. Ces droits acquis, nous continuons de les exercer; et c'est en les exerçant que nous les sauvegardons. Certes, nous aurons, de ce chef, encore à combattre. Les préjugés ont la vie dure, a-t-on dit; quand le temps ne les détruit pas, il les embaume. C'est peut-être mieux. L'attaque nourrit la volonté que la sécurité endort. Aujourd'hui, les temps sont changés. Un élément nouveau, la richesse, est apparu. Au double devoir que nous a légué le passé, s'ajoute celui d'être de notre époque en manifestant, sur un terrain nouveau, notre activité renouvelée par l'école. Pour plusieurs, on ne saurait trop le répéter, la question nationale est une question économique. Non pas que la fortune soit le bien suprême. Elle n'est qu'un moyen, mais combien fort. Nous ne pouvons pas négliger d'y recourir. La conquête économique doit être pour nous la réalité de demain. Elle nous donnera plus qu'à d'autres; car, possédant l'aisance, notre nature nous inclinera à cultiver la pensée, à rechercher l'expression, à répandre l'art.

C'est l'instruction qui nous assurera cette conquête. Pour le moment, il semble que notre effort doive tendre à créer ce faisceau de compétences: une élite, à qui nous confierons de répandre, par l'exemple et par la parole, les idées sur lesquelles nous nous serons accordés, les idées nécessaires, qui prendront ainsi la valeur de vérités banales, ferments de l'action du plus grand nombre.

*(Pour une doctrine.)*

OBSERVATIONS. — Marquer les étapes successives de notre ascension politique et sociale. Aurions-nous pu acquérir plus tôt la supériorité intellectuelle?

# LE ROMAN

———

## ROBERT de ROQUEBRUNE

### (1889-    )

Il a pratiqué le roman historique. Il survole l'histoire plus qu'il ne la pénètre. Puis il a fait des études d'âmes. Il y semble plus à l'aise: psychologie et mœurs le font davantage multiplier sa pensée.

Œuvres principales: *Les Habits rouges* (1923); *D'un Océan à l'autre* (1924); *Les Dames Le Marchand* (1927).

(Voir *Histoire de la Littérature canadienne*, p. 227-228.)

### 185 — La vocation de Michel

Le couvent des franciscains de Montréal est une modeste construction de brique qui tient plus de l'usine que de l'abbaye. On y chercherait bien inutilement les souvenirs de l'art franciscain. La basilique d'Assise et les fresques de Giotto ne sont ici qu'une simple chapelle sans autre ornement qu'un grand saint François encastré dans une niche de la façade.

Mme Le Marchand jeune, laissant à droite la chapelle, s'avança dans la cour intérieure. Elle monta un perron de deux marches, poussa une porte et se trouva dans un vestibule. Derrière un guichet grillagé, une voix morne l'interpella:

— Qui demandez-vous?

— Le Père Gilles.

Et elle alla attendre le religieux dans l'une des pièces vitrées qui ouvraient sur un long corridor.

Ce petit parloir était meublé de quelques chaises, d'une table et d'un prie-Dieu. Le plancher n'était recouvert d'aucun tapis. Une propreté minutieuse régnait sur la pauvreté de cette chambre. En face de la fenêtre, une espèce de long cercueil de verre renfermait une figure de cire assez sinistre. Vêtu de la robe fran-

ciscaine, le mannequin contenait les reliques d'un obscur bien-
heureux de l'Ordre. La figure modelée avec un certain réalisme
était effrayante à contempler. Les yeux entr'ouverts laissaient
filtrer un regard vitreux de moribond. Les poils de la barbe mal
rasés avaient été indiqués minutieusement au pinceau, et de vrais
cheveux formaient la couronne autour du crâne luisant. Cela
tenait de ces saints de cire habillés d'étoffe et couverts de bijoux
que l'on voit dans les églises espagnoles.

La clenche de bois de la porte fut soulevée. Le Père Gilles
entra.

Le religieux avait l'air sévère, mais non pas triste. Une telle
sérénité s'exhalait de lui que le cœur le plus tourmenté en pouvait
recevoir du secours. Son masque aux traits nets, son menton un
peu anguleux, la maigreur de toute sa personne, n'excluaient pas une
certaine grâce. Malgré sa réserve et un air distant, il ne laissait
pas d'être infiniment humain. Comme à beaucoup de prêtres,
l'habitude de la confession lui avait appris à connaître les motifs
les plus secrets du cœur et les causes les plus obscures d'actions en
apparence innocentes et même méritoires. Mme Le Marchand
éprouvait devant lui une timidité mêlée de gratitude.

Ils échangèrent quelques paroles de banale politesse. Il semblait que le père ne fût pas pressé d'aborder le sujet qui, il le
savait, intéressait sa pénitente. Enfin, celle-ci parla de Michel.

"Je n'ai guère à ajouter aux détails que je vous ai déjà
donnés dans mes lettres, madame, dit le franciscain. Vous savez
que, lorsque je partis pour l'Europe, il y a deux ans, je nourrissais
quelque scepticisme à l'égard de la vocation de votre fils. Cette
vocation que vous lui avez insufflée peu à peu et, si j'ose dire,
savamment, ne me plaisait qu'à demi. Il me semblait voir là
plutôt l'effet de votre volonté que celui de vos prières. Et, chez
Michel, n'était-ce pas la conséquence d'une entière sujétion ? Cependant, j'ai pu étudier Michel d'assez près au cours de ce voyage
fait avec lui. Mes occupations me laissèrent assez de loisirs pour
suivre les mouvements de son esprit et ceux de son cœur. Je peux
vous assurer qu'il sera un prêtre distingué sinon un saint.

— Sinon un saint... dit-elle.

— Il est très difficile d'être un saint, madame, il y faut beaucoup plus de simplicité que n'en comportent l'âme et l'intelligence
de votre fils.   En tout cas, ce qui l'attire vers la prêtrise est
extrêmement honorable et peut suffire à le conduire vers la sainteté,
après tout.   Quoique ce soient là des routes bien détournées...

— Que voulez-vous dire, père ?

— Madame, seulement ceci : que votre fils se fait prêtre un
peu comme il choisirait toute autre profession pour laquelle vous
l'auriez longuement préparé.

Mme Le Marchand sembla péniblement frappée de ces derniers
mots.   Elle regardait le religieux avec un douloureux étonnement.

— Ne prenez pas en mauvaise part ce que je vous ai dit,
continua-t-il.   D'ailleurs je ne veux nullement insinuer que Michel
puisse être un prêtre léger et peu fervent.   Rassurez-vous.   Je
veux seulement dire qu'il n'aura rien de l'ascète que vous aviez
rêvé qu'il deviendrait.   C'est pourquoi je vous ai écrit tout de suite
que la vie monastique n'était pas faite pour lui.   Au contraire, à le
bien étudier, j'ai vu que Michel réalisait le type excellent du prêtre
aristocratique.   Il a une foi robuste, une éloquence facile ; je le vois
assez comme vicaire de l'une des paroisses élégantes de Montréal.
Ses sermons auront une vague tournure littéraire avec des lieux-
communs et des morceaux de bravoure habilement cueillis dans les
bons auteurs.   Michel fera beaucoup de bien dans la haute société.
Nous manquons ici de prêtres élégants.

Le religieux s'interrompit ; Mme le Marchand baissait la tête.
Il vit des larmes perler et rouler sur ses joues.

— Je suis brutal, madame, et je vous cause ainsi un profond
chagrin.   Mais il faut que vous compreniez que votre fils n'est pas
tout à fait ce que vous aviez rêvé.   Vous l'imaginiez faisant partie
d'un grand ordre religieux et menant une vie de cénobite.   Il sera
prêtre, et prêtre d'avenir, n'est-ce donc rien ?   Que ce désappointement soit votre pénitence et la punition de votre orgueil.

Interdite, elle le regardait.

— Oui, dit-il avec sévérité, de votre immense orgueil.   Vous
avez voulu être la mère d'un saint.   Vous avez si constamment
douté de la miséricorde de Dieu que seule la sainteté de votre fils
vous paraissait capable de vous sauver.   Ce vœu qui chez une autre

femme serait méritoire, vous avez presque réussi à en faire une occasion de péché..."

"Si vous songiez au bien qu'il peut accomplir ici, vous apercevriez que vos motifs de joie ne sont pas vains. Notre société canadienne-française souffre d'un relâchement dans les mœurs et d'un dangereux refroidissement de croyance. Le matérialisme américain attaque sérieusement cette société à peu près préservée jusqu'ici des sophismes et de l'incrédulité. La passion de l'argent rend chaque jour ce monde canadien plus brutal et plus vaniteux. Si j'ai parlé tantôt avec quelque réserve des prêtres mondains, c'est à cause de la secrète terreur que j'éprouve pour l'épouvantable besogne que ces pauvres gens sont obligés d'accomplir. Car moi, voyez-vous, j'aimerais mieux cent fois avoir à prêcher les sauvages comme firent Mgr Taché et le Père de Brébeuf, que de sermonner les dames de la haute société et les financiers catholiques."

Le religieux avait parlé avec ce ton cassant qui lui était habituel. Les mains enfouies dans ses manches, les yeux perdus au delà des fenêtres, il semblait considérer tout un monde avec un superbe dédain.

Cependant Mme Le Marchand s'était agenouillée sur le prie-Dieu et, après s'être recueillie quelques secondes, elle se confessa.

Lorsqu'elle quitta le couvent des franciscains, elle se dirigea vers la gare. Et, tout en allant, elle rêvait aux paroles du religieux. Déjà elle avait deviné dans ses lettres réticentes et pleines d'allusions que Michel ne serait pas moine. Qu'il fût prêtre était déjà une grande grâce que Dieu lui accordait; le Père Gilles avait raison. D'ailleurs Michel serait un prêtre distingué. Et elle voyait son fils écrivant des livres d'apologétique triomphante, défenseur de la foi et vainqueur des incrédules; elle rêvait pour lui la gloire d'un Lacordaire et d'un Gratry; elle n'était pas loin de souhaiter quelque horrible schisme au Canada ou une levée en masse de la libre-pensée, pour qu'il en triomphât. Ou bien, c'était l'illustration de l'éloquence qu'elle imaginait pour son fils; elle le voyait dans la chaire de Notre-Dame de Montréal, soulevant les foules au rythme de sa voix et au souffle de sa parole. Parfois aussi, la robe violette d'un évêque et même la pourpre cardinalice enveloppaient la silhouette de Michel apparue dans son imagination... Mais elle repoussait bien vite ces visions, et elle demandait à Dieu pour Michel une simple cure de village et les âmes paisibles d'une paroisse campagnarde à diriger.

Car le talent, une grande situation dans le clergé, la renommée comme écrivain ou comme prédicateur, tout cela ne mettrait-il pas son âme en péril? "Une simple cure, mon Dieu, une cure de village", répéta-t-elle alors humblement tout en se dirigeant vers la gare Bonaventure.

*(Les Dames Le Marchand.)*

Observations. — Psychologie des désirs maternels. Appréciez celle du Père Gilles, et aussi la vérite de ses observations d'ordre moral, et la façon dont cette page est écrite.

# HARRY BERNARD
## (1898-    )

Romancier fécond.  Ses gestations furent parfois trop rapides: on le voit à son style.  Mais il aime tant la terre et nos gens!  Il les décrit avec un art qui est tour à tour académique ou populaire.

Œuvres principales: *L'Homme tombé* (1924) ; *La Terre vivante* (1925) ; *La Ferme des Pins* (1930) ; *Juana mon aimée* (1931) ; *Dolorès* (1932).

(Voir *Histoire de la Littérature canadienne*, p. 228-230.)

## 186 — Il faut rester avec son monde

Dans sa chambre, Marie pleure.  Elle pleure comme elle n'a pleuré de sa vie, la poitrine lourde, le cœur secoué d'intermittentes palpitations.  Au creux d'un ancien fauteuil naïvement sculpté, face à la fenêtre, elle pleure en silence, les mains abandonnées sur ses genoux.  Dehors, le jour resplendit.  Les moineaux se poursuivent avec des cris nerveux; les libellules, portées par des ailes de gaze, exécutent des voltiges aériennes.  Entre les volets fermés, le soleil filtre un rayon de lumière.

Les larmes, de grosses larmes salées, roulent sur les joues de Marie, hésitent aux commissures des lèvres et tombent, une à une, sur ses mains moites, sur le corsage de linon, le tablier de travail. Elle n'essaye pas de les retenir, ni de raisonner sa douleur.  Elle pleure comme une enfant désespérée, impuissante et vaincue par une force trop grande.  En apprenant l'affreuse nouvelle, elle pensa, un moment, qu'elle s'évanouirait.  Non cela n'était pas possible, c'était incroyable.  Elle avait refoulé ses pleurs dans une crispation douloureuse de tout son corps, ne voulant pas éclater en sanglots devant sa mère.  Puis elle était montée à sa chambre.

Depuis, elle ne se rappelle rien, sinon qu'elle a pleuré longtemps, si longtemps que ses paupières sont meurtries.  Elle secoue la tête comme pour chasser un mauvais rêve.  Ce n'est pas possible, ce n'est pas vrai, c'est un cauchemar dont elle est victime.  Mais le journal est là et elle relit pour la centième fois, cependant que les feuilles chiffonnées tremblent entre ses doigts:

"Monsieur et Madame Gédéon Saint-Georges, de Montréal, annoncent le prochain mariage de leur fille, Madeleine, au Dr Fernand Bellerose, fils de monsieur Octave Bellerose, architecte, et de madame Bellerose. Le mariage aura lieu en l'église Saint-Viateur d'Outremont, le jeudi 11 septembre 1913."

Et quand elle a lu, elle se murmure à elle-même, si bas que personne n'entendrait:

Je voudrais mourir... je voudrais mourir...

Une voix, en bas de l'escalier:

"Marie, Marie, tu viens pas dîner?"

Elle se réveille brusquement. Dîner, manger, vivre... Il s'agit bien de cela, puisque Fernand l'abandonne, puisqu'il en aime une autre. Non, elle ne dînera pas. Et à sa vieille mère qui attend, elle répond d'une voix lente, pour ne pas trahir sa peine:

"J'ai un peu mal à la tête... je mangerai tantôt... pas maintenant.

— Tu as mal dans la tête?

— ...

— Veux-tu du thé chaud, des tranches de patates pour mettre sur ton front?

— Je ne veux rien... rien... ça va se passer."

Ça va se passer. Comme si elle pouvait oublier. Comme si elle n'aurait pas dans l'âme toute sa vie, le souvenir de son amour perdu.

La nouvelle s'est vite répandue. En province, dans les villes rurales et les campagnes, ces choses ne tardent guère. Ce que les journaux ne réussissent à faire, les langues se chargent de l'accomplir. Marie connaissait à peine son malheur que la paroisse en était informée. Des galeries, pendant que leurs doigts tricotaient des bas, les bonnes femmes s'interpellaient:

"Avez-vous su la grosse nouvelle?... Le cavalier d'la petite Beaudry, vous savez ben, le jeune docteur blond, qui s'marie à Montréal avec une fille de la haute.

— Vous dites pas... Celui-là qu'était icitte l'aut'mois?... c'est pas possible, ma bonne dame. Et dire qu'Marie Beaudry en était folle... C'est pas que j'y veux du mal, mais, entre nous autres, elle tirait un peu du grand depuis qu'elle le connaissait...

M'as dire comme on dit, on croirait quasiment qu'c'est une punition du bon Dieu..."

Le vieux Siméon avait appris la chose à la beurrerie.

"J'sais rien de ça, répondit-il à ceux qui l'interrogeaient... C'est peut-être des histoires de ma grand'mère..."

Quand sa femme, au souper, le mit au courant, il fallut accepter l'évidence. Il se rappela que Marie n'avait pas dîné, prétextant une indisposition.

Celle-ci se montra bientôt, les yeux rougis, apparemment calme.

"Tu dois avoir faim, dit la mère. Est-ce que ça va mieux?

— Ça va un peu mieux..."

Mais au regard échangé par les vieux, elle comprit qu'ils savaient. On mangea d'abord en silence, chacun s'absorbant dans son assiette. Le petit Raymond, revenu d'une promenade de plusieurs semaines à Saint-Nazaire, essaya de raconter ses vacances. Les graves physionomies, autour de la table, le dissuadèrent de prolonger les confidences. A la fin, incapable de se contenir plus longtemps, Siméon Beaudry commença.

"Ce qu'est arrivé, moi, ça me surprend pas effrayant. Depuis que je traîne ma vieille vie, c'est pas la première fois que je vois des affaires pareilles... Ce qui n'est pas comme il convient, presque toujours, ça tourne mal..."

Puis s'adressant directement à Marie:

"Ma petite fille, il faut pas te désoler à cause de lui. Puisqu'il agit comme ça, c'est qu'il n'était pas assez bon pour toi... Vaut mieux que ça soit venu avant qu'après...

Je l'ai toujours dit, moi, ta mère le sait, qu'il faut rester avec son monde... Si on est des habitants, on se contente de la vie des habitants, et c'est encore le plus sûr moyen d'être heureux... Voilà longtemps que je voulais te parler, mais ta mère voulait pas, elle attendait... J'vois aujourd'hui qu'on aurait mieux agi en te prévenant... Enfin, nous avons jugé pour le mieux, faut pas nous blâmer. Maintenant, tout cela, c'est fini... Il faut dominer ça et se faire une raison..."

(*La Terre Vivante.*)

# LEO-PAUL DESROSIERS

## (1896-      )

Il taille dans nos mœurs rurales ses meilleures pages.  Il charge d'un pittoresque parfois trop voulu ou trop dru des chapitres de roman où abonde la vie et
surabonde le détail.

Œuvres: *Ames et Paysages* (1922) ; *Nord-Sud* (1931).

## 187 — Paysage

Au pas lent des chevaux, ils remontèrent vers la lumière
encore épandue dans la plaine.  Le chemin suivait la rivière de
près.  Entre les deux s'échelonnaient à distance égale les petites
maisons carrées, basses, construites de rondins équarris à la hache,
calfeutrées de mortier, blanchies au lait de chaux, et coiffées d'un
toit d'herbe de marais, épais d'un pied, semblable à un gros bonnet
de fourrure qui aurait protégé les yeux clignotants des étroites
fenêtres.  A côté, les granges, les étables, en tout semblables à la
maison, sauf qu'elles étaient plus grandes, se tenaient un peu en
arrière, dans l'ombre.  En face, de l'autre côté de la route, sous
les arbres, reposaient les fours discrets, élevés sur un pilotis de
cèdres, avec le toit très incliné qui descendait jusqu'à un pied ou
deux du sol pour les mieux abriter.

Des femmes à genoux, capeline sur la tête et menottes en
cotonnade aux doigts, sarclaient les carrés d'oignons, de concombres
ou de persil dans les potagers entourés de cerisiers en fleurs.
D'autres, portant sur leurs épaules un joug d'où pendaient deux
seaux, s'acheminaient vers les troupeaux de vaches.

Entre les hautes clôtures de perches, les bandes de champs
cultivés, étroites d'un arpent, quelquefois de deux, montaient
pendant trente, quarante arpents pour atteindre la forêt où elles
s'enfonçaient géométriquement à des profondeurs inégales.  On
voyait au loin des hommes, penchés en avant comme leurs chevaux,
labourer dans une attitude sculpturale.  Et les grands arbres soli-

taires allongeaient des ombres de plusieurs arpents sur les prairies, les pacages où les labours où pointait une avoine menue et tendre. Ils s'en allaient tous deux au pas lent du cheval dans cette vallée paisible. La route plongeait quelquefois dans l'obscurité des ravins ombreux, entre les ormes pour aller passer sur un pont de bois qui franchissait un ruisseau à l'eau claire ; puis elle remontait vers la plaine et la lumière.

(*Nord-Sud.*)

OBSERVATIONS. — Avez-vous déjà vu quelque paysage semblable ? Décrivez-le à votre tour.

---

## 188 — En pays de colonisation, vers 1848

La route était tracée depuis une dizaine d'années. A l'endroit où ils étaient arrivés, elle franchissait un marécage de réputation sinistre. La première année, des bœufs et des chevaux s'y étaient engloutis. A plusieurs reprises les habitants avaient tenté de solidifier cette boue en y jetant du sable, des cailloux, des troncs d'arbre ; mais noirâtre et fétide, elle n'avait même pu supporter un chemin *corduroy* composé de troncs d'arbres placés à côté les uns des autres et recouverts d'un peu de terre. Des fossés que l'on avait voulu creuser pour le drainage s'étaient remplis à mesure, derrière les hommes.

Longtemps l'obstacle avait été insurmontable, avait bloqué effectivement, sauf en hiver, le seul débouché des territoires de colonisation vers le grand centre, Berthier. Les colons ne descendaient qu'après les premières gelées de l'automne, ou bien à pied, ils couvraient une distance de plus de six lieues.

Après avoir reconnu la route un peu raffermie, semblait-il, Maxime Auray lança ses bœufs. Avec leurs sabots étroits et coupants les bêtes s'enfonçaient jusqu'au ventre, nageaient plutôt qu'ils ne marchaient, s'arrachaient à grands efforts, s'arrêtaient. Tourmentés par l'aiguillon ils purent enfin franchir ce mauvais pas. Et Vincent regardait cette immense clairière qui traversait la forêt, couverte d'une végétation verte ou plutôt d'une mousse, coupée de grandes mares d'eau brune semblable à du purin.

Le brouillard montait lentement, découvrant les premières assises des Laurentides vieilles comme le monde. Des collines boisées s'enflaient en dômes, venaient rétrécir jusqu'à dix pieds le chemin étroit, le resserraient contre des précipices. Ils atteignirent le canton de Brandon étalé autour de son lac. Les maisons étaient plus grossières, plus frustes que celles de la plaine; réduites à leurs plus simples dimensions, fabriquées avec des troncs d'arbres équarris, inachevées, elles n'avaient jamais connu le lait de chaux ou la peinture. Partout des amoncellements de bois, en troncs, débité en quartiers de différentes grosseurs, entassé en cordes. De chaque côté de la route il y avait des champs troués comme une écumoire par les souches: fendues avec la hache, consumées en partie par le feu, à moitié pourries, elles résistaient à l'action du temps. Partout des boqueteaux de bois encore debout, des terres moins avantageuses qui n'avaient pas encore trouvé preneur, des bas-fonds abandonnés à eux-mêmes...

Une fumée épaisse, si lourde qu'elle ne pouvait s'élever à plus de sept ou huit pieds, semblait sourdre de tous les pores du sol et flottait comme un large linceul jaunâtre dans les abatis. Au-dessous, la nourrissant, la pointillant de petits points rouges, l'illuminant par moment, des feux qui tentaient de flamber, élevaient un instant leurs flammes, puis retombaient inertes et pâles. Et l'on voyait s'agiter autour, dans le crépuscule, des hommes sales, hirsutes, charbonnés qui couraient comme des fantômes. C'était un champ de souches livrées au feu.

Vincent Douaire et Maxime Auray étaient arrivés. Depuis quelques minutes ils voyaient des enfants presque sauvages qui se cachaient au coin des cabanes de rondins pour les regarder passer. Et des cheminées de glaise durcie montait entre les arbres un panache léger.

Ils arrêtèrent à l'une de ces cahutes, demandèrent l'hospitalité pour la nuit. La maison n'avait qu'une pièce de vingt pieds carrés. Dans un coin les lits étagés, les uns au-dessus des autres, à moitié cachés par un vieux morceau d'indienne. Pour tout moblier, il y avait des bûches où le propriétaire avait taillé tant bien que mal des chaises roides, une table de planches de hêtre, quelques chaudrons, un poêlon de fer, des plats et des cuillers de bois.

On leur offrit un peu de poisson. Il y avait quatre enfants en bas âge, la mère et le père, tous vêtus de grosse toile grise. "Pauvres comme du sel", pensait à part soi Maxime Auray. Le colon fumait sa courte pipe culottée, à petites bouffées, impassible, étudiant de l'œil les nouveaux venus. Sur sa tête il avait la tuque de laine rouge; ses souliers enlevés il marchait dans de gros bas de laine grise.

*(Nord-Sud.)*

OBSERVATIONS. — Appréciez dans cette page, dans ce tableau, le réalisme de la vision et celui du vocabulaire.

# HENRI DOUTREMONT

## (Georges Bugnet)
## (1879-        )

Il vit dans l'Ouest canadien. Il y imprime dans son œil et dans son style des images de vie végétale ou animale. Très habile aussi à reconstituer la conscience naïve, si humaine pourtant, des Indiens. Il ajuste à tout cela une langue souple, où se montrent parfois des grâces négligées.

Œuvres principales: *Le Lys de Sang*; *Nipsya* (1924); *Le Pin du Maskeg* (1924).

(Voir *Histoire de la Littérature canadienne*, p. 233-234.)

## 189 — Mahigan dompte un bronco

— On a pu lui mettre la selle, crie Baptiste Paquette.  Ça n'était pas drôle, je vous le dis.

Ils revenaient de l'écurie.  La jument, une jolie bête de petite taille, fine et nerveuse, de poil roux avec des grandes plaques blanches, est maintenue par Baudoin au moyen d'une forte longe de cuir cru.  Elle danse à reculons vers Mahigan, qui n'a pas bougé.  Parfois elle essaie de se cabrer pour frapper de ses sabots d'avant; mais Baudoin a du poids.  Elle porte la selle de l'Ouest: haut pommeau, dossier, et larges étriers de bois.  La bride du mors, une grosse corde, est passée par-dessus le pommeau, libre.  Nipsya admire la bête, et davantage la selle.  On n'en voyait pas encore beaucoup de cette sorte dans le pays.  Le cœur lui bat un peu à penser que Mahigan va risquer sa vie, tout au moins ses membres.  Osera-t-il?

Quand la jument n'est plus qu'à six pas de lui, il dit d'un ton un peu sec mais calme:

"Coupez la longe, court."

Baudoin, avec de lents mouvements, prend le couteau de poche, ouvert, que lui tend le facteur et le pose aussi loin qu'il peut sur la longe, qu'il tranche d'un coup.  Nipsya voit la cayousse reculer brusquement, Mahigan se ramasser, bondir comme un lynx, et se planter en selle.

Elle s'oublia plus d'une heure à regarder cette lutte admirable.

Il lui semblait qu'elle y prenait part. La cayousse employait toute la ruse et l'endurance de sa race, l'Indien celles de la sienne. Lui peu à peu s'échauffe, invective sa monture, hurle des cris qui redoublent la rage de la bête. Si elle cherche à le mordre aux jambes, il lui applique sur les naseaux un coup de l'étrier, sec. Si elle se roule, il est hors selle avant qu'elle soit à terre; avant qu'elle soit debout, en selle. Les voyageurs encourageaient de leurs acclamations tantôt la cayousse et tantôt Mahigan.

Nipsya sentit bientôt ses craintes disparaître et l'appétit du combat l'emplir. Elle se glorifiait à cette habileté et à cette énergie d'un homme de sa race, dédaignée des blancs. Elle pensait maintenait qu'aucun blanc ne valait Mahigan. Elle était fière de lui et, par lui, de la nation krise. Lui, souvent, lui jetait un coup d'œil plein d'audace assurée et un peu fanfaronne.

Au bout d'une heure, la lutte devint monotone et l'issue, certaine. La cayousse, ruisselante, n'avait plus la même fureur. Son cavalier n'en devenait que plus endiablé et plus impitoyable; sans malice pourtant, et seulement pour mieux faire sentir qu'il était le maître. Nipsya se décida enfin à s'en retourner.

Au long du chemin, elle repassait dans son esprit les beaux coups du combat, et Mahigan prenait figure de héros. Il avait prouvé à ces blancs que les Kris pouvaient les surpasser. Même monsieur Alec, réputé l'homme le plus fort après Vital Lajeunesse, n'avait pu dompter ce bronco. Elle se souvenait qu'un jour sa grand'mère avait dit: "Si les Kris savent s'entendre, les Anglais ne tiendront pas devant eux". Oui, pensait-elle maintenant, s'il y a bataille, les Anglais seront chassés.

Sa méditation politique n'alla pas plus avant.

(*Nipsya*, ch. II.)

OBSERVATIONS. — "Elle pensait maintenant qu'aucun blanc ne valait Mahigan". Faites un peu de psychologie et expliquez cette conclusion de Nipsya.

---

## 190 — Premières larmes de Nipsya

Comme elle finissait cet ouvrage elle entendit du côté de l'est, la forêt retentir de coups de hache. Elle conclut que ce devaient être des blancs.

La nuit venue, elle alla faire enquête.

Apte, comme les animaux forestiers, à se faufiler habilement, elle glissait à travers le sous-bois, souple et silencieuse, sans crainte d'être découverte. De surcroît, le vent d'ouest soufflait, chantait dans les têtes des arbres et couvrait toute la contrée d'une vaste et grave harmonie. Le lac battait la rive voisine du ressac incessant de ses vagues. Les étoiles tremblaient au-dessus de la nuit; il n'y avait pas de lune, mais le ciel était clair comme d'habitude en cette saison, dans ce pays où l'ombre reste transparente jusque sous la haute voûte des peupliers drus, dont la feuillée n'est jamais dense.

L'ouïe exercée de Nipsya lui avait révélé presque exactement l'endroit d'où était parti l'écho des coups de hache. Elle fut surprise, pourtant, avant d'y arriver, par des sons qu'elle ne reconnut pas tout d'abord. Au milieu des murmures du vent, il lui semblait que c'était une voix humaine, une voix de femme, et qui pleurait. Mais presque aussitôt des ondes graves s'épandirent, avec une vibration plus marquée, qu'aucune gorge humaine n'aurait pu rendre, et qui lui faisaient étrangement battre le cœur.

Entre les fûts sombres des arbres, à peu de distance, elle apercevait les reflets d'un brasier. Elle s'insinua, jusqu'à la limite où mourait la lumière, au milieu d'un épais bouquet de pimbinas chargés de leurs ombelles de fruits rouges, et y demeura debout, écartant de chaque côté de son visage les tiges souples et leurs feuillages déjà bronzés ou cramoisis.

Dans une petite clairière récemment ouverte un feu éclairait en face d'elle les écorces des trembles d'un vert très pâle et qui commençaient à se poudrer de blanc.

La flamme rougissait là-haut le dessous de leurs feuilles, dont beaucoup déjà étaient jaunes. Mais si son œil percevait ces détails et bien d'autres, elle y était moins intéressée qu'aux quatre personnes assises autour de ce feu, devant une tente carrée en forme de maison à toit aigu. Cette sorte de tente lui était nouvelle. Nouveaux aussi les deux hommes, qui étaient évidemment des messieurs, dont l'un portait sur le haut de son nez, elle ne savait pourquoi, deux petits verres cerclés d'or; et nouvelles les deux femmes, bien plus magnifiquement habillées qu'aucune créature humaine qu'elle eût imaginée, et qui devaient être de grandes dames. Mais ceux-là même l'intéressaient moins encore que le grand jeune homme blond, presque roux, imberbe, qui était campé devant l'ouverture de la tente. Sa chemise était ouverte au col et retroussée jusqu'aux coudes. Sa culotte de toile bleue était serrée à la taille par une large courroie de cuir noir et prise, dessous les genoux, dans des guêtres de cuir jaune d'une teinte un peu plus claire que celle des souliers.

Et, plus encore que ce jeune homme, en qui elle avait tout de suite reconnu monsieur Alec, ce qui l'intéressait, c'était ce qu'il maintenait de sa main gauche et du menton : une sorte de boîte singulière, au-dessus de quoi s'allongeaient quatre fils parallèles sur lesquels, de sa main droite, il faisait glisser une baguette. C'était de cela que sortaient ces sons inouïs et merveilleux qui lui faisaient palpiter le cœur et contracter la gorge. Il jouait un air lent et grave, et Nipsya sentait sa tristesse grandir tellement que des larmes lui venaient aux yeux. Depuis qu'elle était adolescente elle n'avait jamais voulu pleurer, même de douleur : mais, cette fois, elle n'y sentait pas de honte ni de faiblesse. Ces larmes étaient douces. Elle ne fit pas d'effort pour les retenir. Vraiment, elle n'y songeait même pas. Chacune de ces notes tombait au plein centre de son âme et la dilatait, l'élargissait en ondulations de plus en plus vastes. Elle les sentait devenir immenses, et il lui semblait que son cœur ne les pourrait bientôt plus contenir. Elle entr'ouvrait ses lèvres et aurait voulu pouvoir joindre sa voix à ces flots de sons suaves, si purs et si forts, qui devaient être l'expression suprême de l'universelle harmonie du monde.

Qu'était-ce que cette nouvelle vie qui se révélait si haute, si riche ; qui semblait anéantir toute sa peine, et multiplier jusqu'à l'extase sa faculté de jouir ? Sans la vision si réelle de ce feu, de cette tente, de ces êtres humains dans ce cadre si familier, elle n'aurait pas cru que ce lieu fût terrestre.

(*Nipsya*, III, 1.)

OBSERVATIONS. — 1° Quels sentiments naïfs et profonds révèlent les premières larmes de Nipsya ? — 2° Appréciez dans les deux morceaux qui précèdent l'art de la description, et celui de faire jaillir du détail réaliste la réflexion morale.

# CLAUDE-HENRI GRIGNON
## (1894-        )

Il a trouvé dans le roman et la nouvelle sa meilleure voie. La pensée s'y accompagne volontiers d'images, d'images neuves, créées par une vision personnelle, mais quelquefois un peu recherchées. Le romancier observe d'un regard aigu la nature et les âmes, surtout la terre et ses "habitants".

Œuvres principales: *Le Secret de Lindbergh* (1928) ; *Ombres et clameurs. Regards sur la littérature canadienne* (1933) ; *Un homme et son péché* (1933) ; *Le Déserteur et autres récits de la terre* (1934).

## 191 — L'avare

Rien dans la nature ne pouvait émouvoir cet homme au cœur sec que rongeait tranquillement le ver de l'avarice. Rien. Ni le vent doux qui glissait comme une main caressante le long de l'azur, ni les chutes de la Rivière-du-Nord qui chantaient, délivrées et triomphales, au bout de sa terre.

Que la première caresse de mai se coulât vers le sol charnel; que la violette des bois offrît sa tête délicate à la brise qui la ferait pencher un peu vers le ruisseau; que le sang-de-dragon, fleur virginale entre toutes, sortît au travers des feuilles sèches et brunes, libre de la pourriture du dernier et sensuel été; que partout le vert de l'herbe hissât ses innombrables espoirs vers le bleu incorruptible, qu'il répandît dans la campagne neuve et fît circuler, comme un parfum de l'air, ces effluves qui poussent l'homme aux combats contre la matière et vers les plus beaux désirs, Séraphin Poudrier ne sentait rien de tout cela, restait insensible au langage de Dieu. C'est plutôt par une inconsciente réaction contre les symboles de la nature que son bonheur, se concentrant de plus en plus vers l'avarice, en arrivait à toucher presque à la folie.

Un matin, il mit les animaux aux champs, parce que le pâturage ne lui coûtait rien. Leurs gambades formèrent un ballet impromptu à la gloire de la résurrection du sol sous les baisers de

la lumière. Séraphin s'en chagrina à cause d'un accident possible
que cette fête de la libération pouvait valoir à ses bêtes. Et pendant
que toutes les choses, le cœur dilaté, écrivaient le poème que leur
dictait le soleil, l'âme de l'avare s'ourla et se referma un peu plus
sur son bonheur à elle, sur son unique passion.

Ce même jour, il entendit les billots qui descendaient la
rivière. Quelle lutte fantastique ! Il y en avait qui se dressaient
droit vers le ciel pour retomber avec fracas dans l'abîme de la
chute. Les autres glissaient et tournaient le long des rives. Ils
passaient par centaines, par milliers. Des forêts entières coulaient
ainsi, emportées par le courant vers les villes industrielles qu'elles
allaient nourrir du sacrifice de leur sauvage beauté. Séraphin
s'arrêta devant le perron, écouta un moment le carnage qu'on
pouvait entendre de très loin.

"Il paraît que les trois gars de Mothée Cabana dravent ce
printemps, songea-t-il. Il va ben me payer son hypothèque. C'est
égal. Du douze pour cent, et ben garanti, ça faisait ben mon
affaire. Mais qui sait? Faut rien qu'un petit accident... Et les
docteurs, ça coûte cher..."

L'avare vivait heureux quand même, avec son péché qu'il
attisait jour et nuit. Car le printemps, ce n'était pas pour lui
la chaleureuse clarté du jour, la douceur des crépuscules, l'énergie
qui éclatait partout, ni la proche floraison des fraisiers, des pom-
miers et des lilas, ni les travaux des champs qui ouvriraient la terre
à la puissance et à la gloire de l'été. Non. Le printemps, c'était
pour l'avare l'ouverture du grand marché des billets à deux mois
sans renouvellement. Il en parlait tout seul, il en rêvait, il en
maigrissait, au point que maintenant il était incapable de rester
dans sa maison. Il se mit à sortir souvent. Il fit d'abord une visite
chez Alexis, qu'il n'avait vu que deux fois au cours de l'hiver.
Alexis le trouva changé, verdâtre, vieux.

"Viens plus souvent, si tu t'ennuies tant que ça", lui avait-
il dit.

Mais l'avare ne s'ennuyait pas. Il se racornissait seulement
autour de son idée fixe, ailleurs aussi bien que chez lui...

Plus que jamais, l'avare était un personnage, un homme
puissant, terrible, que les habitants du pays craignaient, détestaient

souverainement et finissaient par respecter. La rampante petite-bourgeoisie en vint à admirer l'homme et son péché.

(*Un homme et son péché.*)

OBSERVATIONS. — Comment l'avare ramène tout à son péché. Pour-riez-vous ici remarquer tout à la fois de la justesse dans l'observation et un peu de recherche dans le style?

---

## 192 — Le départ du déserteur

A dix heures moins le quart on avait fini de placer les meubles, les caisses et les valises dans le camion. Il ne restait plus que la famille, sur le perron. Médor, cependant, ne voulait pas sortir; il tournait dans la cuisine et de temps à autre il laissait entendre un hurlement plaintif, d'une mélancolie à fendre l'âme.

Une dernière fois, Dubras alla faire le tour des bâtiments de la ferme. Il regarda partout sans rien voir. Il se sentait triste, et il aurait préféré ne pas partir, mais il avait son orgueil. On le vit traverser la cour et s'arrêter pour flatter la petite jument brune. Elle tourna vers son ancien maître sa tête intelligente. Puis, l'homme se dirigea du côté de la maison. Sans savoir pourquoi, il s'arrêta une dernière fois près du puits; il se pencha au-dessus, plongeant son regard jusqu'au fond, où l'eau, reflétant un coin du ciel et son visage, restait lisse comme un miroir. Il y vit tout son passé.

Ce coin de terre qu'il abandonnait lui paraissait sacré main-tenant. C'est ici qu'il était né, qu'il avait grandi; qu'il avait tant travaillé pour hériter enfin de cette ferme de laquelle il tirait, depuis quinze ans, le pain de chaque jour. Il n'osa pas se deman-der pourquoi il désertait le sol qui le nourrissait et lui avait rendu cent pour un. Il avait peut-être trop écouté ses enfants, sa fille Adeline surtout. Sa femme même, depuis quelques mois, semblait s'ennuyer et lui faisait des reproches amers. Lui, au moins, il n'aurait pas dû céder. Maintenant, il était trop tard.

Le déserteur se débarrassa comme il put de ces idées et il entra dans la cuisine, en condamna la porte par l'intérieur, vérifia l'occlusion des fenêtres.  On le vit sortir peu après par en avant.  Sur le mur de la maison, à droite, il cloua un écriteau: "Terres à vandre avec maison.  Bons prix.  S'adressez au voisin."  Puis il décrocha une contre-porte, faite de planches de bois mou, et la cadenassa.

"Ça y est, fit-il, en s'adressant au père Lafond qui le regardait agir sans dire un mot, impuissant à cacher sa tristesse.  Voici les clefs, mon Baptiste.  S'il arrivait quelque chose, voudrais-tu m'écrire en ville?  V'là mon adresse.  Vends pas plus bas que le prix que je t'ai dit.  $2200, $500 cash et $200 par année à 7% ou ben $1800 pour tout du cash.

— Aie pas peur, Isidore, assura le paysan, tenant toujours la main de Dubras.

Puis après avoir regardé autour de lui, il ajouta:

— Tu sais, Isidore, ça me fait quelque chose de te voir partir.  On s'entendait ben comme voisins.  En tout cas, je te souhaite ben de la chance en ville et sois sûr que je prendrai tes intérêts icitte.

— Je te remercie ben, mon Baptiste.  Bonjour; je t'écrirai."

Et l'homme qui abandonnait la terre monta sur la charge avec les enfants.  Sa femme, trop grosse, était assise à côté du chauffeur et le pauvre chien, Médor, à ses pieds, pleurait toujours.

Le camion démarra tranquillement.

"Bonjour, bonne chance!" pouvait-on entendre de très loin, tandis que les enfants d'Isidore agitaient leurs chapeaux et leurs mains en signe de joie.

Le père Lafond resta un moment sur la route à regarder disparaître dans la poussière fine son voisin de quinze ans, maintenant déserteur du sol.

"Je pense pas qu'il soit ben chanceux", se dit-il, en ouvrant la barrière de la cour où picoraient des poules.

Tout à coup, un coq chanta et la ferme reprit son existence de paix et de soleil.

(*Le Déserteur.*)

## 193 — Nostalgie du déserteur

L'été tomba sur la ville. On respirait à peine, et la poussière des rues, s'envolant au passage des voitures, rendait l'atmosphère plus lourde et plus insalubre encore.

A l'heure du crépuscule, qu'on ne voyait, du reste, jamais, Isidore venait s'asseoir sur les marches du perron, espérant sentir un peu de brise. D'un air béat il regardait couler le flot du peuple, la troupe des travailleurs aux traits jaunes et fatigués, tous les crève-la-faim et tous les phtisiques traînant leurs pieds sur le macadam en feu. Le malheureux de fermer alors les yeux devant cette misère. Aussitôt sa nostalgie l'entraînait vers la petite ferme d'en haut, entourée d'érables et de peupliers que faisait chanter le vent du soir. De retour des champs, fatigué il est vrai par les travaux et par le soleil vertical, il trouvait cependant la fraîcheur dans la maison aux volets fermés, et sur la table la crème épaisse, les framboises mûres et le pain chaud. C'était ensuite le repos engourdissant, goûté dehors en face de la Rivière-aux-lièvres, dont les eaux mauves coulaient sans bruit entre deux rives de sable ou de collines vertes.

Il revoyait, ainsi que dans la plus nette réalité, les oiseaux crépusculaires planer au-dessus de sa tête. Le bois-pouri, surtout, décrivant de larges cercles entrelacés pour venir s'abattre ensuite sur le pignon de la grange, d'où il lançait ses trois syllabes lugubres: *bois-pour-ri, bois-pour-ri*. Et le leitmotiv allait mourir en douceur au fond de la vallée que l'ombre paraissait agrandir.

L'ancien paysan, assis sur le seuil de son logis de la rue Saint-Dominique, passait ainsi des heures à se rappeler les jours de là-bas, la richesse de la ferme avec la venue lente et formidable des troupeaux.

"Une des premières conditions de bonheur, songeait-il, c'est de jouir du ciel, de l'air pur et du soleil. C'est de voir de l'herbe mouvante comme une étendue d'eau et regarder les bêtes heureuses manger cette herbe."

Pas une seule fois depuis qu'il demeurait à la ville, il n'avait perçu le lever ou le coucher du soleil. Plus d'arbres, plus de fleurs, jamais une grappe de ce vert si frais à l'âme et aux yeux. Ici, il n'aspirait que la poussière des rues, la fumée des usines, seul au milieu du bruit, de l'indifférence et d'une lutte effroyable pour gagner le pain de chaque jour. Quel enfer !

Triste jusqu'à la mort, le transplanté entrait se coucher à l'heure où, à Montréal, et surtout dans ce quartier populeux, la vie de plaisirs et de fièvre commençait seulement. Toutefois, il ne se reposait pas. Il ne dormait plus et mangeait mal.

"Tu es malade et tu te fais des tracas pour rien", lui avait dit sa femme.

Isidore ne répondait pas, se contentant de soupirer dans l'atmosphère d'étuve, où l'air, la nuit, était si rare que le rideau de dentelles dans la fenêtre ouverte ne bougeait même pas. Une telle existence conduisait à l'abrutissement total. Il fallut y parer.

Vers la fin de juillet on décida d'acheter un automobile, un vieux modèle Ford, qu'on paya quand même $400. On irait se promener à la campagne; on reverrait des champs, des arbres, des fleurs et du ciel bleu, cette coupe de cristal renversée au-dessus des hommes au poing barbare.

Un samedi après-midi qu'il faisait beau et que la chaleur n'était pas trop grande, les Dubras partirent pour Mont-Laurier où le père Lafond les attendait chez le notaire afin que fût signé un acte de vente. Après avoir échangé plusieurs lettres avec son ancien voisin, Isidore avait consenti finalement à lui abandonner la ferme pour la somme de $1800 payée tout de suite.

(*Le Déserteur.*)

OBSERVATIONS. — Comparez les deux derniers morceaux, ces deux tableaux de la vie du déserteur. Les décors sont différents; une même âme s'y retrouve: laquelle ?

# RÉCITS — CHRONIQUE — CRITIQUE

## ADJUTOR RIVARD
### (1868-1945)

Fondateur de la *Société du Parler français au Canada*, avec l'abbé Lortie; il a été amené de l'étude des mots à l'observation des choses et de la vie que les mots signifient. Et il a composé de petits croquis qui sont d'un goût pittoresque; il y a peint avec des mots académiques ou paysans la vie de chez nous.

Oeuvres principales: *Chez nous* (1919); *Etudes sur les Parlers de France au Canada* (1914).

(Voir *Histoire de la Littérature canadienne*, p. 236-238.)

## 194 — La maison

Il y en avait de plus grandes; il n'y en avait pas de plus hospitalières. Dès le petit jour, sa porte matinale laissait entrer avec le parfum des trèfles, les premiers rayons du soleil. Et jusqu'au soir, elle offrait aux passants le sourire de ses fenêtres en fleurs, l'accueil de son perron facile, l'invitation de sa porte ouverte. De si loin que vous l'aperceviez, elle vous plaisait déjà, et, quand vous étiez tout proche, elle se faisait si attrayante que résister à son appel devenait impossible: vous entriez. Dès l'abord vous étiez chez vous. "Asseyez-vous, l'ami, et prenez du repos." Travaillait-on, — et l'on travaillait toujours — on s'interrompait pour vous bienvenir. Si vous étiez altéré, le banc des seaux était là, avec la tasse à l'eau, reluisante et toujours à main. La table était-elle mise, vous étiez convié, et sur la plus belle des assiettes à fleurs le meilleur morceau vous était servi. Si vous arriviez à la tombée de la nuit et aviez encore loin à cheminer, on ouvrait pour vous la chambre des étrangers, la plus grande et qui avait le meilleur lit... Qui donc n'arrêtait pas chez nos gens, ne fût-ce que pour apprendre des vieux quel temps il devait faire le lendemain? Seuls, les hôtes

mauvais passaient tout droit, et d'un pas plus pressé, devant la
maison hospitalière.

\*
\* \*

Il y en avait d'une parure plus opulente; il n'y en avait pas de
meilleure à voir. Ses quatre murs solides, fortement liés, de tout
repos, inspiraient d'abord confiance. Les pierres étaient vieilles;
mais à chaque printemps, elles faisaient leur toilette à la chaux, et
il n'y avait guère de maisons aussi blanches dans toute la paroisse.
Et voyez-vous, comme, sur cette blancheur mate et chaude, les
volets verts se détachaient et réjouissaient l'œil?... Une petite
vigne canadienne, accrochant ses vrilles aux balèvres du long pan,
grimpait du solage aux acoyaux, courait sous le larmier, et allait
vers le soleil pousser ses plus belles feuilles au pignon. Le toit
aussi était agréable à regarder, avec ses bardeaux goudronnés, la
lisière blanche de son cadre, ses lucarnes en accent circonflexe, son
faîtage pointu et sa cheminée de pierres plates. Au coin du
carré, sous le dalot, une tonne recueillait l'eau de pluie, douce et
précieuse; à la devanture de sable fin, un banc, deux lilas, quelques
gros cailloux blanchis... Tout cela était clair, propre, bien
ordonné; tout cela convenait. Je ferme les yeux, et je la revois
encore, la maison de nos gens, blanche, dans la lumière, sur le
chemin du roi.

\*
\* \*

Il y en avait où la gaieté était plus bruyante; il n'y en avait
pas de plus profondément joyeuse. On savait, là, tous les cantiques; on savait, là, toutes les chansons. Et on les chantait belle-
ment, avec des fions les plus jolis du monde. La vie n'était pourtant pas moins rude à nos gens qu'aux autres; ils devaient, eux
aussi, trimer dur pour gagner leur pain; et l'épreuve était venue,
année après année, faire leurs pas plus lourds, leurs fronts plus
ridés. Mais l'âme de ces anciens était forte; le malheur même n'en
avait pu troubler le calme profond. Ils savaient que cette vie n'est
rien, et, résignés aux tristesses d'ici-bas, pleins d'une confiance

sereine, en paix avec la terre, en paix avec le ciel, ils laissaient simplement couler leurs jours vers la grande espérance. Matin, midi et soir, nos gens priaient ensemble; et, parce qu'ils avaient prié, les tâches étaient plus douces, les fardeaux moins lourds, les peines plus vite consolées. Aussi, la joie était-elle revenue, après chaque deuil, habiter cette maison, comme l'oiseau retourne à son nid.

Qu'il faisait bon vivre chez nos gens!

Soudain, et comme par miracle, on s'y trouvait délivré de tous les soucis, loin de tous les tracas, à l'abri de toutes les intrigues. Rien de mal ne se pouvait concevoir sous ce toit béni. On y passait des jours de paix heureuse et secrète. On y était meilleur...

Qu'il eût fait bon mourir chez nos gens!

(*Chez Nous.*)

OBSERVATIONS. — Sous quels aspects successifs l'auteur a-t-il décrit la maison? Et avec quel art du vocabulaire et de la phrase?

---

## 195 — Les vieux mots de notre langue

Et la gloire de nos aïeux est d'avoir apporté ici, non seulement le français classique, mais une langue qui "de province en province avait cueilli son miel". (Zidler.)

Comme la langue française s'est enrichie par l'apport des dialectes, qui fournissent au langage littéraire les substituts dont il a besoin pour remplacer les vocables disparus, de même notre langue s'est ici conservée grâce aux formes dialectales et vieillies, apportées des provinces de France et transmises jusqu'à nous. Ce sont ces mots surtout qui ont su résister à l'étranger, qui ont gardé notre langue et cet esprit de notre race dont on a dit que c'était le patrimoine idéal de l'humanité; ce sont ces mots qui assurent encore la survivance de notre parler.

Mots sans heurts ni secousses, et dont les syllabes se déroulent comme les légères ondulations de la plaine bourbonnaise; mots doux et riants comme les campagnes et les horizons nivernais; mots du Berry, pittoresques, pleins de grâce et de poésie, et qui conviennent singulièrement à l'âme populaire, amante de la terre; mots de la Saintonge, saupoudrés de sel gaulois; moits du Poitou, expressifs dans leur forme vieillie de la langue d'oui, et plus doux dans leurs syllabes d'origine occitane; mots normands, aventureux et conquérants, qui gardent encore les accents savoureux de la langue de Wace et la richesse de forme de l'idiome de Théroulde; mots du "mol" Anjou, doux comme les habitants et le climat de cette province, et qui peignent toute chose en rose; mots de la Touraine, qui savent rire; mots de la Bourgogne, subtils et prime-sautiers, gais et colorés, pleins d'entrain, de verve et de bonne humeur; mots picards, rustiques et terriens, semeurs de sentiments et de sensations; ce sont ces mots, sortis du vieux terroir comme autant de fleurs champêtres nées de la glèbe, qui nous ont conservé le parler cher à nos lèvres, le seul qui convienne à l'expression de notre conscience nationale, et c'est la gloire immortelle de nos pères de nous avoir légué, avec la langue française classique, les sources fécondes où celle-ci puise ses sucs les meilleurs.

(*Etudes sur les Parlers de France au Canada.*)

OBSERVATIONS. — De quels éléments est formée notre langue? Queis sont les plus précieux, les plus capables d'assurer la continuité de son génie?

# Mgr CAMILLE ROY
## (1870-1943)

Il fut d'abord critique; et il a ensuite pratiqué d'autres genres, y compris l'oratoire. On pourrait peut-être retrouver celui-ci dans tous les autres. Et il peut y être une force ou une faiblesse.

*Œuvres principales: Essais sur la Littérature canadienne* (1907); *Nouveaux Essais* (1914); *Nos Origines littéraires* (1909); *Erables en Fleurs* (1923); *A l'Ombre des Erables* (1924); *Etudes et Croquis* (1928); *Regards sur les Lettres* (1931); *Histoire de la Littérature canadienne* (1930); *Leçons de notre Histoire* (1929); *Propos canadiens* (1912).

(Voir *Histoire de la Littérature canadienne*, p. 222-223; 238; 249-251.)

## 196 — Notre littérature en service national

Servir: telle doit être la mission de l'écrivain, et telle la mission d'une littérature.

C'est pourquoi l'écrivain doit rester en contact étroit avec son pays et, si l'on peut dire, exister en fonction de sa race.

L'écrivain qui n'est pas fortement enraciné au sol de son pays, ou dans son histoire, peut bien s'élever vers quelque sommet de l'art, monter vers les étoiles... ou dans la lune, mais il court risque de n'être qu'un rêveur, un joueur de flûte, ou d'être inutile à sa patrie. Certes, je ne dis pas que seule la littérature patriotique, ou la littérature régionaliste, ou la littérature de terroir, puisse servir la nation à laquelle appartiennent le poète ou le prosateur. Non! la littérature peut chercher son objet plus loin que l'horizon du pays où est né l'écrivain, et plus haut que les choses de ce pays ou les monuments de son histoire: elle peut aller même jusqu'aux étoiles; elle peut être, elle doit être encore et au besoin, humaine, c'est-à-dire qu'elle peut et doit dépasser toutes frontières, s'étendre à tout ce qui est digne de la pensée et de la destinée de l'homme. Servir l'humanité, n'est-ce-pas, et d'une façon supérieure, servir son pays?

Seulement, alors même que l'écrivain porte sa pensée sur des sujets supérieurs à tout intérêt national, ou extérieurs à son pays, il ne peut pas, s'il est fortement original et sincèrement lui-même, ne pas mettre sur ces produits de sa pensée la marque de l'esprit national, et ne pas les imprégner des vertus de sa race. Le *Cid* de Corneille a beau être un sujet exotique de tragédie, il est un chef-d'œuvre français; les *Pensées* de Pascal ont beau être un sujet d'universelle philosophie, elles sont de telle sorte exprimées et mises en axiomes, qu'elles portent le sceau du génie de la France...

Il reste donc vrai de dire que la littérature pousse ses premières racines, et les plus profondes, dans la terre natale, et dans la vie spirituelle de la nation, et que, quelle que soit la fleur qu'elle produise, fleur d'humanité ou fleur du terroir, cette fleur porte en son éclat un reflet nécessaire de l'esprit qui l'a fait monter vers la lumière.

Je sais bien que chez nous l'on a reproché à nos écrivains de n'avoir pas toujours été assez eux-mêmes, et d'avoir trop souvent démarqué la littérature de France, et que ce reproche, en ce qui concerne surtout nos ouvrages d'imagination, comporte beaucoup de vérité; et que cette vérité constatée prouve soit l'insuffisance encore trop grande de nos moyens, soit une déviation de certaines disciplines intellectuelles. Mais je sais bien aussi que, malgré ce défaut d'imitation trop livresque dont peu à peu nous nous débarrassons, notre littérature est dans une grande mesure, et dans la plus grande, canadienne. Elle a fatalement obéi à cette loi qui veut qu'une littérature, dans son ensemble, accompagne de ses œuvres et de son art les développements, les évolutions de la vie d'un peuple. et que son rôle prenne de ce fait une nécessaire valeur historique.

Depuis Etienne Parent qui créa notre journalisme, et depuis Garneau qui écrivit notre première histoire; depuis Crémazie qui composa le poème du *Vieux Soldat,* depuis Fréchette qui chanta notre héroïque *Légende*; et depuis Pamphile Le May qui parfuma des odeurs du terroir ses strophes familières; depuis de Gaspé qui raconta nos *Anciens Canadiens* et Arthur Buies qui burina ses vives *Chroniques*; depuis tous ces pionniers de nos lettres jusqu'aux écrivains qui aujourd'hui, dans le domaine de l'histoire, de la poésie, du roman, de la philosophie et de l'éloquence, produisent une œuvre toujours meilleure. notre littérature s'est appliquée aux choses de chez nous, elle s'est alimentée principalement de substance canadienne.  Malgré certaines naïves ou trop serviles imitations, elle fut, en somme, et en son fond, une littérature canadienne.

Depuis ses origines jusqu'à nos jours, notre littérature can.. dienne-française est en service national.

*(Etudes et Croquis.)*

OBSERVATIONS. — 1° Une littérature est-elle un facteur essentiel de la vie nationale? — 2° Le "terroir" est-il un élément indispensable à une littérature nationale?  Dans quel sens, et dans quelle mesure? — 3° Notre littérature est-elle en service national?

---

## 197 — Le sens de notre fidélité française

Mais quel sens prend chez nous ce mot de fidélité française?

Je ne ferai qu'allusion, en passant, au rêve ancien et depuis longtemps disparu, d'un retour politique à la France.  Ce rêve fut, en 1760, immédiatement après la conquête anglaise, la première conception de notre fidélité française.  Et elle inquiétait souvent les vainqueurs.  Nos pères avaient alors espéré voir revenir à Québec, pour y hisser encore son drapeau, la France.

Et quand la Révolution vint bouleverser la vie politique de la France, et quand surtout Napoléon, devenu le maître, parut vouloir soumettre l'Europe à son empire, plus d'un, au Canada français, pensa que le vieux monde ne suffisant plus aux desseins et à la marche conquérante de Bonaparte, c'est en Amérique qu'il ferait la guerre à l'Angleterre et qu'il lui reprendrait le Canada.

Octave Crémazie, notre premier poète canadien, a synthétisé cette longue espérance dans son poème du *Vieux Soldat canadien.* Ce poème fut écrit en 1855, à l'occasion de la venue à Québec de *la Capricieuse,* corvette française envoyée par Napoléon III, qui déployait alors en rade de Québec ce drapeau français qu'on n'avait pas revu depuis 1760.

Mais ce ne fut là qu'un rêve que le temps devait assez vite dissiper, et qui, d'ailleurs, n'empêcha jamais nos ancêtres d'être loyaux à leur nouveau roi.

Si notre fidélité française ne peut comporter un retour politique à la France, elle ne signifie pas non plus l'isolement de la province de Québec dans la Confédération, par une élévation maladroite des frontières de son provincialisme.    Il ne s'agit pas non plus, pour nous, et encore moins, de sortir cette province de Québec de la Confédération et de créer avec elle un Dominion britannique français sur les bords du Saint-Laurent.

Nous voulons bien rester Français, mais nous voulons et surtout rester Canadiens, et pour cela, citoyens de la grande Confédération canadienne.

Nous voulons être facteurs dans la composition d'un grand peuple qui contiendra surtout deux grandes races : celle qui a fondé la patrie canadienne, c'est la nôtre ; celle qui l'a conquise un jour sur la France, et qui ne peut être que notre associée politique, c'est l'anglaise.    Ce sont deux races qui doivent coopérer dans l'édification de la patrie commune et qui y doivent coopérer dans le respect mutuel de leurs droits.    A ces deux races mères et maîtresses du Canada, que d'autres, immigrantes, viennent se joindre, si elles veulent, au Canada, chercher leur vie sans briser la nôtre.    C'est le sort des jeunes nations américaines de voir affluer vers leurs terres neuves et riches des populations étrangères multiples et différentes.    Nous voulons bien accepter ces concours, mais à condition qu'ils nous viennent avec mesure et selon la prudence des conseils politiques.    Chaque race étrangère peut bien aussi apporter avec elle, chez nous, son idéal et en faire paraître la lumière dans notre vie canadienne.    Il peut se former de tant d'idéals assemblés et confondus un faisceau splendide plus riche de rayonnements et de clartés.    C'est d'une telle rencontre et d'une telle coopération vivante des races que se sont édifiées les plus puissantes nations de l'histoire.

Mais il y a différentes façons pour des races différentes de coopérer dans l'établissement d'une même patrie.    Il y a la coopération dans le respect de la personnalité ethnique, et il y a la fusion qui coule dans un moule uniforme toutes les races.

Il y a, dans un pays comme le nôtre, des races immigrantes qui sont inévitablement appelées à perdre leur identité, à s'effacer en quelque sorte dans le composé anonyme qui les absorbe ;

CAMILLE ROY                                    387

d'avance, elles y consentent, parce que, déracinées de leur sol, elles ne peuvent songer à survivre. Mais il y a aussi, dans un pays comme le nôtre, des races composantes qui ont des droits à leur survie, qui tiennent ces droits de leur histoire, de la priorité d'occupation territoriale, de la conquête, et qui sont maîtresses de leur personnalité comme elles le sont des terres qu'elles ont découvertes ou qu'elles ont conquises. Il ne peut s'agir pour elles de fusion; il ne peut être question pour elles que de coopération.

Ces races composantes sont, au Canada, la française et l'anglaise. Et c'est parce que nous, d'origine française, nous ne voulons pas de fusion de notre race avec l'autre, qu'il nous arrive encore de nous appeler nous-mêmes "Canadiens français".

Des compatriotes anglais nous reprochent parfois de persister à nous définir ainsi. Pourquoi ne pas nous appeler *Canadiens* tout court, puisque le Canada est notre patrie?

Nous voulons bien être des Canadiens tout court. Ce fut, d'ailleurs, notre premier nom. Assurément, personne n'est plus canadien, chez nous, que nous-mêmes, qui avons les premiers occupé le pays, qui avons posé, dans le sang et les sacrifices de notre race, les fondements indestructibles de la patrie canadienne. Mais nous ne voulons pas être dupes ni des hommes ni des mots. Et si un mot est jugé nécessaire encore pour définir une situation, pour maintenir un droit, un idéal, nous garderons ce mot, et nous le porterons comme une cocarde. Et il opposera sa flamme et sa force à celle des assimilateurs.

C'est pourquoi, le rêve anglais d'une seule race qui serait chez nous une résultante homogène et anglaise de toutes les races, ira toujours se briser au rêve tout différent des Canadiens de la province de Québec..

Ai-je besoin d'ajouter que, chez nous, au Canada, les deux races composantes, et qui veulent survivre, la française et l'anglaise. sont soumises à des lois de transformation qui modifient nécessairement le type primitif? Le Canadien anglais n'est plus l'Anglais d'Angleterre. Le Français du Canada ne ressemble pas tout à fait au Français de France. Les Français de France se ressemblent-ils, d'ailleurs, eux-mêmes partout?

Nous prenons donc au milieu géographique et historique où nous vivons, aux influences des voisinages anglais et des compénétrations américaines, aux conditions de vie économique et sociale qui nous sont faites, nous prenons des formes, des habitudes, des façons de penser, de sentir et de vivre, qui nous font autres que les Français de France. D'ailleurs, toutes ces modalités nouvelles, qui nous font des extérieurs différents, laissent au fond de nous-mêmes quelque chose qui ne change pas, qui se retrouve à certains moments, qui remonte toujours à l'appel des atavismes indestructibles  Aussi, tout en développant au Canada un type français qui est bien nôtre, nous gardons, nous voulons garder dans notre pensée, dans nos sentiments, sur nos lèvres, tout ce qui est partout nécessaire à la survivance de la race française, son âme, sa conscience et sa langue.

(*Nos raisons canadiennes de rester français.*)

OBSERVATIONS. — 1° Notre fidélité française est-elle une abdication de notre personnalité nationale? Expliquez votre réponse. — 2° Définissez quelle sorte de coopération il doit y avoir au Canada entre les deux races française et anglaise.

----

## 198 — L'heure providentielle de la découverte de l'Amérique

L'esprit souffle où il veut, nous dit l'Ecriture: il va souffler une fois encore sur les eaux tumultueuses et porter vers d'autres rivages les apôtres qui annoncent l'Evangile.

Et quelle heure providentiellement choisie pour commencer cette page nouvelle de l'histoire de la rédemption![1] Des peuples, jusque-là comblés des attentions divines, élevaient maintenant contre Dieu des pensées d'orgueil, et contre son Eglise des desseins d'indépendance. Depuis un siècle déjà la conscience européenne était tourmentée et déchirée par des passions contraires. Luther avait donné le signal d'une grande révolte, et déchaîné sur des populations inquiètes son impétueuse éloquence. La parole de Luther contenait des doctrines qui devaient être fatales aux âmes, et dommageables à l'Eglise. Non seulement la Germanie ouvrit ses temples et ses cloîtres à l'évangile orgueilleux de son nouveau maître, mais aussi toutes ces nations du nord qu'un même esprit et un même sang prédisposaient aux mêmes excès.

----

(1) Il s'agit de l'arrivée à Québec des premiers missionnaires, en 1615.

L'Eglise avait déjà connu des siècles d'épreuves semblables où elle vit se détacher du tronc solide de l'unité des rameaux fragiles, brisés aux souffles de l'erreur. On avait vu l'esprit oriental, l'esprit subtil des Grecs jouer avec imprudence dans la trame rigoureuse des pensées théologiques, s'écarter, à force de raisonnements spécieux, de l'inflexible orthodoxie, et entraîner dans ses égarements les peuples aînés de l'Eglise du Christ. Cette fois, au seizième siècle, un autre esprit avait soulevé d'autres passions. L'esprit allemand, fait tout ensemble de lumière, d'orgueil et de brutales convoitises, supportait mal le joug de l'autorité romaine, et celui-là pourtant très doux aussi des conseils évangéliques. Sous la lettre de nouvelles théories doctrinales, il dissimulait à peine les lourdes concupiscences de la chair. Et à cette heure des débordements de la pensée et des sens, on ne vit pas seulement, comme autrefois, répandues sur des peuples fidèles, les eaux troublées de l'erreur; c'était le flot boueux de toutes les impuretés qui se gonflait maintenant, qui montait des champs de la Germanie vers le nord et l'est de l'Europe, menaçant d'entraîner en ses crues rapides toutes les églises latines, pour redescendre ensuite vers Rome, le centre de l'unité, et battre de ses écumes la colline sur laquelle les papes ont fixé leur trône séculaire. Extravagantes ambitions, mais redoutables entreprises! L'hérésie protestante avait, en réalité, séduit, ravagé les nations qu'elle avait touchées, mutilé l'Europe catholique, et l'Eglise avait vu se rompre le merveilleux équilibre de son empire spirituel.

Mais Dieu, qui veille toujours sur le royaume des âmes, lui préparait dans sa miséricorde d'abondantes compensations. C'est quand l'Eglise paraît s'amoindrir, c'est quand Satan, l'ennemi juré de sa fortune, fait un moment ployer la ligne de ses frontières, que l'Esprit saint tout à coup ouvre à l'apostolat des pays nouveaux, et fait porter ailleurs le don méprisé du salut. C'est à l'heure où des peuples d'Europe s'apprêtaient à apostasier, que l'Amérique surgit par delà des horizons inexplorés, révéla au monde ses continents splendides et barbares, et accueillit les missionnaires de l'Evangile. L'Amérique du sud reçut les envoyés de l'Espagne catholique; c'est à la France qu'était réservée l'évangélisation des peuples du Nord.

Dieu ne voulait pas, sans la France, son alliée fidèle, établir sur ces continents d'Amérique la puissance de son Eglise. A l'Espagne ambitieuse et capable de mettre jusque dans son apostolat la fierté opulente de ses conquistadors, il avait donné pour champ d'action des pays ensoleillés, merveilleux et riches, où se déployaient avec orgueil les couleurs splendides de Castille et d'Aragon. A la France, plus mesurée dans ses desseins, plus laborieuse dans ses efforts, et plus tenace dans le sacrifice, il avait réservé la portion la plus pénible du nouvel héritage. Quand au cours de l'histoire, il se présente une tâche plus difficile, une mission plus héroïque à accomplir, c'est à la France que Dieu s'adresse, à la France qui fait les gestes et les œuvres de Dieu.

*(Les Leçons de notre Histoire.* Une page d'histoire.)

---

## 199 — L'éloquence de Bossuet

Qu'il prêche sur l'ambition, sur l'honneur du monde, sur la médisance, ou, comme il le fit devant la cour à Saint-Germain (1681), sur la réforme individuelle des mœurs; qu'il prêche sur l'impénitence finale, sur la mort, ou sur la passion de Notre-Seigneur: toujours le sermon de Bossuet se remplit d'une substance de doctrine qui instruit l'esprit, d'applications pratiques qui rectifient la volonté, d'une inspiration ardente qui traverse comme une flamme la pensée et le style de l'orateur. Peu importe, après cela, que le dix-septième siècle n'ait pas rendu justice à ce sublime prédicateur, que les contemporains de Bossuet, occupés, attirés par ses ouvrages de controverse qui passionnaient les esprits, aient négligé de se souvenir assez de l'orateur pour louer surtout l'écrivain; peu importe que le dix-huitième siècle, connaissant mal tous ces sermons qui ne furent publiés qu'en 1772, n'ait pas placé Bossuet au rang que lui assignait son éloquence! Bossuet lui-même ne songea jamais à se faire de la chaire chrétienne un piédestal; il lui a suffi de s'y faire l'interprète de l'Evangile, et d'y assurer que le verbe du prêtre ne fut jamais, chez lui, que l'écho du Verbe de Dieu.

Mais quel écho! et qui retentit à travers les siècles jusqu'à nos jours! Le temps n'a pu éteindre cette harmonie, parce qu'il n'a pu vider de son contenu la phrase de Bossuet. Et le temps n'a pu briser ces formes oratoires, abattre cette éloquence et rompre en quelque sorte son vol magnifique, justement parce que les mots qui la traduisent, et qui la font toujours entendre et toujours monter, ne sont là disposés que pour porter une forte pensée, et pour l'exprimer en juste mesure. Et la pensée elle-même ne cherche dans les mots qu'une expression qui la montre sans la dépasser jamais.

Sublimes, a-t-on dit, les périodes des oraisons funèbres, et des sermons! Oui, certes, mais parce que sublime est le verbe intérieur qui les anime. Lyrique, l'éloquence de ce grand classique! Oui encore; mais parce que la pensée ardente met en branle toutes les facultés de l'orateur: l'imagination, la sensibilité travaillent avec l'esprit; elles communiquent à la pensée elle-même l'émotion qui la fait tressaillir, la couleur qui la fait splendide, l'image qui la fait concrète, et qui parfois la fixe pour jamais en des tableaux que nul poète n'a surpassés.

Ainsi la pensée règle tous les mouvements de la parole. Et selon que cette pensée s'abaisse aux petites choses ou qu'elle s'élève, monte, domine et plane, la phrase de Bossuet se fait elle-même toute simple, presque rude et familière, ou bien elle s'anime, s'étend, se déploie, ouvre des ailes qui font bientôt paraître, en plein ciel, l'aigle royal du Verbe de Dieu.

Eloquence victorieuse, pleine d'énergie, pleine de lumière, qui depuis trois siècles tient captive l'admiration des hommes; plus haute et plus durable que celle de Démosthène ou de Cicéron, parce qu'elle porte en ses formes souveraines non plus des intérêts humains, mais des pensées éternelles!

Disciplinée, d'ailleurs, par tout ce que l'humanisme gréco-latin avait mis d'ordre, de grâce ou d'élégance classique dans le génie de Bossuet, fortifiée par tout ce que la Bible, la théologie des Pères, d'Augustin, de Bernard, de Thomas d'Aquin avaient mis de vérités robustes dans l'âme de l'orateur, forgée avec un art incomparable dans le métal solide, mais souple et clair, et sans alliage de notre langue du dix-septième siècle, cette éloquence reste, en ses élans magnifiques, l'essor le plus noble, le plus fier, le plus majestueux du verbe de France !

(*Les Leçons de notre Histoire*, Panégyrique de Bossuet.)

OBSERVATIONS. — 1° Avec vos souvenirs de lectures de Bossuet, définissez à votre tour son éloquence. — 2° "La pensée elle-même ne cherche dans les mots qu'une expression qui la montre sans la dépasser jamais." Commentez ce jugement à l'aide des fragments que vous avez lus.

---

## 200 — La tête bien faite

Les étudiants aiment et soignent leurs têtes. Ils en sont fiers ; ils y tiennent ; ils vivent pour elles.

On vient au Collège, à l'Université pour *faire* sa tête. On y vient pour cultiver son esprit, l'esprit qui est la force, la lumière, l'orgueil de la tête.

Une tête bien faite n'est pas nécessairement une belle tête. Ne confondez pas une tête élégante avec une tête bien faite. Il y a des têtes laides à voir et qui sont fort bien faites, et qui sont belles à regarder quand on les regarde à travers la lumière de leurs yeux ou dans le reflet de leurs pensées.

C'est Montaigne qui a le premier parlé des têtes bien faites, au livre premier des *Essais,* chapitre vingt-sixième ; et il y parlait non pas de la tête de l'étudiant, mais de celle du professeur: "Je voudrais... qu'on fut soigneux de luy choisir (à l'étudiant) un conducteur qui eust plutost la teste bien faicte que bien pleine."

Mais je songe à la tête des étudiants.

Montaigne oppose la tête bien faite aux têtes bien pleines. Et l'opposition vaut, qu'il s'agisse de la tête des élèves ou de celle des maîtres.

Montaigne ne suppose pas que le professeur ou l'étudiant ait la tête vide. Il constate qu'une tête pleine peut être mal faite.

Il y a des têtes d'étudiants qui sont pleines, farcies de savoir, et qui ne sont pas bien faites. Souvenez-vous de certaines têtes que l'on a hâtivement remplies, encombrées de textes de manuels ou de notes de cours, et qui, au jour, à l'heure fatale de l'examen, n'ont rien pu laisser sortir d'elles-mêmes. On y avait jeté pêle-mêle, en vue de cet examen, les notions les plus disparates ou les plus indigestes; on n'y avait rien ordonné, ni rien classé; ou l'ordre y était encore incomplet, et le classement mal fixé. L'étudiant n'avait pas considéré l'étude comme une discipline intellectuelle ou une formation de l'esprit, ni comme une assimilation lente et nécessaire des éléments du savoir. Il l'avait comprise comme une préparation aussi tardive que possible d'un examen à subir, comme l'encaissement lourd et rapide de la matière brute d'un programme établi.

Etudiants, vous qui aimez votre tête, mettez-y, avec les objets de la science, l'ordre qui les fait s'ajuster, la méditation qui les pénètre, qui leur donne avec leur sens exact une valeur plus grande. Mêlez aux objets de la science votre pensée personnelle; que cette pensée elle-même circule à travers les définitions, les lois et les faits; qu'elle projette sur toutes ces choses une lumière qui les éclaire, qui s'ajoute à tout ce qu'elles contiennent elles-mêmes de clartés obscures ou éclatantes. Etudiants qui aimez votre tête, et qui la voulez belle, faites-en une intelligence laborieuse qui pense, et non un coffret inerte que l'on remplit.

Et n'oubliez pas non plus qu'une tête bien faite n'est pas celle où la science professionnelle exclut toute autre discipline. Molière voulait que la femme eût des clartés de tout. Il l'exigerait assurément de l'homme, de l'homme instruit, du professionnel. Le professionnel ne doit pas être étranger à tout ce qui n'est pas de sa spécialité. Il y a malheureusement des professionnels habiles et ignorants. Ils n'ont pas la tête bien faite. Il manque à cette tête des parties essentielles du savoir humain. De pareilles têtes sont incomplètes; elles sont mal faites.

Etudiants, profitez des quelques loisirs que vous laissent vos programmes d'études pour faire des lectures utiles qui augmentent votre savoir, et qui accroissent vos puissances de réflexion et de jugement. Profitez de toutes occasions pour vous instruire, pour élargir un peu votre horizon, pour acquérir des connaissances indispensables sur tant de questions d'ordre historique, économique, littéraire, scientifique, religieux, politique, que vous ne pouvez ignorer...

Jeunes gens, voulez-vous une tête bien faite? Qu'il y ait encore dans cette tête la rectitude du jugement, la pondération, le sens des réalités ajouté à celui des principes, l'esprit de finesse joint à l'esprit géométrique, une pénétration suffisante, une curiosité toujours active, la passion du vrai augmentée de la charité, — *caritas veritatis* — le goût du divin, la sagesse naturelle éclairée et accrue par celle de la foi. Il y a des têtes qui ne sont pas droites. Il y a des esprits faux, des esprits superficiels, des esprits étroits, des esprits chagrins ou critiques, des esprits forts, des esprits excessifs. Et il y a des esprits noyés dans le rêve ou la mélancolie. Une tête où logent ces esprits n'est pas une tête bien faite.

Il y a, par ailleurs, de bons esprits. Ceux-ci aiment la vérité pour elle-même, ils la cherchent et ils y ajustent leur conduite; ils aiment la science pour en faire le fonds inépuisable de leur vie, ou la force de leurs activités. Ils aiment l'étude, et ils lui sacrifient d'inutiles plaisirs, et toutes les pertes de temps auxquels s'abandonnent les apathiques, les légers ou les paresseux. Ils aiment le bien autant que le vrai, la vertu autant que la science. Ils réunissent en une seule force invincible les énergies du vouloir et celles de la pensée.

Etudiants, faites-vous une belle tête. Et aimez les têtes bien faites. Ne les confondez pas avec les têtes jolies, gracieuses et inutiles. La beauté qui rayonne des yeux pleins de lumière, d'un front capable de penser, d'un visage où transparaît la profonde vie intérieure, surpasse en éclat celle qui vient des formes fragiles de la jeunesse. Que cette beauté soit la vôtre: elle est irrésistible. Devant elle s'inclinent les amitiés supérieures et tous les respects.

(*Propos canadiens.* Nouvelle édition.)

OBSERVATIONS. — 1° Quelles pièces nécessaires entrent dans une tête bien faite? — 2° Opposez à une tête bien faite une tête mal faite.

# HENRI D'ARLES

## (abbé Henri Beaudé)
## (1870-1930)

Il fut un artiste. L'art apparaît partout en ses livres et se montre. Les pages qu'il écrivit sont parfois tissées en dentelles, et parfois ciselées comme des bijoux. Mais dans les broderies ou les ciselures se logent des pensées fines, des réflexions ingénieuses, des visions de rêves. Souvent, c'est le fin du fin.

Œuvres principales: *Propos d'Art* (1903); *Pastels* (1905); *Essais et Critiques* (1910); *Eaux fortes et Tailles-douces* (1913); *Louis Fréchette* (1925); *Estampes* (1926); *Miscellanées* (1927).

(Voir *Histoire de la Littérature canadinnne*, p. 241-242; 251-252.)

## 201 — Bethléem et le champ des pasteurs

Nous allons au champ des pasteurs, situé au pied de la colline de Bethléem. Le ciel est d'abord opalin et argentin, et extrême- ment limpide. Puis le soleil qui se lève rosit l'olivette en face du cloître; des jeux de lumière et d'ombre s'entrecroisent dans les branches et sur le sol. Des écharpes rose-pâle pendent là-haut. Et c'est bientôt l'azur qui remplace les nuances indécises du matin, un azur plein, d'une transparence absolue. Des vapeurs blanches flottent mollement dans ce bleu, virginalisent ce saphir... Je vois venir, à notre gauche, par la cime des ondulations, une cara- vane de chameaux: chameaux et chameliers se détachent sur le fond or et bleu de l'horizon avec une si extraordinaire netteté qu'on ne perd pas un détail. Même la petite corde, qui relie les bêtes l'une à l'autre et les maintient en ligne, s'évoque. En un mouve- ment lent et régulier la caravane s'avance, mettant dans ce paysage une note de vie antique. Le firmament, là où sa courbe semble toucher la terre, est d'un opalin infiniment doux. Un coin de la mer brille par une échappée de collines: on dirait un morceau de verre dépoli sur lequel frapperaient des rayons. Les monts de Moab s'enroulent en une gaze de plus en plus violette. O lumière orientale, que tu es transfigurante!

Nous voici dans Bethléem. La bourgade est riante. Du haut des terrasses, des gens nous regardent passer et nous saluent très aimablement. Je remarque parmi eux des visages bien réguliers, d'une beauté saine. Le type en est court et rond, le teint frais et tout près d'être coloré. C'est peut-être que l'air est assez vif, ce matin. Et que leurs yeux sont donc étincelants et profonds! A quoi les comparerai-je? Ce sont des diamants noirs tout allumés d'éclairs.

Visite à quelques ateliers de nacre. La nacre est une essence très dure, presque aussi difficile à travailler que le métal, dit-on. Pour l'attendrir, on la laisse tremper d'abord longtemps dans de l'eau tiède mélangée de savon. Elle perd ainsi un peu de sa résistance. Et c'est alors que les bons ouvriers l'entament avec leurs instruments qui m'ont paru assez primitifs, mais par lesquels ils réussissent à exécuter tout de même des merveilles d'ingéniosité. Quelle patience il leur faut pour ciseler leurs croix en finesse, pour dessiner là-dessus leurs petits tableaux d'un art si naïf, ou encore pour arrondir cette matière en beaux grains de chapelets! Tout en travaillant, ils s'accompagnent de mélopées traînantes dont l'accent contraste avec le cri strident des limes, le son aigre des machines à polir ou à percer. Ah! ce qu'il faut avoir les nerfs solides pour supporter tout cela.

Nous descendons au champ des pasteurs, voisin de celui de Booz. Bethléem ressort en clair derrière nous. Je puis très bien juger de sa conformation. Elle est disposée en demi-cercle sur deux flancs de collines. Elle s'est agrandie depuis le temps de Jésus. La grotte où, faute de place dans les hôtelleries. — *Non erat eis locus in diversorio* — Joseph et Marie se réfugièrent au sein de la nuit que la naissance du Verbe allait rendre éternellement auguste, se trouvait alors à l'extrémité du bourg, à quelque distance des dernières maisons. Aujourd'hui, elle en occupe le centre.

Le champ des pasteurs est planté de beaux oliviers. De gracieuses collines l'enceignent, qui s'ouvrent seulement à l'est sur les crêtes veloutées des monts de Moab. C'est donc ici qu'ont retenti les chants des anges; c'est d'ici que les bergers sont partis pour aller là-haut adorer l'Enfant-Dieu. Il semble qu'un écho des voix célestes vibre toujours dans le ciel pur.

Une autre scène pastorale avait déjà marqué ce lieu: l'admirable poème de Ruth la Moabite, si beau dans sa forme purement biblique que les vers de Victor Hugo sont loin de déparer...

Dans l'après-midi, des écharpes laineuses voguent en nombre dans le ciel. C'est l'annonce du vent d'est, le sirocco.

Cependant, l'atmosphère est toujours saturée d'or, et le bleu du firmament est plus profond, parmi les taches de blancheur. Les monts de Moab se rapprochent, se font distincts. Leurs cavités, leurs moindres échancrures sont visibles, idéalisés par la gaze violette. Cette nature, de près, est sans doute très quelconque. A distance, d'incomparables nuances la sublimisent.

Nous revenons par le village de Beit-Saour. Et là j'observe à nouveau comment ces orientaux vivent près de la terre, en communion avec le soleil, la nature, en intime harmonie avec l'ambiance, êtres et paysages. Une caravane de chameaux s'avance dans le jour qui décline. Là-bas au couchant, les laines se sont muées en un champ de roses effeuillées sur une couche d'opales.

(*Eaux-fortes et Tailles-douces.*)

---

## 202 — Un matin à Jérusalem

Il fait encore nuit. Je me rends au mont des Oliviers, pour observer toutes les nuances de l'aurore qui va naître, voir le soleil surgir, en gloire nombreuse, derrière la chaîne de Moab.

Tout le désert de Juda est voilé sous un manteau sombre. Au bout de ce large espace ennuité, la mer Morte met une tache de plomb. Le ciel est comme vert. Les étoiles se font de plus en plus rares, surtout à l'orient où l'on distingue une ligne opaline, puis des teintes d'un rose imprécis et pauvre. J'entends les muezzins chanter l'heure du réveil, au-dessus de Jérusalem, annoncer à la Cité Sainte la prière matinale. Dans le silence absolu des choses, leur voix porte très loin. Il y en a de jeunes, de musicales, d'autres sont chevrotantes. L'une, qui me paraît celle d'un vieillard, suscite plus d'échos, se répercute par les collines et les vallées. Toutes sont graves, invitent plutôt au rêve qu'à l'action. Lentes et douces, ces mélodies étranges et résignées, ces sonorités vraiment orientales, qui s'épandent des minarets indistincts, et vont murmurer, à l'âme musulmane endormie, le nom sacré d'Allah. Des lueurs percent çà et là, des chandelles s'allument.

La mer Morte me semble incroyablement près, elle s'étend presque à mes pieds. Sa blancheur plombée s'éclaire graduellement. Dans ce demi-jour l'absence de perspective, particulière à l'atmosphère d'Orient, est encore plus sensible. A l'horizon, les teintes topaze se font plus substantielles, s'accentuent, leur or s'enrichit. La voûte céleste n'est plus piquée que de rares étoiles lointaines. C'en est fini du règne stellaire. Le monde sidéral s'est évanoui.

Tout se détache dans les clartés grandissantes. La mer Morte est maintenant couleur d'acier. Comme un encens, mêlé d'azur très léger, s'élève de la vallée du Jourdain. La ligne de l'Orient est rouge-vif. Sur cette barre de feu se pose une belle coulée d'or. La chaîne de Moab s'évoque avec netteté. Tout un coin de firmament s'emplit de teintes jaune-intense, rayées de moires violettes. De souples flocons neigeux se rosissent, se recouvrent d'un incarnat très doux.

La mer Morte est d'argent. Les sereines montagnes d'Arabie ondulent sous un velours riche. Un instant, tout devient terne. A la féerie de l'aurore, succède un ciel sans caractère. Mais voici enfin le soleil. Qu'il est beau ! Il monte là-bas, derrière les hautes murailles dont le faîte se couronne d'or. Son éclat est insoutenable. Nous en détournons forcément nos regards qu'il aveugle. La terre exhale un murmure de joie et de vie. Les maisons blanches, les minarets, les coupoles de la Cité Sainte sont rose et or.

(*Essais et Conférences.* Croquis palestiniens.)

OBSERVATIONS. — Cet art presque trop délicat est tout de même un art. Après avoir lu les deux morceaux qui précèdent, pourriez-vous faire la part des qualités et des défauts, si vous estimez qu'on y trouve les unes et les autres.

---

## 203 — Ma vie s'écoule rapide

Me voici dans une solitude sacrée. Endroit élu pour une récollection spirituelle. Je ne me rappelle jamais sans douceur les impressions religieuses que j'ai goûtées ici autrefois. Notre Seigneur m'y a parlé. Mon âme a senti son attouchement. J'y

suis revenu me mettre sous sa direction plus immédiate, consulter
sa volonté sur moi, le prier de me faire la grâce de l'accomplir.
Je vieillis. Ma vie s'écoule rapide. Je descends le versant qui
mène à la tombe. A certains signes qui ne trompent pas, je
m'aperçois que je ne suis plus jeune. Le sang afflue plus lentement
au cœur. Bientôt, je serai compté au nombre des vieillards. Il
est temps de me préparer à l'échéance fatale. Elle viendra, pour
moi comme pour tous. Je n'en connais ni le jour ni l'heure. Je
ne sais sous quelle forme elle se présentera. M'atteindra-t-elle
soudainement? Me laissera-t-elle me consumer à petit feu? Une
seule chose est certaine, c'est que le terme de ma course est marqué
dans la pensée de Dieu, aussi bien que la façon dont il se produira.
Dès maintenant, je veux dire la parole de mon Sauveur: *In manus
tuas* !

Lorsqu'on est jeune, l'on ne songe guère à apprécier la vie à
sa valeur réelle. Un fils de riche ne compte pas avec l'argent.
Comme il en a à profusion, il lui semble que jamais son trésor ne
s'épuisera. Ainsi de nos jours, quand on en cueille la fleur. On
les dépense avec toute l'insouciance d'un prodigue. Ils sont apparemment si pleins, si nombreux. A mon âge, j'éprouve un bien
autre sentiment. Il n'y a plus à jouer avec le temps. Je vois
comme il est précieux, comme il importe de bien l'employer. Il
m'échappe chaque jour, il fuit comme l'eau que la main voudrait
en vain retenir. Sans doute, à quelque étape que l'on soit, il est
insensé de s'appuyer sur l'avenir. Mais l'homme réfléchit si peu.
Il lui est si naturel de croire au lendemain. Et pourtant, rien de
plus problématique. Si le jeune homme est excusable de se livrer
à de vastes pensers, je ne le serais pas, moi. Car j'ai déjà un long
passé. Il me reste beaucoup moins d'années à vivre que je n'en ai
vécues. Alors, il faut en profiter pour bien réfléchir à l'unique
chose nécessaire.

*( Miscellanées.* )

OBSERVATIONS. — Philosophez à votre tour. Qu'y a-t-il de trop vrai
dans cette réflexion: "Lorsqu'on est jeune, l'on ne songe guère à apprécier
la vie à sa valeur réelle".

# LOUIS DANTIN

## (1865-1945)

Critique et conteur. Il observe les livres et la vie. Il juge les uns avec probité; il raconte ou il peint l'autre en artiste, avec des complaisances de psychologue. Par surcroît poète, qui fait transparaître une âme inquiète et mélancolique.

Œuvres principales: *Poètes de l'Amérique française* (1928); *Gloses critiques* (1931); *La Vie en Rêve* (1930); *Le Coffret de Crusoé* (1932).

(Voir *Histoire de la Littérature canadienne*, p. 252-253.)

## 204 — Critique stérile

Il semble passé en mode chez une certaine classe de critiques de proclamer l'absolue nullité de tout ce qui s'écrit chez nous. Avec un dédain qu'ils jugent de haute mise, ils promènent un monocle sur l'assemblée de nos historiens, de nos romanciers, de nos savants, de nos poètes, imposante au moins par son nombre, et prononcent sans hésitation: "Il n'y a là personne". Pas même, entre les œuvres, de gradations, de différences: le néant les fait toutes égales. Ce n'est pas assez d'affirmer que nos lettres sont faibles, malades peut-être, mourantes au pis-aller: il faut qu'elles soient "mortes, mortes dans l'œuf".

Je ne rencontre jamais de ces diatribes sans songer au mot de Mark Twain: "L'annonce de mon décès est grandement exagérée." Et je crains que toutes ces boutades ne soient que les humeurs d'une digestion pénible, maudissant une diète qu'elle ne s'assimile pas assez. Il y entre certaine bile rageuse en chicane avec l'univers et aussi beaucoup de paresse. Car avez-vous remarqué combien cette critique est facile? Elle dispense d'étudier, de commenter, de discerner: il lui suffit de condamner et de pourfendre. Avec un vocabulaire épicé, hérissé de sarcasme, on s'en tire à merveille sans avoir besoin d'une idée. La virtuosité qu'il y faut, c'est celle du mot fort, de la pointe, non celle du jugement, de la compréhension, de l'analyse. Il est évidemment plus simple, au lieu d'interpréter les œuvres, de les rayer d'un trait de plume. Et puis n'est-ce pas d'avance une présomption de supériorité que de pouvoir ainsi mépriser tout le monde. Il faut voir cette critique à l'œuvre en face de tout écrit nouveau, de l'effort, par exemple, d'un jeune à son début. Vous croiriez que la tentative mérite une certaine bienveillance, un brin d'indulgence dans l'accueil. Pour nos railleurs ce n'est qu'une proie. On dirait que ces gens, d'ailleurs bien élevés, personnellement aimables, redeviennent hommes des cavernes à la seule présence du volume. Sa vue leur fait chercher leur javelot ou leur massue, soulève en eux l'instinct primitif de "taper". Il n'y a pas de charge, d'insulte, de huée, qui ne tombe sur le pauvre hère coupable d'avoir brouillé son verbe ou disloqué son hémistiche. "Tu as voulu écrire, crétin, eh bien, attends!" A l'instant on le coiffe d'une forte potée d'eaux de cuisine chargées de pelures avancées. Il se relève plus humilié, plus honni que s'il avait tué sa mère. Ces exécutions, il est vrai, plaisent aux goûts cruels de la foule; on court à ces éreintements comme on s'empressait autrefois à voir administrer la roue. La critique même peut y gagner du piquant et de la saveur; mais où est en cela la proportion et la mesure? Un livre, même sans grande valeur, est-il un attentat, qu'il faille le dénoncer avec cette indignation, le punir avec cette férocité? Ne peut-on dire qu'il est insipide avec les précautions et les formes d'une conversation polie? Et ne peut-on, même sans le dire, le faire voir et toucher du doigt, le démontrer si clairement que personne n'en aura le moindre doute?

(*Gloses critiques.* Notre littérature est-elle morte?)

OBSERVATIONS. — Que pensez-vous du rôle de la critique, et de l'attitude, du ton qu'elle doit prendre aux origines ou aux premières phases de l'existence d'une littérature?

## 205 — Rose-Anne

Or, c'était une fine créature que cette fille, presque trop belle pour une fille de pêcheur. Mais tu sais, quand elles se mettent à être belles, elles le sont jusqu'à l'impossible. Blonde, en dépit du hâle de la mer, avec un regard bleu d'une limpidité admirable, un visage aux lignes pures, sans rien de fruste ou de mal fini, une allure naïvement gracieuse, toute une frimousse éveillée et piquante. Elle allait, tantôt, un panier au bras, faire les provisions au village, tantôt, la main protégeant les yeux, interroger l'horizon pour voir si le père ne revenait pas. Et quand elle avait aperçu la barque, quelle gentille façon elle avait de crier: Ho! papa! en faisant tourner son mouchoir! D'autres fois Armand la voyait à travers la fenêtre, en jupon et manches courtes, vaquer aux travaux du ménage, balayer, peler les patates, soulever le couvercle des marmites bouillantes. Elle faisait tout cela légèrement, comme sans y toucher, avec distinction et charme.

Un jour qu'elle revenait du rivage en faisant danser une brochetée de poissons, le vent emporta son petit bonnet, et Armand qui passait le rattrapa et le lui remit. Elle rougit en disant: "Merci, m'sieur", et cela la fit encore plus jolie. Depuis, les jeunes gens se saluèrent en se rencontrant sur la route. Armand avait appris qu'elle s'appelait Rose-Anne, et il lui dit une fois: "Bonjour, mam'zelle Rose-Anne", ce dont elle fut toute surprise. Il remarqua dès lors qu'elle se mettait à la fenêtre pour le voir venir, et qu'elle avait toujours, juste au moment de son passage, une serviette à étendre le long du chemin ou un seau d'eau à tirer du puits. Lui, de son côté, ne manquait plus un jour à son excursion sur la grève, et en passant devant chez le père Dugré, son pas se faisait d'une lenteur de tortue.

Un jour que le soleil plombant l'avait mis en sueur, il s'enhardit à frapper à la porte, et demanda un verre d'eau. Le vieux pêcheur fumait sa pipe dans un coin; il répondit placidement sans se déranger:

"Vot' plaisir, m'sieu: v'là le gobelet accroché là et le siau est sur la tablette."

Mais Rose-Anne, devenue toute rouge, s'était vivement élancée.
"Pardon, monsieur, dit-elle, cette eau-là n'est plus fraîche:
je vas aller en tirer pour vous."

Et sans attendre de réponse, la voilà partie vers la brimbale,
le seau à la main, et Armand derrière elle, emboîtant le pas tout
en feignant de la vouloir retenir.

"Mais non, mademoiselle, ce n'est pas la peine; j'irai moi-
même.

— Ouiche!" elle n'écoutait pas et trottinait, un peu émue.
Quand ils furent tous les deux sur le bord du puits:

"C'est trop de bonté, mademoiselle Rose, crut devoir dire
Armand.

— Oh! m'sieur, c'est rien du tout, ça me fait bien plaisir:
ça sera pour la capine que vous m'avez ramassée l'autre jour."

Elle se mit à rire tout franc, découvrant ses dents blanches,
tout en abaissant le levier au bout duquel le seau chantait.

"Vous allez me le laisser remonter, au moins, insista le jeune
homme.

— Non, non, j'suis bien capable, allez."

Mais lui avait déjà saisi la perche et, chacun s'obstinant, ils
tirèrent à deux la brimbale, leurs têtes rapprochées par l'effort se
mirant dans l'eau noire et leurs doigts se touchant parfois le long
de la chaîne mouillée.

A dater de ce jour, Armand dut constater qu'il était amoureux.
Le citadin blasé s'était positivement épris de la simple fille de la
grève; et celle-ci, ma foi, éblouie et flattée, laissait volontiers
croître en elle un sentiment semblable.

*(La Vie en Rêve. Rose-Anne.)*

---

## 206 — Le port de Montréal

Les quais, à cette heure matinale, étaient encore presque
déserts. Ils les longèrent un temps, puis trouvant un endroit
propice, ils se hissèrent sur le parapet du mur de revêtement et
s'assirent les jambes pendantes du côté de l'eau.

Devant eux le fleuve s'épandait, frémissant lui aussi de la vie
nouvelle.  Il coulait libre et à pleins bords, sans nulle trace de la
lutte qui avait secoué ses glaces, sensible une fois de plus aux
remous, aux reflets, aux souffles.  Une longue traînée ardente le
barrait vers l'est, faisant flamber l'île Sainte-Hélène.  Ailleurs il
avait l'éclat mat et uni d'une plaque d'acier.  Par places le courant
plus actif créait des champs de vagues menues dansant dans un
miroitement de paillettes.  On distinguait sur l'autre bord, noyées
dans la lumière oblique, les maisons blanches de Saint-Lambert.
À droite, le pont Victoria dressait ses arches sur l'horizon d'un
bleu intense.  Et tout près c'étaient les bateaux, les remorqueurs,
les barges et la nuée des chaloupes, dominés par les colosses
monstrueux des transatlantiques.

Ils regardèrent tout cela longuement, sans se presser, suivant
tour à tour chaque détail, admirant chaque forme et chaque teinte,
et n'échangeant que de rares paroles, tellement le spectacle les
saisissait.

Cependant, sous leurs pieds, la vie des quais se réveillait.
Les hommes circulaient maintenant autour des hangars ; les ca-
mions roulaient en faisant trembler les traverses ; les bateaux
allumaient leurs feux, et de leurs cheminées s'élevaient des torsades
épaisses.

Soudain un sifflet strident retentit, couvrant tous les bruits
de son vacarme, et se répercuta au loin sur le fleuve   C'était un
grand vapeur, entièrement blanc, immobile au pied de la place
Jacques-Cartier, qui venait de lancer ce rauque appel.

Ah ! fit Arthur Limoges, c'est le bateau de Québec qui part.
Nous allons le voir démarrer.

"Ça va me rappeler, dit la jeune fille, la fois que je l'ai pris
pour aller au pèlerinage."

En effet, le vapeur s'ébranla pesamment et, traçant une longue
courbe, il vint passer au devant d'eux, leur exhibant ses ponts que
les passagers garnissaient comme de minuscules poupées, ses
"tuyaux" à bandes noires et rouges, les rangs superposés de ses
cabines, et laissant derrière lui un double sillage d'eau soulevée et
de fumée noire.

"J'aime à voir partir les bateaux, confia le jeune homme.

— Oui, c'est bien amusant, dit-elle.  On s'imagine partir soi-même."

A ce moment une des dragues immenses ancrées silencieuse-ment à quelques arpents de la rive, agita dans l'air son long bras. Ils virent tourner les engrenages: la pelle formidable hésita, balançait ses tenailles ballantes, puis elle plongea verticalement, faisant jaillir des cascades vertes.  On sentit en-dessous de l'eau la lutte sourde du monstre contre les cailloux et la glaise, scandée par la vapeur haletante.  Puis le croc remonta, ruisselant d'un liquide jaunâtre, obliqua vers la toue voisine et, desserrant les dents, lâcha d'un coup son amas immonde.

"En en a une mâchoire, celle-là, dit Arthur; quelle bouchée!

— Un pauvre déjeuner tout de même, remarqua la fille."

Et ils restèrent longtemps à surveiller la drague, pendant que sur le quai le mouvement, le bruit, le transport des caisses et des rails, le chargement des cales, le heurt des trucks et le grincement des machines, atteignaient maintenant leur apogée.

L'ouvrière enfin rompit le silence:

"Comme ça repose, pensa-t-elle tout haut, de regarder tra-vailler les autres."

(*La Vie en Rêve*.  Printemps.)

OBSERVATIONS. — Description abondante et sobre, réaliste, et qui donne l'impression de la vie.  Dites brièvement pourquoi.

---

## 207 — Sur le Mont Royal

Ils firent signe au tramway qui, par des avenues ombreuses et à travers de longs détours, les conduisit à l'entrée du parc.  Au bout de dix minutes, ils étaient assis côte à côte sur un banc isolé, tout au sommet du Mont-Royal.

De ce point culminant, on eût dit tout le monde visible noyé d'une inondation de vagues vertes.  Le flot inégal des feuillages

descendait comme une cataracte les pentes aiguës du mont, s'épandait sur la ville, serpentait dans les rues, couvrant les maisons
jusqu'au faîte.   Le fleuve le coupait d'un courant plus sombre où
circulaient des reflets d'or.   Plus loin, il se poursuivait jusqu'à
l'horizon par le plan uni des campagnes.   Une vapeur irisée s'en
élevait, faite de toutes les effluves du sol.   Le soleil, comme un feu
qui va s'éteignant, y allumait des flamboiements rougeâtres.   Les
pétillements intenses du jour s'affaissaient, se fondaient dans un
calme alangui et universel.

De leur poste exalté, les deux jeunes gens embrassaient cette
scène, saisis d'un enivrement muet, presque inconscient.   Ils en
suivirent longtemps les merveilles changeantes, le cœur envahi
d'une paix douce.   Un moment la fille se leva, tendant les bras
d'instinct vers la lumière magique, et pour la première fois Arthur
la vit réellement.   Il la vit différente de celle qui l'avait suivi tout
le jour, revêtue soudain d'une splendeur étrange; elle lui apparut
comme une fée dressée dans une gloire, comme le Printemps lui-
même vivant et souriant; et tout à coup il la trouva si belle, si
belle, qu'il n'osait plus la regarder.

A ce moment un roulement se fit entendre et se rapprocha
sur la route.   Une luxueuse auto déboucha d'un détour, puis,
ralentissant son allure, vint s'arrêter juste en face d'eux.   Il en
sortit un homme qui paraissait avoir trente ans, à la mine opulente
et mis avec une élégance extrême.

Sans regarder autour de lui, il se planta au bord du chemin
et se mit à contempler le paysage avec tous les signes du ravissement.   L'est assombri, l'ouest éclatant, le précipice fleuri tout près,
en haut le firmament de pourpre, semblaient l'attirer tour à tour
et exciter son enthousiasme.   Des gestes, des exclamations lui
échappaient.   Quelque poète, eût-on jugé, en quête d'inspiration
et d'images.   Comme il changeait de place pour varier son point
de vue, sa figure, une seconde, se profila du côté du banc, et
Angélina l'aperçut.   Le violent soubresaut qu'elle eut faillit faire
chavirer le siège.   Un "Oh!" s'étouffa dans sa gorge, son visage
peignit une surprise voisine de l'effroi.   Comme Arthur, inquiet,
se penchait vers elle, elle lui chuchota ces seuls mots:

"Dieu! Mon patron, monsieur Ledoux."

S'il la reconnaissait! S'il la sommait d'expliquer son escapade avec ce garçon! Ce serait le renvoi, sans compter la honte, et ainsi ces belles heures se dénoueraient en catastrophe.    Elle voyait s'avancer, prise d'un vague remords, le châtiment mérité, providentiel.    Un espoir lui restait, qu'il ne s'aperçut pas de sa présence, passât son chemin sans la voir.

Mais presque au même instant l'intrus se retournait, les découvrait sur leur banquette, et s'avançait tout droit vers eux.

"Pardon, dit-il affablement, je me croyais tout seul, mais j'aime à en voir d'autres ici.    Ça ne vous fait rien que je m'assoie une minute à côté de vous?

— Pour sûr que non, monsieur, dit poliment Arthur."

Monsieur Ledoux s'assit et les dévisagea sans manifester de surprise.

"Vous avez joliment bien fait, dit-il, d'être montés jusqu'ici. C'est idiot, n'est-ce pas, par un jour pareil, de faire autre chose que flâner?    Quel printemps!"

(La Vie en Rêve. Printemps.)

———

# GEORGES PELLETIER
## (1882-1946)

Il s'appelle *Paul Dulac* quand il veut, avec plus d'apparente liberté, analyser, scruter, fouiller une âme ou une conscience. Il le fait avec une concision élégante et pittoresque. Il excelle dans le portrait; il montre l'âme à travers le visage.
Œuvre: *Silhouettes d'aujourd'hui* (1927).
(Voir *Histoire de la Littérature canadienne*, p. 214.)

## 208 — Le docteur Arthur Rousseau

Il a la tête belle et ronde, les cheveux gris, un front vaste, sous les arcades sourcilières duquel luisent des yeux pénétrants, parfois doux, parfois sévères, toujours scrutateurs, qui observent, analysent, devinent. Il cherche et dépiste les symptômes en même temps qu'il photographie les traits. Il n'a pas seulement le regard d'un praticien attentif, mais celui d'un maître de science.

A-t-il gardé dans son cabinet de la petite rue Collins sa bibliothèque choisie, bien rangée, aux rayons débordants d'ouvrages de littérature, de critique, d'art, de science, tous feuilletés, lus, annotés? Il la porte en tous cas entre ses tempes. C'est un esprit étendu, de grande culture, ordonné, auquel rien de ce qui est humain ne reste étranger — même l'art gastronomique. S'il s'adonné à la médecine, il y met sa conscience et son intelligence, et il a suivi aussi le penchant qu'il avait, dès le petit Séminaire, pour les lettres, les humanités, la philosophie. Jadis, on le rencontrait dans les rues paisibles de la Haute-Ville, une revue ou un livre à la main et qui lisait en marchant sur le trottoir étroit. Depuis, l'automobile est venue. Lire dans la rue serait dangereux. Le docteur Rousseau lit en automobile, — s'il n'est pas au volant. Car il est souvent son chauffeur, plus que hardi, même audacieux. Il cause? Approchez, écoutez-le. Il a étudié, réfléchi. Il a l'intelligence, le jugement et le vocabulaire originaux, une ironie fine, le trait piquant sans amertume, des vues d'ensemble neuves, personnelles. Tout le temps qu'il parle, il continue d'observer. Il devine la tournure d'esprit caractéristique de son interlocuteur, provoque la pensée de fond, le jet de l'idée intime.

Interroge-t-il un patient! Il inspire la confiance. En quelques minutes il aura sondé les replis secrets du cerveau hésitant à se livrer. Il y aura retracé les vestiges de l'hérédité qui se dérobe, écarté les voiles, vu, face à face, tout comme la misère physique, l'obsession, l'angoisse morales. En peu de temps il connaîtra tout de l'inconnu entré dans son cabinet; il l'aura confessé. Excitateur d'énergie, il remonte qui s'abandonne, courbe la volonté lasse sous le traitement qu'il faut suivre, l'attelle à l'œuvre longue et dure de la guérison. Il réveille et stimule le courage, rattache à la vie. S'il n'y a plus d'espoir, il fait entrevoir le sacrifice, accepter la douleur, comprendre à mots délicats le dessein de Dieu. Il n'assomme par le malade marqué de mort; il l'appuie.

D'idées et de sentiments canadiens, français de formation, de goûts, de culture, il a jadis, tout au fond de lui-même et de loin, pensée à la vie publique, une fois les sommets de sa profession gravis. Il y eût été, en mieux, le docteur Ferroz des *Morts qui parlent*. Comme lui, "n'ayant plus rien à apprendre dans les cliniques, l'éminent praticien aurait voulu consommer son expérience, étudier dans les assemblées certains phénomènes collectifs de psychologie et de physiologie". Homme de science précise, analyste profond, intellectuel au plus noble sens, ce qu'il vit de haut du parlementarisme aux formules creuses, l'enracina dans sa chaire de professeur, à son cabinet de consultation, pour le plus grand avantage des hommes qui souffrent. Le temps qu'il refusa de donner à la politique, il en enrichit les étudiants qu'il enseigne, la faculté de médecine de sa province, les hôpitaux qu'il a montés et dirige avec une modestie et un désintéressement éclairés.

Ce n'est pas un médecin. C'est le Médecin, devant lequel se fût incliné Molière même.

OBSERVATIONS. — Après avoir lu ce portrait, pouvez-vous justifier l'appréciation préliminaire que nous avons faite de l'auteur?

# MADELEINE

## (Madame W. Huguenin)

### (1891-1943)

Elle met dans ses chroniques tout son cœur: elle incline vers la bonté les âmes. Elle sait aussi écrire de dures vérités. Pages inégales: les meilleures continuent de suggérer, en phrases simples et délicates, des devoirs de pitié et de tendresse.

Œuvres: *Premier Péché* (1902); *Le long du Chemin* (1912).

(Voir *Histoire de la Littérature canadienne*, p. 243.)

## 209 — Les cloches sonnaient matines

A l'heure où sonnaient les matines de Pâques, j'ai vu passer, sous le ciel gris et lourd, un convoi blanc que suivaient un homme et une femme en noir.

Et l'homme avait le masque tragique du désespoir, et la femme pleurait à gros sanglots.

Ils s'en allaient porter en terre, les pauvres, peut-être tout leur amour, et leur détresse faisait mal à voir sous le ciel gris et lourd, tandis que les cloches sonnaient matines.

Le petit corbillard blanc, embelli d'ors, emportait une tombe presque minuscule, drapée de velours fin, dans laquelle dormait toute la tendresse de l'homme et de la femme en deuil. Pourquoi faut-il que l'amour le plus doux et le plus infini périsse ainsi, quand la nature s'éveille, quand un immense alléluia descend des cieux et monte de la terre? Pourquoi faut-il que ce père et cette mère passent en pleurant dans l'universelle joie?

A l'heure où les cloches sonnaient matines, j'ai vu passer, dans l'ombre grise et lourde, une femme à cheveux blancs, toute courbée vers la terre; elle s'en allait d'un pas lourd, inégal, ce pas des gens qui ont beaucoup marché par les routes rocailleuses, et sur ses épaules frémissait la mante antique que les soleils avaient rougie. La porte de l'église était ouverte, tandis que la voix des cloches appelait; la vieille femme se glissa dans la foule qui rentrait.

Je la revis, si petite, diminuée encore, comme fondue dans ce grand banc où elle priait, priait à voix presque haute, répétant de sa voix dolente: "Bonne Sainte-Vierge, venez me chercher, s'il vous plaît!" Et dans un geste naïf, suppliant, elle levait vers la Madone ses mains jointes, des mains tannées, ridées, aux pauvres doigts crochus.

"Bonne Sainte Vierge... priait-elle toujours de sa même voix sans expression, — bonne Sainte Vierge!"

Tandis qu'elle appelait la mort au chant joyeux de la résurrection, sous le ciel gris et lourd, un homme et une femme pleuraient en suivant le convoi blanc de leur ange endormi. La nef retentissait du chant joyeux des alléluias, l'autel éblouissait de mille feux, au dehors le jour tombait lentement. Et dans l'ombre plus lourde et plus grise, deux pauvres petits attendaient. Leurs mains froidies frôlèrent la mienne au passage, et j'entendis que leur bouche chevrotait: "Madame... charité... amour du bon Dieu..." Je les vis tous deux si pâles sous la lumière mourante d'un jour sans soleil, si pâles et si tristes que j'en eus mal. La fillette me tendit un bouquet pascal composé de fleurs mendiées aux halles sans doute, roses qui tremblaient sous la brise, avec le son du papier que l'on froisse. Et tandis qu'elle me parlait, le garçonnet plus jeune, à peine cinq ans, avait ôté sa casquette et me regardait profondément de ses beaux yeux craintifs: la mère était malade dans la maison sans feu, où il y avait aussi deux bébés, le père était mort à l'automne, et l'on avait froid et faim. Pauvres, pauvres petits, que leur tristesse était navrante dans la lumière mourante de ce jour sans soleil...

.     .     .     .     .     .     .     .     .     .     .     .

Je m'en retournais les yeux troubles, le cœur déçu quand mon obscurité fut soudain éclaircie.

Un couple radieux s'en allait dans le sombre que son passage semblait éclairer: couple d'amoureux, couple de vie et d'espoir, couple de beauté et de joie. En les voyant si fiers et si heureux, je me repris à sourire à cette lumière rayonnante, à cette saison qui allait fleurir.

Tout doucement mon cœur chanta: Voici le printemps! Vive l'amour!

Ils allaient vers l'avenir, confiants et sereins, dans l'ombre grise et lourde de cette fin de jour sans soleil, tandis que la jeune morte, les mains jointes, dormait à jamais, que les enfants mendiaient en pleurant aux portes de l'église, que la vieille femme demandait la mort à la bonne Vierge, et que, le cœur sanglant, ce père et cette mère suivaient au cimetière le convoi blanc de leur petit adoré...

*(Le long du chemin.)*

OBSERVATIONS. — Page gracieuse et mélancolique, faite de contrastes. Soulignez ces contrastes, les antithèses, et dites brièvement quel mérite ou quelle force ils ajoutent au style et au sentiment.

# FADETTE

## (Madame Maurice Saint-Jacques)

Ame fertile en conseils d'un goût délicat et qui se complaît dans l'analyse. Elle écrit pour se donner elle-même: plume féminine et plume d'apôtre. Beaucoup de jeunes filles lui doivent de se mieux connaître.

Œuvres: *Lettres de Fadette.*

(Voir *Histoire de la Littérature canadienne*, p. 243.)

## 210 — Le mystère des âmes

O les jolies heures de rêveries douces et de méditations sérieuses par les sentiers couverts d'herbes fines si délicieusement molles au marcher! Et pendant que, penchée sur notre âme, nous écoutons ce qu'il s'y dit, les arbres se chuchotent leurs confidences et toutes les fleurs des bois se balancent mollement au rythme de la berceuse que leur chante le vent léger. Et l'on va seule, seule avec soi, et seule avec les doux fantômes que l'on évoque. On cause avec eux sans réticences, sans détours, d'âme à âme, comme nous pouvons le faire si rarement, hélas! quand des yeux rencontrent nos yeux, et que des mots répondent à nos mots.

Nous nous ignorons tellement de ce côté-ci du ciel, que les meilleures causeries que nous puissions avoir avec ceux que nous aimons sont souvent celles d'où ils sont absents, et où leur âme seule est tout près de nous.

N'avez-vous pas été saisis de cette incompréhension pénible des cœurs qui paraissent unis, en entendant les phrases qu'ils se jettent avec insouciance et qui sont comme des lueurs fugitives sur l'abîme qui les sépare?

Mais quand on s'aime? m'objectez-vous... Mon Dieu, on peut s'aimer ardemment et ne pas toujours se comprendre.

Rappelez-vous les silences forcés où vous n'osiez pas crier ce qui vous montait du cœur parce que vous n'étiez pas sûre d'être comprise. Rappelez-vous les paroles dites presque contre votre pensée afin d'éviter un froissement; rappelez-vous vos chagrins pour un mot qui vous faisait mal et dont l'autre ignorera toujours qu'il vous a déchirée...

Tout cela parce que les âmes se frôlent, s'aperçoivent par éclairs, se rejoignent pendant quelques rares et précieux instants, mais qu'elles restent en général inconnues et presque étrangères les unes aux autres. C'est peut-être dans l'amitié que l'entente peut devenir plus grande et plus durable, parce que l'amitié vit dans le calme, et que la confiance s'est formée peu à peu, en dehors et au-dessus de la passion qui bouleverse les âmes et aveugle les esprits. Mais, même quand vous arrivez à cette entente relative, combien de coins secrets de votre cœur vous mettez à l'abri des yeux de l'amitié la plus sincère; et elle, de son côté, garde ses secrets aussi jalousement que vous!

L'épreuve de la terre, c'est ce mystère que nous sommes les uns pour les autres, et à mon avis, le ciel ce sera de tout comprendre dans ceux que nous aimons, de ne plus pouvoir être pour eux l'occasion d'un chagrin et de ne jamais souffrir par eux. Le ciel ce sera donc l'amour dans sa perfection... Cela me suffirait à moi!

Voilà les petites histoires que je raconte à mes fantômes quand je me promène avec eux dans les chemins verts ou sur les grèves de velours que les vagues caressent. Ils me répondent avec les mots que je dirais moi-même; je n'ai jamais besoin de rien leur expliquer et nous nous entendons si bien, si bien, que nous nous croyons déjà au ciel!

(Lettres de Fadette.)

OBSERVATIONS. — 1° Commentez cette phrase: "Les meilleures causeries que nous puissions avoir avec ceux que nous aimons sont souvent celles d'où ils sont absents." — 2° Et cette autre: "C'est peut-être dans l'amitié que l'entente peut devenir plus grande et plus durable." — 3° Et cette autre: "L'épreuve de la terre, c'est ce mystère que nous sommes les uns pour les autres."

# FRÈRE MARIE-VICTORIN

## (1885-1944)

**Botaniste: chercheur de fleurs et chercheur de paysages. Il écrit aussi bien qu'il herborise. Il communique aux choses son âme d'artiste. Il y a des arbres qui lui devront de ne pas mourir.**

**Œuvres principales:** *Récits laurentiens* (1919); *Croquis laurentiens* (1920).

(Voir *Histoire de la Littérature canadienne*, p. 238-239.)

## 211 — L'Orme des Hamel

On connaissait le bien des Hamel de dix paroisses à la ronde, à cause de l'orme gigantesque planté au bord de la route, l'orme bien des fois centenaire, plus vieux que l'histoire, aussi solidement établi dans la légende que dans la terre. Il était gros quand l'homme blanc parut aux rives du Saint-Laurent et les sauvages le disaient habité par un puissant manitou. Durant cent cinquante ans, sur le chemin du Roy qui poudroyait à ses pieds, il avait vu passer les beaux soldats de France et l'on racontait qu'à son ombre le marquis de Montcalm avait fait reposer plus d'une fois ses vaillants grenadiers. Il y a quelque trente ans, on voyait encore de la galerie de mon grand-oncle deux autres arbres semblables, l'un sur les hauteurs de Sainte-Foy, l'autre vers Lorette-des-Indiens, et, chose curieuse que grand'mère m'a souvent affirmée quand je lui tenais l'écheveau, ces ormes appartenaient à des Hamel n'ayant entre eux et avec nous aucun lien de parenté.

L'orme de l'oncle Siméon avait trente-six pieds de tour à hauteur d'homme. Oui, trente-six pieds, bien mesurés à la corde. Le dimanche, quand nous étions chez grand-père, à quelques arpents de là, nous coupions à travers l'avoine pour venir entourer le géant de la couronne de nos petits bras. Et je pense aujourd'hui à la scène délicieuse que cela faisait, à ces ardents papillons d'un jour que sont les enfants, posés pour un instant sur le pied noir du vieil arbre, à ces cris, à ces rires qui fusaient vers la cime et s'harmonisaient avec le babil des oiseaux sur le seuil des nids innombrables.

Ah! l'orme des Hamel. L'oncle Siméon pouvait labourer loin de l'autre côté du chemin sans quitter son ombre, et souvent aussi le soc plantait tout droit et l'attelage s'arrêtait court: la charrue venait de toucher une racine. Siméon regardait alors avec orgueil pendant un instant l'arbre superbe; puis, passant les guides à son cou et assujettissant sa pipe entre ses dents, il tirait dur sur les manchons, commandait les chevaux et continuait le sillon commencé.

L'orme des Hamel! Je l'ai vu bien des fois et sous toutes les lumières. Je l'ai vu quand le printemps commençait à peine à tisser la gaze légère des jeunes feuilles, sans masquer encore la musculature puissante des grosses branches. Je l'ai vu aux petites heures, sensible à la prime caresse du soleil, accueillir avec un profond murmure la fine brise du matin. Mais c'est surtout le soir, quand nous redescendions vers Québec, qu'il était beau. Je manquais de mots alors, mais les images sont là, très nettes, dans ma mémoire. La lumière horizontale retouchait la forte tête et charpentait d'or bruni le baldaquin immense royalement dressé dans le ciel apâli. Puis, avec la retombée du soleil, les verts se fonçaient, des trous noirs se creusaient dans la masse lumineuse, et peu à peu, à mesure que l'ombre montait derrière, le charme s'éteignait doucement. Vers l'heure où notre voiture passait au pas sur le pont Radeau, l'orme des Hamel se fondait dans la grande nuit.

Or, un soir que, après souper, Siméon, assis sur le bord de son renchaussage, fumait silencieusement sa pipe en regardant la buée violette s'élever au fond de La Suète, il vit son voisin Charles Paradis ouvrir la barrière et remonter l'allée.

"Bonsoir, Charles!

— Bonsoir, Siméon! ça va, les labours?

— Oui. Mes deux grandes pièces sont faites. Demain je fais la terre noire."

Le silence tomba entre les deux hommes. Charles était dans la quarantaine, grand, un peu voûté, gris aux tempes. Il fumait, debout, les mains passées sous ses bretelles de cuir.

"Siméon, dit enfin Charles, j'ai à te parler. Tu sais que ton orme est vieux et pourri. La dernière tempête a encore jeté une grosse branche sur ma remise!

— Tu veux m'en faire coûter? dit Siméon en secouant sur son pied la cendre de sa pipe.

— Non, Siméon, c'est pas pour l'argent, mais la branche a failli tuer un de mes petits gars.  Quelque beau jour cet arbre-là nous tombera sur la tête.

— Il est encore solide! Il est vieux, quoi! Un arbre ça perd des branches comme nous autres nous perdons des cheveux. On ne meurt pas de ça! Nous serons tous les deux dans la terre avant lui!"

Charles hocha la tête.

"Ecoute, Siméon, on en parlait sur le perron de l'église, dimanche, et dans le rang de la Petite-Rivière, tout le monde pense comme moi: tu devrais le couper avant qu'il arrive un malheur.

— Le couper!" En disant ces mots le vieillard avait retiré sa pipe et restait là, en arrêt, les yeux agrandis devant cette conjoncture à laquelle il n'avait jamais songé.

"Oui, continua Charles, faudra que tu te décides ... J'ai vu un avocat, on peut t'obliger. Mais nous sommes de bons voisins, n'est-ce pas? Et alors..."

Effrayé d'en avoir tant dit, Charles Paradis tourna sur ses talons et rentra chez lui à grands pas, tandis que Siméon, atterré, les pieds dans l'herbe, regardait son arbre dont la cime bruissante s'enténébrait peu à peu.

Cette nuit-là, il ne dormit pas. Marie, comme bien l'on pense, avait tout entendu, et le lendemain, ce fut dans la vieille demeure sans enfant comme une menace de mort planant sur un fils unique. L'homme s'endimancha, attela le blond sur la belle voiture, et descendit au petit trot vers Québec. Quand il revint vers deux heures de relevée, Marie put lire sur la figure de Siméon la sentence du vieil arbre. Elle sortit de la commode ce qu'il faut pour écrire, remua la bouteille d'encre Antoine jaunie par le temps, et sa vieille main tremblante, en quelques lignes laborieuses, apprit aux Hamel, aux vieux, la triste nouvelle et les invita pour une corvée après les semences.

*(Récits laurentiens.)*

OBSERVATIONS. — 1° L'arbre et l'homme: ce qu'ils sont l'un pour l'autre. Essayez de le dire en vous souvenant de l'orme des Hamel. — 2° Ce qui vous intéresse dans cette description: les souvenirs, la lumière, l'ombre, les images.

# MARCEL DUGAS

## (1889-1947)

Il a commencé par la préciosité obscure; il s'amène dans la simple lumière. Sa pensée se fortifie en devenant plus réaliste, en se rapprochant des choses et des hommes.
Œuvres: *Littérature canadienne. Aperçus* (1929); *Un romantique canadien. Louis Fréchette* (1934); *Flacons à la Mer* (1923).
(Voir *Histoire de la Littérature canadienne*, p. 255.)

## 212 — Albert Lozeau

Le destin d'un Lozeau est romantique. Sa vie et son œuvre portent les traces d'une prédilection que j'appellerai douloureuse. Et c'est bien en posture de dieu traqué que l'on s'est plu à le voir, et son œuvre, en outre de l'estime qui lui est due, rencontra toujours une sympathie qui dépasse la valeur des mots et la beauté stricte du poème. Il faisait, hier encore, figure à part, entouré de l'admiration des jeunes filles et des collégiens, de ses confrères et de ceux qui, connaissant son histoire et son œuvre, se laissaient attendrir par cette chanson où perlaient les notes d'une tristesse et d'une joie mesurées. Après la mort de Fréchette et l'aventure de Nelligan, il semblait un sublime isolé dans une société alors tout adonnée à l'argent et aux puissances matérielles. Il sauvait la poésie, pendant que d'autres qui l'avaient, un instant, courtisée, se plongeaient dans des mêlées âpres et sans issue. Son exemple ne devait pas tarder à susciter de jeunes poètes impatients de cultiver les Muses. A coup sûr, M. Albert Lozeau réalisait à merveille ce mot de Lamartine: "L'homme est un dieu tombé qui se souvient des cieux", mais un dieu promu à la souveraineté de la poésie.

Albert Lozeau appartient à cette race d'artistes qui sont restés, eux, pensifs sur la montagne sainte, dédaignant de boire, selon le mot de Samain, "aux écuelles viles". Plus bas, s'agite la masse grouillante des pantins voués aux crimes de la politique, et qui, sous la futilité d'un verbe ignare, décèlent l'emphase des attitudes, une vanité remuante et panachée. Quelque part, des justes, des esprits fins, des artistes, des curieux d'idées et de sentiments, deux ou trois maîtres à penser qui se détachent sur l'horizon...

Loin des agitations publiques, M. Lozeau se tient dans la vérité de son propre cœur. Il eût été beau de joindre les mains, résigné, sur son martyre. Se taire n'est déjà pas si banal! Dans un jardin où l'orage a passé, quelle noblesse ont les lis renversés d'ajouter au beau temps revenu leur fraîcheur encore frémissante. Des vies existent comme des encensoirs brisés; elles répandent toujours un parfum.

M. Lozeau porte autour de son front la gloire de sa souffrance. Elle lui trace une auréole. Insatisfait d'être une noble victime, il joue avec les mots et, des mots, tire un sens, une loi, une création. L'*Ame Solitaire*, dont le titre s'apparente au *Cœur Solitaire* de Charles Guérin, mais dont la poésie est bien différente, nous avait initié à son rêve de poète: quelques touffes de roses, un pan de ciel bleu, un idéal imprécis allant aux choses, le regret de ce qui ne sera jamais, voilà bien ce petit livre résumé et dont la sensibilité émue nous avait attendris. Le don de l'émotion se présentait à chaque page. Nous étions loin de Fréchette et de Chapman, ces frères ennemis, pourtant gras du même lait et opulents de santé prosaïque.

Après la sarabande de nos romantiques orgiaques et sans génie, M. Lozeau nous apportait une nouveauté d'émotion d'une qualité louable: la décence se joignait à la force de sentir. Rien d'un poète orateur qui se perd dans le flux des métaphores et pour qui l'image banale semble le fin du fin. Un filon venait d'être découvert!

*(Littérature canadienne.)*

OBSERVATIONS. — 1° "Le don de l'émotion se présentait à chaque page... M. Lozeau nous apportait une nouveauté d'émotion d'une qualité louable: la décence se joignait à la force de sentir." Relisez les poèmes de Lozeau que vous trouvez dans ce recueil, et dites si vous approuvez ce jugement. — 2° "Rien d'un poète orateur qui se perd dans le flux des métaphores et pour qui l'image banale semble le fin du fin." Est-ce cela Lozeau? Précisez en l'opposant à William Chapman ou à Fréchette.

## 213 — Louis Fréchette

Pour conclure, dirons-nous que Fréchette fut un grand poête?
Il serait nécessaire de nous expliquer ici. Grand! Oui, si l'on
considère que, de 1860 à 1900, il a été une personnalité régnante
littérairement, un de ces hommes sur qui se porte la faveur ou la
critique des lettrés et celle de la foule. Sûrement, il a incarné
quelques-unes des tendances maîtresses de son temps et, parmi nos
ouvriers de lettres, il a été l'un des plus tenaces et des plus utiles.
Aux aspirations du peuple, il a donné une voix poétique, traduit
les sentiments dont il était animé. Il a donc résumé la conscience
littéraire des hommes d'alors en voulant servir la littérature, la
poésie avec une ardeur qui ne fut dépassée par personne, et parfois
dans l'expresssion de critiques désagréables à entendre, cependant
vraies, il a montré une énergie que les hommes de maintenant sont
bien empêchés d'avoir.

Mais son œuvre roule des scories et des déchets; il est rarement un artiste au vrai sens du mot. Victime d'une civilisation matérielle qui n'avait de goût, en somme, que pour le luxe tapageur
et stérile, les vanités ronflantes, victime aussi de la médiocrité des
esprits qui a régné dans la politique, la vie sociale et religieuse du
Canada de son temps, il n'a pas joui de l'atmosphère propice à
l'éclosion d'œuvres solides, mûries, parfaites, qui font l'admiration
des hommes et défient le temps. Il a été surtout grand par ses
désirs et ses rêves, une sorte de *vates* canadien désireux de ravir
le feu du ciel. Sa lyre a chanté la race française-canadienne, les
vertus d'un passé glorieux, invitant les hommes de son époque à
se souvenir de lui, à s'en inspirer. A cause de cela, et parce que,
durant son existence, il a fait entendre au-dessus des vulgaires
batailles électorales et autres, une sorte de chant plein de ferveur;
à cause de son dévouement fanatique à l'art, à la pensée française,
il demeure, dans l'histoire des lettres canadiennes, l'un des types les
plus remarquables de l'esprit latin en Amérique. Sa vie et sa pensée sont consubstantielles avec celles de son pays. Il a enseigné à
prier, à aimer, à souffrir dans une langue pour nous sacrée. Avec
Crémazie, il a été l'un des pères de la poésie canadienne. Dans le

Canada bouleversé par les tempêtes, les fureurs aveugles de la politique, son grand mérite fut d'être une sorte de héraut, cramponné au rocher de Québec, criant à sa jeune race que la condition pour elle de vivre était de se nourrir de l'esprit français, et que si jamais elle s'en abstenait, elle deviendrait une nation sans visage et sans âme.   Cette attitude de Fréchette lui fait beaucoup d'honneur. Elle lui assure dans l'histoire des esprits au Canada une place de choix.

*(Un romantique canadien, Louis Fréchette.)*

OBSERVATIONS. — "Sa vie et sa pensée sont consubstantielles avec celles de son pays."  Cela est-il bien vrai de Fréchette?  Et dans quelle mesure cela pouvait-il influer sur le fond et la forme de sa poésie?

———

# ALAIN GRANDBOIS

## (1900-      )

Il raconte. Son style est court, rapide. Il condense. La pensée se montre en images brèves, en tableaux, en traits saillants qui évoquent, en couleurs sobres qui peignent. L'auteur est artiste. Il procède volontiers par hachures. Il ne veut pas lasser. Il lui arrive de heurter.

Œuvre: *Né à Québec... Louis Jolliet.*

## 214 — Vers le Mississipi

### 1° LE DÉPART DE JOLLIET ET MARQUETTE

A la mission Saint-Ignace, le 13 mai 1673. C'était l'aube. Les Indiens s'affairaient autour des canots. Des Hurons au regard inquiet. Il y avait eu des songes. Les présages étaient mauvais. Les plus vieux désapprouvaient l'expédition. Ils aimaient Marquette, la Robe-de-la-Douceur. Et son ami, ce jeune chef aux cheveux blonds, bravait les dieux. De l'est venaient les Iroquois, mais que pouvait apporter le sud? L'Inconnu.

Une brume ouatée flottait sur le lac. Marquette grelottait, toussait. Son visage, sous la barbe noire, s'était encore creusé. A un porteur qui plaisantait sur l'existence de ce fleuve que nul témoin n'avait pu encore se vanter d'avoir vu, Marquette, en souriant, répondit par les adieux d'Isabelle-la-Catholique à Colomb: "Si la terre n'est pas créée, Dieu la fera jaillir pour toi du néant, afin de justifier ton audace..."

Deux canots. Jolliet y fit ranger la pacotille, les sacs de sel, les calumets empennés de plumes blanches, et cette cassette de bois brun qui renfermait l'astrolabe, la boussole — celle de ses premiers voyages — la carte approximative tracée sur les indications des sauvages, des rouleaux de papiers durs. Marquette portait la pierre du Sacrifice et le calice sacré. Les deux hommes échangèrent un regard, Jolliet donna un ordre bref. Pour un moment, les pagayeurs s'immobilisèrent. Ils étaient cinq. Alors Marquette, les maintes jointes, invoqua la Vierge à haute voix et fit le vœu, si l'expédition réussissait, de donner au fleuve fabuleux le nom de Conception. Tous se signèrent. Et, sur un geste de Jolliet, les pagaies — cinq éclairs — trouèrent l'eau sombre. Le soleil se levait...

## 2° EN ROUTE

Navigation difficile et lente. Il fallait longer des rivages bordés de récifs. Jolliet pressait ses pagayeurs. Il craignait les vents terribles du nord-est, fréquents en cette saison. Et ce fut, sur l'écran mobile d'une forêt puissante et secrète, la succession de plages basses aux galets gris, de pointes de rochers noirs, d'îlots décharnés et nus, de criques paisibles où s'entassait l'écume jaunie des vieilles tempêtes. Puis des îles boisées surgirent: les Huronnes. On y trouvait des émeraudes, des saphirs, un quartz transparent et bleu, des sources d'eaux vives, une végétation luxuriante. Ces îles aussi étaient désertes. Les Tionnontés les avaient abandonnées durant la rage iroquoise.

Bientôt le Canadien pénétra dans la baie des Puants. Large comme un bras de mer, elle s'étranglait peu à peu et finissait en marécages bourbeux d'où montaient des odeurs pestilentielles. Les voyageurs, la nuit, furent troublés par d'étranges détonations. Les eaux se soulevaient et s'abaissaient avec le rythme régulier des marées. Allouez avait déjà rapporté le phénomène. Marquette et Jolliet, sous les étoiles, jouèrent le jeu des hypothèses? L'un tenait pour l'influence des astres et l'action des vents; l'autre pour l'existence de courants sous-marins, venus de la conjonction des trois lacs, et qui produisaient ce flux et ce reflux.

Le lendemain, ils virent une rivière se jeter dans la baie. Jolliet s'y engagea. On la nommait Maloumine. Elle roulait, dans un lit sinueux, des eaux paresseuses bordées de hauts joncs. L'ombre mauve des canots révéla la croissance d'innombrables pousses vert tendre, couchées dans la direction du courant, qui en tapissaient le fond. A l'automne, les Indiens de la région recueil-

laient ces herbes dont ils tiraient une farine agréable.   Et voici,
à un coude brusque du cours d'eau, la première bourgade des
Oumaloumites, ou peuple de la Folle-Avoine.   Jolliet tendit vers
les Indiens un calumet à plumes blanches...

### 3° OBSTACLES

Dans la cabane du chef où les notables du pays s'étaient réunis,
Jolliet offrit les présents d'usage.   On servit aux voyageurs des
jattes remplies d'une pâte épaisse, des poissons grillés, et ces fruits
minuscules à saveur douce que produisent les hêtres.   Puis Marquette se leva.   Il rappela la puissance d'Ononthio et la gloire de
Dieu.   Il dit le but qu'il se proposait d'atteindre.   Et il demanda
des renseignements sur les peuples qui habitaient les régions de la
Grande-Rivière.   Trois fois, le calumet passa de bouche en bouche.
Alors un vieillard prit la parole :

"Ta présence réjouit nos cœurs et flatte notre orgueil.   Ton
Dieu est grand, et nous l'honorons.   Ton Ononthio dirige nos actes
comme un vrai chef, dans la bataille, conduit ses guerriers.   La
sagesse des tiens nous est connue.   Aussi me trouves-tu fort
chagrin de ne pouvoir partager tes espoirs.   Souvent, la bravoure
et le courage des Robes-Noires nous ont remplis d'admiration.
Mais mon amitié pour toi m'oblige à te dire aujourd'hui que nulle
audace ne peut vaincre ce qui est invincible.   Ton projet est
irréalisable.   Je ne connais pas les chemins qui conduisent vers
ces peuples du sud.   Mais de vieux chasseurs de nos tribus ont
autrefois fréquenté ces parages.   Peu en sont revenus.   Je sais
ceci.   Chacun de tes pas sera semé d'embûches mortelles.   Des
torrents plus rapides que des flèches et grondant comme le tonnerre, engloutiront ton canot dans leurs remous perfides.   Mais
tu as échappé aux torrents !   Alors ton canot s'écrasera sur des
rochers aigus.   Mais tu as évité la brutalité du roc, tu te crois
sauvé, tu remercies ton Dieu !   Alors te guette l'épreuve la plus
terrible : ton canot glisse sur une eau lisse comme la joue d'une
vierge.   Ton cœur est plein de joie.   Tu entonnes le chant d'allégresse.   Soudain l'inquiétude s'abat sur toi comme un tomahawk.

Car tu as vu ton canot suivre le cours d'un rythme que tu ne lui as pas imposé. Tu résistes en vain. Tu luttes comme un géant. Mais une force irrésistible t'entraîne. Tu n'es plus qu'une plume dans le tourbillon fumant du rapide. Tes oreilles sont assourdies par un vacarne épouvantable. La terreur t'affole. Et tu es la proie du démon même du gouffre. C'est un être aux mille bras, mille fois plus hideux que ceux qui s'agitent sur tes images, et nul n'est jamais sorti vivant de ses griffes..."

Le vieillard gesticulait, marchait à grands pas, s'arrêtait soudain, roulait dans une face momifiée, des yeux de dément. Les notables, crispant leur bouche mince, feignaient la plus grande horreur. Jolliet admira la perfection de leur jeu. Il savait que chaque tribu tentait de conserver pour elle seule la faveur de l'amitié française. La rassade et les mousquets conféraient vis-à-vis des voisins une supériorité sans conteste.

Grand, droit et mince, un autre Ancien parla. Les plumes dont sa tête était ornée prouvaient un passé glorieux.

"Je sais que la route conduisant au Mississipi, et que le fleuve lui-même sont tels que le vieillard te les a décrits. Mais il ne t'a cependant pas entretenu des hommes qui peuplent ces régions. Ce sont des loups furieux. Ils ne vivent que pour le massacre. Ils se dévorent entre eux. Les pointes de leurs flèches macèrent dans un poison foudroyant. Ils prétendent que nulle terre n'est assez profonde pour enterrer la hache de guerre. Ils sont doués d'une force extrême. Ils arrêtent la course du bison en le saisissant par les cornes. Un seul lien unit ces démons: la haine implacable de l'étranger..."

Un troisième orateur:

"Ces terres sont si rapprochées du soleil que les hommes du Levant qui les parcourent brûlent bientôt d'un feu ravageur. Une soif les tourmente, que nulle fontaine ne peut apaiser. Leurs yeux se couvrent d'écailles et s'emplissent de nuit. Ils prononcent des mots sans suite, absurdes même au jugement d'une femme. Ils se consument et meurent dans leur propre poussière..."

Marquette remercia ses frères rouges. Et il vanta son Dieu qui sait vaincre gouffres, flèches, insolations, malfaisants génies.

Les deux hommes regagnèrent leurs canots. Marquette soupirait : devant la dernière cabane du village il avait vu, dressée, une longue perche au bout de laquelle se balançait, offrande aux esprits dévorateurs, le cadavre d'un chien jaune.

*(Né à Québec . . . .)*

OBSERVATIONS. — 1° Après avoir lu les pages qui précèdent, dites si elles justifient le jugement préliminaire porté sur l'auteur. — 2° Récits brefs, coupés de réflexions qui les animent. Le regard s'accompagne de la pensée. Qualifiez le regard et la pensée. Sont-ils assez aigus, assez révélateurs, assez capables d'originalité ?...

---

## 215 — Mort du Père Marquette

Fidèle à sa promesse, Marquette avait voulu retourner chez les Illinois du Kaskaskia. Dans l'automne de 1674, il quittait la baie des Puants, rejoignit Chicagou, atteignait la rivière des Illinois. Il était accompagné de deux canotiers français, Jacques et Porteret. Porteret avant fait le voyage du Mississipi.

Bientôt les compagnons du jésuite, effrayés par la violence de sa toux, le forcèrent de s'arrêter. La neige tombait. C'était le commencement de l'hiver. Ils construisirent une cabane de bois, s'y logèrent. Marquette toussait, vomissait le sang. Les canotiers battaient les bois à la recherche de quelque gibier, faisaient bouillir des herbes, des racines, confectionnaient des tisanes. L'hiver passa. Au printemps, ils reprirent la rivière. Le 8 avril, ils arrivaient chez les Kaskaskias. Trois jours plus tard, Marquette assembla toute la nation.

La réunion eut lieu au centre d'une prairie que l'on avait recouverte de nattes et de peaux d'ours. Cinq cents vieillards et chefs, assis à l'indienne, se pressaient autour du jésuite. En arrière d'eux, au nombre de quinze cents, debout, se tenaient les jeunes gens. Des femmes et des enfants composaient le reste de la foule. Quatre grandes images de la Vierge, tendues sur des cordes, dominaient l'assemblée. Et ce fut dans le plus profond silence que Marquette, d'une voix que sa faiblesse trahissait, fit entendre les dix commandements.

Le Père dut abréger son séjour au village. Ses forces l'abandonnaient. Des Indiens l'accompagnèrent sur une longueur de trente lieues. A Chicagou, les deux canotiers se concertèrent. Poursuivre la route habituelle de la baie des Puants, gagner Michillimakinac, Marquette ne le pouvait supporter. Son état nécessitait les soins les plus urgents. Les deux hommes prirent le parti de traverser de biais la pointe sud du Michigan, puis de longer la rive est du lac jusqu'à la mission de Saint-Ignace. Le projet, hardi, fut inutile. Le 11 mai, comme sa vue baissait et qu'il avait peine à remuer ses membres, Marquette prépara de l'eau bénite, instruisit ses compagnons de la façon dont ils devraient en user lorsqu'il entrerait en agonie. Puis il demanda qu'on lui lût chaque jour une méditation sur la mort qu'il avait lui-même écrite, et dont il ne se séparait jamais. Le 18, il annonçait qu'il mourrait le lendemain. Il souriait, joignait ses mains pâles, priait. Les canotiers pagayaient, se hâtaient.

Après une nuit d'insomnie, dès l'aube, ils reprirent leur route. Vers le milieu du jour, à l'embouchure d'un cours d'eau, ils aperçurent une éminence de terre qui surplombait le lac. Marquette voulut s'y arrêter. Il voyait là son tombeau. Les hommes voulurent passer outre. Profiter de chaque instant, gagner Saint-Ignace au plus vite ! L'air était immobile. Un vent s'éleva soudain, gênant la marche du canot. Ils reconnurent les signes d'une volonté supérieure, se signèrent. Et ils transportèrent le moribond sur le rivage, allumèrent un feu, construisirent avec des branches un abri sous lequel ils le couchèrent. Alors Marquette donna ses dernières instructions. Quand ils le verraient sur le point de rendre l'âme, ils répéteraient les noms de Jésus et de Marie, d'une voix forte, afin qu'il les entendît. En reconduisant sa dépouille mortelle en terre, ils sonneraient la petite cloche dont ils se servaient pour sa messe. Ils élèveraient ensuite sur sa fosse une croix de bois. Puis le jésuite confessa les deux hommes, les remercia de leurs soins, leur promit de veiller là-haut sur eux. Il les chargea de demander pour lui aux membres de sa Compagnie

le pardon des offenses qu'il avait pu commettre à leur égard.   Enfin
il leur remit, pour le Supérieur de l'Ordre, un panier d'osier dans
lequel se trouvait sa confession écrite.   Et il les congédia, leur
promettant de les rappeler quand l'heure serait venue.   Et il
s'abîma dans sa prière.

   A dix heures, le même soir, il les rappela.   Les hommes pleuraient.   Il les embrassa.   Il réclama son reliquaire, l'eau bénite.
Puis il enleva le crucifix qui pendait à son cou, le tendit à un des
canotiers, lui demandant de le tenir vis-à-vis de ses yeux, et il
joignit ses mains.   Alors, à haute voix, il professa sa foi, remercia
le Crucifié de la grâce qu'il lui faisait de mourir pour Son service
et, comme Lui, dans l'abandon des hommes.   Il récita ensuite
plusieurs fois: *Mater Dei, memento mei.*   Puis il se tut.   Il
agonisait.

   Des minutes passèrent.   Sa respiration se fit plus courte.   Il
haletait doucement.   Un homme cria: Jésus, Maria!   Les lèvres
du mourant s'entr'ouvrirent, répétèrent les mêmes mots... "et
comme si, à ces noms sacrés quelque chose se fût présenté à lui,
il leva tout d'un coup les yeux au-dessus de son crucifix, les tenant
comme collés sur cet objet qu'il semblait regarder avec plaisir, et
ainsi, le visage riant et enflammé, il expira sans aucune convulsion,
et avec une douceur qu'on peut appeler un agréable sommeil..."

   OBSERVATIONS. — La mort d'un apôtre: en route... Il s'en dégage
une impression de force, de beauté supérieure. Expliquez-le. Dites comment y contribue l'art de l'auteur.

*(Né à Québec...)*

# F I N

# TABLE DES MATIÈRES

## SOUS LE RÉGIME FRANÇAIS

# SOUS LE RÉGIME ANGLAIS

## PÉRIODE DES ORIGINES CANADIENNES

### 1760-1860

## DEUXIEME PERIODE

### 1860-1900

# L'HISTOIRE

# LA POÉSIE

---

# LE ROMAN

# CHRONIQUES — JOURNALISME — ELOQUENCE

## TROISIÈME PÉRIODE

### 1900-1930

# LA POESIE

# L'HISTOIRE

---

# LE ROMAN

# RECITS — CHRONIQUES — CRITIQUE

F I N